TACK!

Genom att välja en klimatsmart pocket från Månpocket bidrar du till vårt arbete för att göra produktionen av pocketböcker miljövänligare.

Vår vision är att ge ut böcker där man tagit hänsyn till miljön i varje steg av produktionen – och vi strävar efter att bli ännu bättre.

Vi har därför valt att trycka alla våra böcker på FSC-märkt papper. FSC står för Forest Stewardship Council och är en oberoende, internationell organisation som verkar för socialt ansvarstagande genom ett miljöanpassat och ekonomiskt livskraftigt bruk av världens skogar. FSC:s regelverk slår bland annat vakt om hotade djur och växter, om hållbart och långsiktigt bruk av jorden och om säkra och sunda villkor för de som arbetar i skogen.

För de utsläpp som trots allt inte går att undvika i bokproduktionen klimatkompenserar vi genom Climate Friendly. Vi bidrar härigenom till utbyggnaden av hållbar utvinning av förnyelsebar energi, såsom vindkraft.

Vill du veta mer? Besök **www.manpocket.se/klimatsmartpocket**

FSC

Märket för ansvarsfullt skogsbruk
FSC-SWE-0061
®1996 Forest Stewardship Council A. C

Månpocket

Camilla Läckberg

ÄNGLAMAKERSKAN

Denna Månpocket är utgiven enligt överenskommelse med
Bokförlaget Forum, Stockholm

Omslag: Anders Timrén
Omslagsfoto: Getty Images, Shutterstock

Tryckt hos CPI Clausen & Bosse, Leck, Tyskland 2012

ISBN 978-91-7503-101-9

*"Om en man kan visa så mycket hat,
tänk hur mycket kärlek vi alla kan visa tillsammans."*

De hade tänkt renovera sig ur sorgen. Ingen av dem var säker på att det var en bra plan, men det var den enda de hade. Alternativet var att lägga sig ner och sakta tyna bort.

Ebba lät skrapan fara över husväggen. Färgen lossnade lätt. Den hade redan börjat flagna rejält och hon behövde bara hjälpa den lite på traven. Julisolen gassade så att luggen klibbade mot hennes svettblanka panna, och armen värkte av att för tredje dagen på raken utföra samma monotona rörelse upp och ner. Men hon välkomnade den fysiska smärtan. När den stegrades, dämpades för en stund värken i hjärtat.

Hon vände sig om och såg på Mårten som stod på gräsmattan framför huset och sågade till brädor. Han verkade känna på sig att hon betraktade honom för han tittade upp och höjde handen till en hälsning, som om hon var en bekant han passerade på gatan. Ebba kände sin egen hand göra samma aviga gest.

Trots att det hade gått mer än ett halvår sedan deras liv raserades, visste de fortfarande inte hur de skulle förhålla sig till varandra. Varje kväll lade de sig med ryggarna mot varandra i dubbelsängen, livrädda för att en ofrivillig beröring skulle utlösa något som de inte kunde hantera. Det var som om sorgen fyllde dem till den grad att inga andra känslor fick plats. Ingen kärlek, ingen värme, ingen medkänsla.

Skulden hängde tung och outtalad mellan dem. Det hade varit enklare om det gick att definiera den och bestämma var den hörde hemma. Men den rörde sig fram och tillbaka, ändrade styrka och form och attackerade ständigt från nya håll.

Ebba vände sig mot huset igen och fortsatte skrapa. Under hennes händer föll den vita färgen i stora sjok och träet blev synligt. Hon smekte brädorna med den fria handen. Huset hade en själ på ett sätt som hon aldrig tidigare upplevt. Det lilla radhuset i Göteborg som hon och Mårten köpt tillsammans hade varit nästan nytt. Då hade hon älskat att allt blänkte och sken, att det var oförstört. Nu var det nya bara en påminnelse om det som varit, och det här gamla huset med dess skavanker passade bättre ihop med hennes själ. Hon kände igen sig i taket där det regnade in, i värmepannan som behövde sparkas igång med jämna mellanrum och i de dragiga fönstren som gjorde det omöjligt att ha ett tänt ljus stående på fönsterbrädan utan att det blåstes ut. Även i hennes själ drog det och regnade in. Och de ljus hon försökte tända blåstes obönhörligen ut.

Kanske skulle själen kunna läka här på Valö. Hon hade inga minnen härifrån, men ändå var det som om de kände igen varandra, hon och ön. Den låg precis utanför Fjällbacka. Om hon gick ner mot bryggan såg hon det lilla kustsamhället breda ut sig på andra sidan vattnet. Framför den branta bergsväggen låg de små vita husen och de röda sjöbodarna som ett pärlband. Det var så vackert att det nästan gjorde ont i henne.

Svetten rann ner och sved i ögonen. Hon torkade sig med t-shirten och kisade mot solen. Ovanför henne kretsade måsarna. De skränade och ropade på varandra, och skrien blandades med ljudet av båtar som passerade i sundet. Hon blundade och lät sig föras bort av ljuden. Bort från sig själv, bort från …

"Ska vi ta en paus och gå och bada?"

Mårtens röst bröt igenom ljudkulissen och hon ryckte till. Hon skakade förvirrat på huvudet men nickade sedan.

"Ja, det gör vi", sa hon och klättrade ner från byggnadsställningen.

Badkläderna hängde på tork på baksidan av huset, och hon slängde av sig de svettiga jobbkläderna och tog på sig en bikini.

Mårten var snabbare än hon och väntade otåligt.

"Ska vi gå då?" sa han och gick före mot stigen ner till stranden. Ön var ganska stor och inte lika karg som många av de mindre öarna i den bohuslänska skärgården. Stigen omgärdades av lummiga träd och högt gräs, och hon stampade hårt med fötterna i marken. Rädslan för ormar satt djupt och den hade förstärkts då de för några dagar sedan hade sett en huggorm som låg och värmde sig i solen.

Marken började slutta ner mot vattnet och hon kunde inte låta bli att fundera på hur många barnfötter som hade trampat den här stigen under åren. Stället kallades fortfarande barnkolonin, fastän det inte hade varit en barnkoloni sedan trettiotalet.

"Akta", sa Mårten och pekade på några trädrötter som stack upp.

Hans omtanke, som borde göra henne rörd, kändes mest kvävande och demonstrativt klev hon över rötterna. Efter ytterligare någon meter kände hon sträv sand under fötterna. Vågorna slog mot den långa stranden och hon slängde ifrån sig handduken och gick rakt ut i det salta vattnet. Tångruskor strök mot hennes ben och den plötsliga kylan fick henne att dra efter andan, men snart njöt hon av svalkan. Bakom sig hörde hon Mårten ropa på henne. Hon låtsades inte höra utan fortsatte utåt. När botten försvann under henne började hon simma och bara ett par simtag senare var hon framme vid den lilla badflotten som låg förankrad en bit ut.

"Ebba!" Mårten ropade från stranden, men hon fortsatte att ignorera honom och greppade tag i flottens stege. Hon behövde en stund för sig själv. Om hon lade sig ner och blundade kunde hon låtsas att hon var skeppsbruten ute på det stora vida havet. Ensam. Utan att behöva ta hänsyn till någon annan.

Hon hörde simtag närma sig i vattnet. Badflotten gungade till när Mårten tog sig upp, och hon knep ihop ögonen ännu hårdare för att stänga honom ute en liten stund till. Hon ville vara ensam på egen hand. Inte som det var numera, när hon och Mårten var ensamma tillsammans. Motvilligt slog hon upp ögonen.

Erica satt vid vardagsrumsbordet och runtomkring henne såg det ut som om en leksaksbomb hade briserat. Bilar, dockor, mjukisdjur och utklädningskläder i en salig röra. Tre barn, alla under fyra år, gjorde att hemmet för det mesta såg ut så här. Men som vanligt hade hon prioriterat skrivandet framför att röja då hon för en gångs skull hade en barnfri stund.

När hon hörde ytterdörren öppnas tittade hon upp från datorn och fick syn på sin man.

"Hej, vad gör du här? Skulle inte du till Kristina?"

"Mamma var inte hemma. Typiskt, jag borde ha ringt först", sa Patrik och sparkade av sig foppatofflorna.

"Måste du ha de där på dig? Och dessutom köra bil i dem?" Hon pekade på de vedervärdiga fotbeklädnaderna, som till råga på allt var neongröna. Hennes syster Anna hade gett dem till Patrik på skämt och nu vägrade han att ha på sig något annat.

Patrik kom fram till henne och gav henne en puss. "De är ju sköna", sa han och gick mot köket. "Fick de tag på dig från förlaget förresten? De måste ha varit ivriga när de till och med ringde mig."

"De vill ha besked om jag kan komma på bokmässan i år som jag lovade. Jag kan inte riktigt bestämma mig."

"Det är klart att du ska åka. Jag tar barnen den helgen, jag har redan sett till så att jag inte jobbar."

"Tack", sa Erica men blev innerst inne lite arg på sig själv för att hon kände sig tacksam mot sin man. Hur mycket ställde hon inte upp när hans arbete som polis kallade iväg honom med en minuts varsel, eller när helger, högtider och kvällar blev förstörda för att jobbet inte kunde vänta? Hon älskade Patrik över allt annat, men ibland kändes det som om han knappt reflekterade över att hon tog störst ansvar för hemmet och barnen. Hon hade ju också en karriär, en rätt framgångsrik sådan dessutom.

Ofta fick hon höra hur fantastiskt det måste vara att kunna försörja sig som författare. Att fritt kunna bestämma över sin egen tid och vara sin egen chef. Erica blev alltid lika irriterad, för trots att hon tyckte väldigt mycket om sitt jobb och insåg att hon var lyckligt lottad, var verkligheten en annan. Frihet var inget hon förknippade med att vara författare. Tvärtom kunde ett bokprojekt uppsluka all tid och tankeverksamhet dygnet runt sju dagar i veckan. Ibland kunde hon vara avundsjuk på dem som gick till arbetet, gjorde det de skulle i åtta timmar och sedan var klara när de gick hem. Hon kunde aldrig koppla bort sitt jobb, och med framgången följde krav och förväntningar som skulle samordnas med livet som småbarnsmamma.

Det var dessutom svårt att hävda att hennes arbete var viktigare än Patriks. Han skyddade människor, löste brott och bidrog till att samhället fungerade bättre. Själv skrev hon böcker som lästes som underhållning. Hon förstod och accepterade att hon oftast drog det kortare strået, även om det ibland fick henne att vilja ställa sig upp och skrika rakt ut.

Med en suck reste hon sig och gick efter sin man in i köket.

"Sover de?" sa Patrik och tog fram ingredienserna till sin favoritmacka: knäckebröd, smör, kaviar och ost. Erica rös vid tanken på att han sedan skulle doppa den i varm choklad.

"Ja, för ovanlighetens skull lyckades jag få alla i säng samtidigt. De lekte jättebra på förmiddagen, så de var helt slut alla tre."

"Skönt", sa Patrik och satte sig vid köksbordet för att äta.

Erica gick tillbaka ut i vardagsrummet för att hinna skriva lite till innan barnen vaknade. Stulna stunder. Det var allt hon kunde räkna med nu.

I drömmen brann det. Med fasa i blicken stod Vincent och tryckte näsan mot en glasruta. Bakom honom såg hon lågor slå upp, högre och högre. De närmade sig honom, svedde hans blonda lockar, och han skrek ljudlöst. Hon ville kasta sig mot glaset, krossa det och rädda Vincent undan lågorna som hotade att sluka honom. Men hur hon än försökte ville kroppen inte lyda.

Så hörde hon Mårtens röst. Den var full av anklagelser. Han hatade henne för att hon inte kunde rädda Vincent, för att hon stod och såg på medan han brändes levande framför deras ögon.

"Ebba! Ebba!"

Hans röst fick henne att försöka igen. Hon måste springa fram och slå sönder glaset. Hon måste …

"Ebba, vakna!"

Någon ryckte henne i axlarna och tvingade henne att sätta sig upp. Sakta försvann drömmen bort och hon ville hålla den kvar, slänga sig in i lågorna och kanske för ett ögonblick känna Vincents lilla kropp i sin famn innan de båda dog.

"Du måste vakna. Det brinner!"

Plötsligt var hon helt vaken. Röklukten stack i näsborrarna och fick henne att hosta så att det rev i strupen. När hon tittade upp såg hon röken välla in genom dörröppningen.

"Vi måste ut!" skrek Mårten. "Kryp under röken. Jag kommer efter. Jag ska bara se om det går att släcka elden först."

Ebba snubblade ur sängen och föll ihop på golvet. Mot kinden kände hon plankornas värme. Det brann i lungorna och hon var ofattbart trött. Hur skulle hon orka ta sig någonstans? Hon ville ge efter och somna, och hon slöt ögonen och kände en tung dåsighet sprida sig i kroppen. Här skulle hon få vila. Bara sova en stund.

"Upp med dig! Du måste." Mårtens röst var gäll och hon vaknade till ur sin dvala. Han brukade aldrig vara rädd. Nu drog han henne hårdhänt i armen och hjälpte henne upp på alla fyra.

Motvilligt började hon röra på händer och knän. Rädslan hade börjat få fäste även i henne. För varje andetag kände hon hur röken fyllde hennes lungor alltmer, som ett långsamt verkande gift. Men hellre dog hon av rök än av eld. Tanken på att hennes hud skulle brinna räckte för att få henne att sätta fart och krypa ut ur rummet.

Med ens blev hon förvirrad. Hon borde veta åt vilket håll trappan låg, men det var som om hjärnan inte fungerade. Det enda hon såg framför sig var en kompakt gråsvart dimma. Panikslagen började hon krypa rakt fram, för att åtminstone inte bli fast i röken.

I samma stund som hon kom fram till trappan sprang Mårten förbi henne med en brandsläckare i händerna. Han tog trappan i tre steg och Ebba såg efter honom. Precis som i drömmen kändes det som om kroppen inte lydde henne längre. Hennes leder vägrade röra sig och hjälplös blev hon stående på alla fyra medan röken blev allt tjockare. Hon hostade igen och den ena hostattacken avlöste den andra. Ögonen rann och hennes tankar gick till Mårten, men hon orkade inte oroa sig för honom.

Återigen kände hon hur lockande det skulle vara att ge upp. Att försvinna iväg, bli av med sorgen som trasade sönder kropp och själ. Det började svartna för ögonen och hon lade sig långsamt ner, vilade huvudet mot armarna och blundade. Runtomkring henne var det varmt och mjukt. Dåsigheten fyllde henne på nytt och välkomnade henne. Den ville henne inget ont, bara ta emot henne och göra henne hel igen.

"Ebba!" Mårten drog henne i armen och hon stretade emot. Hon ville färdas vidare mot den där sköna och stillsamma platsen hon var på väg till. Så kände hon ett slag i ansiktet, en smäll som fick kinden att svida, och omskakad hävde hon sig upp och såg rakt in i Mårtens ansikte. Hans blick var orolig och ilsken på samma gång.

"Elden är släckt nu", sa han. "Men vi kan inte stanna här inne."

Han gjorde en ansats att lyfta upp henne, men hon värjde sig. Han hade tagit ifrån henne den enda möjlighet till vila hon haft på så länge och rasande bankade hon knytnävarna mot hans bröst. Det kändes skönt att få utlopp för all ilska och besvikelse, och hon slog så hårt hon bara kunde tills han fick tag om hennes handleder. Med dem i ett fast grepp tvingade han henne närmare sitt bröst. Han tryckte hennes ansikte mot sig, höll henne tätt intill. Hon hörde hans hjärta slå hastigt och ljudet fick henne att börja gråta. Så lät hon sig lyftas upp. Han bar henne ut och när den kalla nattluften fyllde hennes lungor gav hon efter och föll in i dvalan.

Fjällbacka 1908

De kom tidigt om morgonen. Mor var redan uppe med småttingarna medan Dagmar låg kvar och gonade sig i sängvärmen. Det var skillnaden mellan att vara mors riktiga barn och en av horungarna hon tog hand om. Dagmar var speciell.

"Vad är det som står på?" ropade far inifrån kammaren. Både han och Dagmar hade väckts av ett envetet bultande på dörren.

"Öppna! Vi kommer från polisen!"

Tydligen brast tålamodet för dörren slängdes upp och en man i polisuniform stormade in i huset.

Dagmar satte sig förskrämt upp i sängen och försökte skyla sig med täcket.

"Polisen?" Far kom ut i köket och knäppte fumligt byxorna i midjan. Hans bröstkorg var insjunken med glesa tofsar av grått hår. "Om jag bara får ta på mig skjortan, så ska vi nog kunna reda ut det här. Det måste ha blivit något missförstånd. Här bor bara hederligt folk."

"Visst bor Helga Svensson här?" sa polismannen. Bakom honom väntade ytterligare två män. De fick stå tätt samman, för köket var trångt och fullt av sängar. För tillfället hade de fem småttingar i huset.

"Jag heter Albert Svensson och Helga är min hustru", sa far. Han hade fått på sig skjortan och stod med armarna i kors över bröstet.

"Var finns er hustru?" Rösten var uppfordrande.

Dagmar såg bekymmersrynkan som hade bildats mellan fars ögon. Han oroade sig så lätt, sa mor alltid. Klena nerver.

"Mor är i trädgården på baksidan. Med småungarna", sa Dagmar och först nu verkade poliserna lägga märke till henne.

"Tack", sa polismannen som hade fört ordet och vände på klacken.

Far följde poliserna tätt i hälarna. "Ni kan inte bara storma in hos redbart folk så här. Ni skrämmer livet ur oss. Nu måste ni förklara vad saken gäller."

Dagmar slängde av sig täcket, satte ner fötterna på det kalla köksgolvet och rusade efter i bara nattsärken. Bakom knuten tvärstannade hon. Två av poliserna höll mor hårt i armarna. Hon kämpade emot och männen flåsade av ansträngningen att hålla henne fast. Ungarna skrek och tvätten som mor hade varit i färd med att hänga revs ner i tumultet.

"Mor!" ropade Dagmar och sprang fram mot henne.

Hon kastade sig mot den ene polismannens ben och bet honom så hårt hon kunde i låret. Han skrek och släppte taget om mor, vände sig om och gav Dagmar en örfil så att hon föll i backen. Häpen blev hon sittande i gräset och strök sig över den svidande kinden. Under hennes åttaåriga liv hade ingen någonsin slagit henne. Nog hade hon sett mor ge småttingarna stryk, men aldrig att hon skulle höja handen mot Dagmar. Och då vågade far inte göra det heller.

"Vad tar ni er till? Slår ni min dotter?" Mor sparkade rasande mot männen.

"Det är inget mot vad ni har gjort." Polismannen fattade ett hårt grepp om Helgas arm igen. "Ni är misstänkt för barnamord och vi har rätt att söka igenom ert hus. Och tro mig, vi kommer att göra det grundligt."

Dagmar såg hur mor liksom sjönk ihop. Kinden brann fortfarande som av eld och hjärtat pickade i bröstkorgen. Runtomkring henne skrek barnen som om domens dag var kommen. Det var den kanske också. För även om Dagmar inte förstod vad som hände, avslöjade mors min att deras värld just hade rämnat.

"Patrik, kan du åka ut till Valö? Det har kommit ett larm om att det har brunnit där och man misstänker mordbrand."

"Va? Förlåt? Vad sa du?"

Patrik var redan på väg upp ur sängen. Han tryckte fast telefonen mellan örat och axeln medan han drog på sig jeansen. Yrvaket tittade han på klockan. Kvart över sju. En kort sekund undrade han vad Annika gjorde på stationen så här dags.

"Jo, det har brunnit på Valö", sa Annika tålmodigt. "Brandkåren ryckte ut tidigt i morse, men de misstänker mordbrand."

"Var på Valö?"

Bredvid honom vände Erica på sig.

"Vad händer?" mumlade hon.

"Jobb. Jag måste sticka ut till Valö", viskade han. När tvillingarna för en gångs skull sov längre än till halv sju, kändes det onödigt att väcka dem.

"Det är ute på barnkolonin", sa Annika i telefonen.

"Okej. Jag tar båten och kör ut. Jag ringer och väcker Martin, för det är väl han och jag som är i tjänst i dag?"

"Ja, det stämmer. Då ses vi på stationen sedan."

Patrik avslutade samtalet och tog på sig en t-shirt.

"Vad är det som har hänt?" sa Erica och satte sig upp i sängen.

"Brandkåren misstänker att någon har anlagt en brand i den gamla barnkolonin."

"Barnkolonin? Har någon försökt bränna ner den?" Erica svängde benen över sängkanten.

"Jag lovar att berätta mer sedan", sa Patrik och log. "Jag vet att det är ditt lilla specialprojekt."

"Det är ju ett märkligt sammanträffande. Att någon försöker bränna ner stället när Ebba precis har återvänt."

Patrik skakade på huvudet. Han visste av erfarenhet att hans fru gärna lade sig i saker som hon inte hade med att göra, for iväg och drog alltför långtgående slutsatser. Ofta fick hon i och för sig rätt, det var han tvungen att erkänna, men ibland ställde hon till oreda också.

"Annika sa att de misstänker mordbrand. Det är det enda vi vet, och det behöver inte betyda att det är mordbrand."

"Nej, men ändå", invände Erica. "Det är ju underligt att det händer något sådant just nu. Kan jag inte få följa med? Jag hade ändå tänkt åka ut för att prata lite med Ebba."

"Och vem ska ta hand om barnen, hade du tänkt dig? Maja är nog fortfarande lite för liten för att fixa välling åt killarna."

Han kysste Erica på kinden innan han satte fart nedför trappan. Bakom sig hörde han hur tvillingarna som på beställning började tjuta.

Patrik och Martin bytte inte många ord på vägen ut till Valö. Tanken på en eventuell mordbrand var skrämmande och svårbegriplig och när de närmade sig ön och blickade ut över idyllen kändes det än mer overkligt.

"Vad vackert det är här", sa Martin när de gick uppför stigen från bryggan där Patrik förtöjt snipan.

"Du har väl varit här förut?" sa Patrik utan att vända sig om. "Om inte annat den där julen."

Martin mumlade bara något till svar. Han verkade inte riktigt vilja minnas den där ödesdigra julen då han blev indragen i ett familjedrama på ön.

En stor gräsmatta bredde ut sig framför dem och de stannade till och tittade sig omkring.

"Härifrån har jag många fina minnen", sa Patrik. "Vi var här med skolan någon gång varje år och jag gick på seglarläger en sommar också. Jag har sparkat en hel del boll på gräsmattan därborta. Och spelat brännboll."

"Ja, vem har inte varit på läger här? Konstigt egentligen att man alltid kallade det barnkolonin."

Patrik ryckte på axlarna medan de i rask takt gick vidare upp mot huset.

"Det hängde väl kvar. Det var ju bara internat ett kort tag och den där von Schlesinger som bodde där innan ville man nog inte uppkalla stället efter."

"Ja, den tokiga gubben har man hört talas om", sa Martin och svor till när han fick en gren i ansiktet. "Vem äger det nu?"

"Jag antar att paret som bor där gör det. Efter det som hände 1974 har det vad jag vet förvaltats av kommunen. Synd att huset har fått förfalla så, men nu ser det ju ut som om de håller på och renoverar det."

Martin tittade upp mot huset där byggnadsställningar täckte hela framsidan. "Ja, det kan bli hur fint som helst. Hoppas att inte elden hann förstöra för mycket."

De fortsatte fram till stentrappan som ledde till ytterdörren. Stämningen var lugn och några män från Fjällbacka Frivilliga Brandkår höll på att samla ihop sina saker. De måste svettas litervis i sina stora dräkter, tänkte Patrik. Värmen hade redan börjat bli besvärande, trots den tidiga morgonen.

"Tjena!" Chefen för brandkåren, Östen Ronander, kom fram till dem och nickade till hälsning. Händerna var svarta av sot.

"Hej, Östen. Vad är det som har hänt? Annika sa att ni misstänkte mordbrand."

"Jo, det ser onekligen ut så. Men vi är ju inte kvalificerade att bedöma det rent tekniskt, så jag hoppas att Torbjörn är på väg."

"Jag ringde honom på vägen hit och de beräknar att vara här om …", Patrik såg på sin armbandsklocka, "en halvtimme ungefär."

"Bra. Ska vi kika lite så länge? Vi har försökt att inte förstöra något. Ägaren hade redan släckt med brandsläckaren när vi kom, så vi har bara försäkrat oss om att inget ligger och pyr. I övrigt fanns det inte mycket vi kunde göra. Här ska ni se."

Östen pekade in i hallen. Innanför tröskeln var golvet bränt i ett märkligt, oregelbundet mönster.

"Måste väl ha varit någon sorts brännbar vätska?" Martin tittade frågande på Östen som nickade.

"Jag skulle tro att någon har hällt in vätska under dörren och sedan tänt på. Av lukten att döma skulle jag gissa på bensin, men det kan nog Torbjörn och hans gubbar uttala sig mer säkert om."

"Var finns de boende i huset?"

"De sitter på baksidan och väntar på sjukvårdspersonalen som tyvärr har blivit försenad på grund av en trafikolycka. De verkar rätt chockade och jag tänkte att de behövde lugn och ro. Dessutom tyckte jag att det var lika bra att inte fler trampade runt här innan ni hade fått en chans att säkra bevis."

"Det är ordning på dig." Patrik klappade Östen på axeln och vände sig mot Martin. "Ska vi ta och prata med dem?"

Han väntade inte på svar utan började gå i riktning mot husets baksida. När de svängde runt hörnet fick de syn på en grupp med trädgårdsmöbler som stod en bit bort. De var slitna och såg ut att ha utsatts för många års väder och vind. Vid bordet satt ett par i trettiofemårsåldern och såg vilsna ut. När mannen upptäckte dem reste han sig och gick dem till mötes. Han sträckte fram handen. Den var hård och valkig som om den hållit i verktyg under en lång tid.

"Mårten Stark."

Patrik och Martin presenterade sig.

"Vi förstår ingenting. Brandmännen sa något om mordbrand?" Mårtens fru hade följt efter sin man. Hon var liten och späd och trots att Patrik bara var av medellängd nådde hon endast till axeln på honom. Hon såg skör och bräcklig ut och huttrade i värmen.

"Så behöver det inte vara. Vi vet ingenting säkert än", sa Patrik lugnande.

"Det här är min fru Ebba", förtydligade Mårten. Han strök sig över ansiktet med en trött gest.

"Kan vi slå oss ner", frågade Martin. "Vi skulle vilja höra lite mer om vad det var som hände."

"Ja, jovisst, vi kan sätta oss här borta", sa Mårten och pekade mot trädgårdsgruppen.

"Vem var det som upptäckte att det brann?" Patrik tittade på Mårten, som hade en mörk fläck i pannan och liksom Östen händer som var svarta av sot. Mårten såg hans blick och tittade ner på sina händer som om han först nu såg att de var smutsiga. Med långsamma rörelser torkade han handflatorna mot jeansen innan han svarade.

"Det var jag. Jag vaknade till och kände en konstig lukt. Rätt snabbt insåg jag att det måste brinna där nere och jag försökte väcka Ebba. Det tog ett tag, hon sov så hårt, men till slut lyckades jag få upp henne ur sängen. Jag sprang efter brandsläckaren och hade bara en tanke i huvudet: att jag var tvungen att släcka elden." Mårten pratade så snabbt att han blev andfådd och han tystnade för att hämta andan.

"Jag trodde att jag skulle dö. Jag var helt säker på det." Ebba pillade på sina nagelband och Patrik såg medlidsamt på henne.

"Jag tog skumsläckaren och sprutade som en galning på lågorna nere i hallen", fortsatte Mårten. "Först verkade det inte hända någonting, men jag fortsatte spruta och sedan dog plötsligt elden. Men röken hängde kvar, det var rök överallt." Han andades häftigt igen.

"Varför skulle någon, jag förstår inte …?"

Ebba lät frånvarande och Patrik misstänkte att det var som Östen hade sagt: hon befann sig i ett chocktillstånd. Det skulle också kunna förklara varför hon skakade som i frossa. När sjukvårdspersonalen kom skulle de behöva ta sig en extra titt på Ebba och även försäkra sig om att varken Ebba eller Mårten tagit skada av röken. Det var många som inte visste att röken var dödligare än själva elden. Att dra ner rök i lungorna kunde få följder som märktes först efter ett tag.

"Varför tror ni att branden var anlagd?" sa Mårten och gnuggade sig i ansiktet igen. Han hade nog inte fått många timmars sömn, tänkte Patrik.

"Vi vet som sagt inget bestämt än", svarade han dröjande. "Det finns tecken som tyder på det, men jag vill inte säga för mycket innan teknikerna har kunnat bekräfta det. Ni hörde inga ljud tidigare på natten?"

"Nej, jag vaknade som sagt först när det redan brann."

Patrik nickade mot ett hus en bit bort. "Är grannarna hemma? Kan de ha sett om någon okänd person rörde sig här ute?"

"De är på semester, så det är bara vi på den här änden av ön."

"Finns det någon som skulle kunna vilja er illa?" inflikade Martin. Ofta lät han Patrik leda utfrågningarna, men han lyssnade alltid uppmärksamt och iakttog reaktionerna hos dem de pratade med. Vilket var minst lika viktigt som att ställa de rätta frågorna.

"Nej, ingen, vad jag vet." Ebba skakade långsamt på huvudet.

"Vi har inte bott här så länge. Bara två månader", sa Mårten. "Det här är Ebbas föräldrahem men det har hyrts ut under åren och hon har inte varit tillbaka förrän nu. Vi bestämde oss för att rusta upp stället och göra något av det."

Patrik och Martin utbytte en snabb blick. Husets och i förlängningen Ebbas historia var väl känd i trakten, men det här var inte rätt tillfälle att börja prata om den. Patrik var glad att inte Erica var med. Hon hade inte kunnat hejda sig.

"Var bodde ni tidigare?" sa Patrik, även om han kunde gissa sig till svaret utifrån Mårtens utpräglade dialekt.

"Götlaborg, vet la du", sa Mårten utan att dra på munnen åt skämtet.

"Inget otalt med någon där?"

"Vi har inget otalt med någon i Göteborg eller med någon överhuvudtaget." Mårtens ton var kort.

"Och vad var anledningen till att ni flyttade hit?" sa Patrik.

Ebba tittade ner i bordet och fingrade på halsbandet hon bar om halsen. Det var i silver med en vacker ängel som hänge.

"Vår son dog", sa hon och drog så hårt i ängeln att kedjan skar in i halsen på henne.

"Vi behövde miljöombyte", sa Mårten. "Det här huset har fått stå och förfalla utan att någon har brytt sig om det, och vi såg det som en chans att börja om på nytt. Jag kommer från en krögarfamilj, så det kändes naturligt att starta något eget. Vi tänkte börja med ett bed and breakfast och sedan försöka locka till oss konferensgäster så småningom."

"Det verkar vara mycket att göra." Patrik tittade mot det stora huset med den vita, flagnande fasaden. Han valde medvetet att inte fråga mer om den döde sonen. Smärtan i deras ansikten hade varit alltför stor.

"Vi är inte rädda för att jobba. Och vi fortsätter så länge vi kan. Om orken tryter får vi väl anlita hjälp, men vi vill helst spara de pengarna. Det kommer att bli tillräckligt tufft ändå att få det att gå ihop ekonomiskt."

"Det finns alltså inte någon som skulle kunna tänkas vilja skada er eller verksamheten här?" insisterade Martin.

"Verksamheten? Vilken verksamhet?" sa Mårten med ett ironiskt skratt. "Och, nej, vi kan som sagt inte komma på en enda person som skulle göra så här mot oss. Vi har helt enkelt inte levt ett sådant liv. Vi är vanliga Svenssons."

Patrik tänkte ett ögonblick på Ebbas bakgrund. Det var inte många Svenssons som hade ett sådant ödesmättat mysterium i sitt förflutna. Historierna och spekulationerna om vad som hade hänt Ebbas familj hade varit många och vilda i Fjällbacka med omnejd.

"Om inte …?" Mårten tittade frågande på Ebba som inte verkade förstå vad han menade. Han fortsatte med blicken fäst på henne: "Det enda jag kan komma på är födelsedagskorten."

"Födelsedagskorten?" sa Martin.

"Sedan hon var liten har Ebba varje födelsedag fått ett kort från någon som bara skriver under med 'G'. Hennes adoptivföräldrar har aldrig fått reda på vem som skickar korten. De har fortsatt att komma även efter att Ebba flyttade hemifrån."

"Och Ebba har heller ingen aning om vem de är ifrån?" sa Patrik innan han kom på att han pratade om henne som om hon inte var där. Han vände sig mot henne och upprepade: "Du har ingen gissning om vem som kan ha skickat de här korten till dig?"

"Nej."

"Dina adoptivföräldrar då? Du är säker på att de inte vet något?"

"De har ingen aning."

"Har den här 'G' någonsin tagit kontakt på något annat vis? Varit hotfull?"

"Nej, aldrig. Eller hur, Ebba?" Mårten flyttade handen i riktning mot Ebba, som om han ville röra vid henne, men så lät han den falla ner i knäet igen.

Hon skakade på huvudet.

"Nu kommer Torbjörn", sa Martin och gjorde en gest bort mot stigen.

"Bra, då tycker jag vi avslutar här så att ni får vila lite. Sjukvårdspersonal är på väg, och om de skulle vilja att ni åker med in till sjukhuset så tycker jag att ni ska göra det. Sådant här ska man ta på allvar."

"Tack", sa Mårten och reste sig. "Hör av er om ni får veta något."

"Det ska vi." Patrik gav Ebba ett sista bekymrat ögonkast. Hon verkade fortfarande som innesluten i en bubbla. Han undrade hur tragedin i hennes barndom hade format henne, men tvingade sig sedan att släppa tanken. Nu var han tvungen att koncentrera sig på det arbete de hade framför sig. Att fånga en eventuell mordbrännare.

Fjällbacka 1912

Dagmar förstod fortfarande inte hur det hade kunnat hända. Allting hade tagits ifrån henne och hon var alldeles ensam. Var hon än gick viskade människor fula ord bakom ryggen på henne. De hatade henne för vad mor hade gjort.

Ibland på nätterna saknade hon mor och far så mycket att hon fick bita i kudden för att inte gråta högt. Om hon gjorde det skulle trollpackan hon bodde hos slå henne gul och blå. Men hon kunde inte alltid hejda sina skrik, när maran red henne så att hon vaknade blöt av svett. I drömmarna såg hon mors och fars avhuggna huvuden. För avrättade hade de blivit till slut. Dagmar hade inte varit där och sett det ske, men bilden brände ändå på näthinnan.

Det hände även att bilder av barnen jagade henne i drömmen. Åtta spädbarn hade polisen hittat när de grävde upp jordgolvet i källaren. Det hade trollpackan sagt. "Åtta små stackars barn", sa hon och skakade på huvudet så fort hon hade någon vän på besök. Vännerna vände sina vassa blickar mot Dagmar. "Nog måste flickungen ha känt till det", sa de. "Så liten hon var måste hon väl ändå ha förstått vad som var i görningen?"

Dagmar vägrade att låta sig kuvas. Det betydde ingenting om det var sant eller inte. Mor och far hade älskat henne, och de där små skrikiga och smutsiga ungarna var det ändå ingen som ville ha. Det var ju därför de hade hamnat hos mor. I många år hade hon slitit hårt och som tack för att hon tagit hand om det som var oönskat, hade man förnedrat, hånat och dödat henne. Det var likadant med far. Han hade hjälpt mor att begrava barnen och därmed menade man att även han förtjänade att dö.

Hon hade placerats hos trollpackan efter att poliserna fört bort mor och far. Det var ingen annan som hade velat ta emot henne, vare sig släkt eller vänner. Ingen ville ha med familjen att göra. Änglamakerskan från Fjällbacka – det var så man hade börjat kalla mor från den dagen då de små skeletten hittades. Nu sjöngs det till och med visor om henne. Om barnamörderskan som hade dränkt barnen i en balja och om hennes make som hade grävt ner dem i käl-

22

laren. Dagmar kunde visorna utantill, fostermoderns snorungar sjöng dem för henne så ofta de kunde.

Allt det här kunde hon stå ut med. Hon var mors och fars prinsessa, och hon visste att hon hade varit önskad och älskad. Det enda som fick henne att darra av skräck var ljudet av steg när fosterfadern tassade över golvet. De stunderna önskade Dagmar att hon hade fått följa med mor och far in i döden.

Josef strök nervöst med tummen över stenen han höll i handen. Det här mötet var viktigt och Sebastian fick inte förstöra det.

"Här är den." Sebastian pekade på ritningarna som han hade lagt på bordet i konferensrummet. "Här har ni vår vision. A project for peace in our time."

Josef suckade inombords. Han var inte säker på att männen från kommunen imponerades av floskler på engelska.

"Det min partner försöker säga är att det här är en fantastisk möjlighet för Tanums kommun att göra något för freden. Ett initiativ som kommer att ge er gott anseende."

"Ja, fred på jorden är fina grejer. Och ekonomiskt är det heller ingen dum idé. Det skulle på sikt öka turismen och ge jobb till invånarna, och ni vet ju vad sådant betyder." Sebastian höll upp handen och gnuggade fingrarna mot varandra. "Mer i kassakistan för hela kommunen."

"Jo, men framför allt är det ett viktigt fredsprojekt", sa Josef och motstod lusten att sparka Sebastian på smalbenet. Han hade vetat att det skulle bli så här när han tog emot Sebastians pengar, men han hade inte haft något val.

Erling W Larson nickade. Efter skandalen med renoveringen av Badhotellet i Fjällbacka hade han en tid befunnit sig ute i kylan, men nu var han tillbaka i lokalpolitiken igen. Ett sådant här projekt skulle kunna visa att han fortfarande var att räkna med, och Josef hoppades att han insåg det.

"Vi tycker att det låter intressant", sa Erling. "Kan ni inte berätta lite mer om hur ni har tänkt er det hela?"

Sebastian drog efter andan för att börja prata, men Josef förekom honom.

"Det här är en bit historia", sa han och höll fram stenen. "Albert Speer köpte granit från stenbrotten i Bohuslän för det tyska rikets räkning. Tillsammans med Hitler hade han grandiosa planer på att omvandla

Berlin till världshuvudstaden Germania, och graniten skulle skeppas till Tyskland och användas som byggnadsmaterial."

Josef reste sig och började vanka av och an medan han pratade. I huvudet hörde han ljudet av de tyska soldaternas stöveltramp. Ljudet som hans föräldrar med fasa hade berättat om så många gånger.

"Men sedan vände kriget", fortsatte han. "Germania blev aldrig mer än en modell, som Hitler kunde fantisera om under sina sista dagar. En ouppfylld dröm, en vision om ståtliga monument och byggnader som skulle ha byggts till priset av miljontals judars liv."

"Usch, så förfärligt", sa Erling obekymrat.

Josef såg uppgivet på honom. De förstod inte, ingen förstod. Men han tänkte inte tillåta dem att glömma.

"Stora partier av graniten härifrån hann aldrig skickas iväg ..."

"Och det är här vi kommer in", avbröt Sebastian. "Vi tänkte att man av det här partiet med granit kunde tillverka fredssymboler som sedan säljs. Det skulle kunna inbringa en hel del pengar om det sköts rätt."

"För pengarna skulle vi sedan bygga ett museum, med inriktning på judisk historia och Sveriges förhållande till judendomen. Till exempel vår påstådda neutralitet under kriget", tillade Josef.

Han satte sig igen och Sebastian lade armen om hans axlar och klämde till. Josef fick hejda sig för att inte skaka av sig armen. I stället log han stelt. Han kände sig lika falsk som under tiden på Valö. Varken då eller nu hade han något gemensamt med Sebastian eller sina andra så kallade vänner. Hur mycket han än ansträngde sig skulle han aldrig få tillträde till den fina värld som John, Leon och Percy kom ifrån, och det ville han inte heller.

Men nu behövde han Sebastian. Det var hans enda chans att förverkliga den dröm han haft i så många år: att hedra sitt judiska arv och föra ut kunskapen om de övergrepp som begåtts och fortfarande begicks mot det judiska folket. Om han var tvungen att ingå en pakt med djävulen, skulle han göra det. Han hoppades att han tids nog skulle kunna bli av med honom.

"Precis som min kompanjon här säger", sa Sebastian, "blir det ett riktigt schyst museum som turister från hela världen kommer att vallfärda till. Och ni kommer att få mycket cred för det här projektet."

"Det låter inte dumt", sa Erling. "Vad tror du?" Han vände sig mot Uno Brorsson, hans andreman på kommunen, som trots det varma vädret hade på sig en rutig flanellskjorta.

"Det skulle kanske vara något för oss att titta på", muttrade Uno. "Men det beror på hur mycket kommunen behöver skjuta till. Tiderna är svåra."

Sebastian gav honom ett brett leende. "Vi kan säkert komma överens. Huvudsaken är att intresse och vilja finns. Jag investerar ju själv en stor summa."

Jo, men du berättar inte för dem på vilka villkor, tänkte Josef. Han bet ihop käkarna. Det enda han kunde göra var att tigande ta emot det som gavs och hålla ögonen på målet. Han lutade sig fram för att skaka Erlings utsträckta hand. Nu fanns det ingen återvändo.

Ett litet ärr i pannan, ärren på kroppen och en lätt haltande gång var de enda synliga spåren av olyckan för ett och ett halvt år sedan. Den olycka då hon förlorade barnet hon väntade med Dan och själv var nära att dö.

Inuti var det en annan sak. Anna kände sig fortfarande trasig.

Hon tvekade ett ögonblick framför ytterdörren. Ibland var det jobbigt att träffa Erica och se hur allt hade ordnat sig för henne. Systern bar inga spår av det som hänt, hon hade inte förlorat något. Samtidigt var det välgörande att träffa henne. Såren inom Anna värkte och kliade, men stunderna med Erica fick dem på något sätt att läka.

Anna hade aldrig någonsin kunnat föreställa sig att läkningsprocessen skulle vara så utdragen, och tur var väl det. Om hon anat hur lång tid det skulle ta, hade hon kanske aldrig vågat vakna upp ur det apatiska tillstånd hon hamnade i efter att hennes liv gått i tusen bitar. För ett tag sedan hade hon på skoj sagt till Erica att hon var som en av de gamla vaser hon sett när hon arbetade på auktionsfirman. En vas som fallit i golvet och splittrats och sedan mödosamt limmats ihop igen. Även om den på avstånd såg hel ut, blev alla sprickor smärtsamt tydliga om man kom nära. Men det var egentligen inget skämt, insåg Anna när hon ringde på hos Erica. Det var så det var. Hon var en sprucken vas.

"Kom in!" ropade Erica någonstans inifrån huset.

Anna klev in och sparkade av sig skorna.

"Jag kommer snart, jag håller på och byter på tvillingarna."

Anna gick in i köket där hon var väl hemmastadd. Huset var hennes och systerns föräldrahem och hon kände till varenda vrå. För flera år sedan hade det orsakat ett gräl som nästan förstört deras relation, men det var i en annan tid, i en annan värld. Numera kunde de till och med

skoja om det och prata om "TML" och "TEL", vilket betydde "Tiden med
Lucas" och "Tiden efter Lucas". Anna rös till. Hon hade dyrt och heligt
lovat sig själv att tänka så lite som möjligt på sin exman Lucas och vad
han hade gjort. Han var borta nu. Det enda hon hade kvar efter honom
var det enda bra han någonsin hade gett henne: Emma och Adrian.

"Vill du ha fika?" frågade Erica när hon kom in i köket med en tvilling
på vardera höften. Pojkarna sken upp när de fick se sin moster och Erica
satte ner dem på golvet. Genast sprang de fram till Anna och började
klänga och ville upp i knäet.

"Lugn, lugn, ni får plats bägge två." Anna lyfte upp dem en i taget.
Sedan tittade hon upp på Erica. "Det beror lite på vad du har hemma."
Hon sträckte på halsen för att se vad Erica skulle kunna erbjuda.

"Vad sägs om mormors rabarberkaka med mandelmassa?" Erica höll
fram en kaka i en genomskinlig plastpåse.

"Du skojar. Den går ju inte att säga nej till."

Erica skar upp ett par stora bitar av kakan och lade dem på ett fat som
hon satte på bordet. Noel kastade sig genast mot kakfatet men Anna hann
dra undan det i sista stund. Hon tog en av bitarna och bröt av lite åt Noel
och Anton. Noel tryckte lyckligt in hela sin bit i munnen på en gång me-
dan Anton bet försiktigt i ena hörnet av sin och log med hela ansiktet.

"De är så otroligt olika", sa Anna och rufsade de små lintottarna i
håret.

"Tycker du?" sa Erica ironiskt och skakade på huvudet.

Hon hade hällt upp kaffet och placerade vant Annas kopp utom räck-
håll för tvillingarnas händer.

"Går det bra eller ska jag ta en av dem?" frågade hon och tittade på
Anna som med viss möda försökte balansera barn, kaffe och kaka på en
och samma gång.

"Det går bra, det är så mysigt att ha dem nära." Anna snusade lite på
Noels hjässa. "Var är Maja förresten?"

"Hon sitter som klistrad framför tv:n. Hennes nya stora kärlek i livet
är Mojje. Just nu är det Mimmi och Mojje i Karibien, och jag tror att jag
kräks om jag måste höra 'På en solig strand i Karibien' en gång till."

"Adrian är besatt av Pokémon just nu och jag håller på att bli lika tokig
på det." Anna tog försiktigt en klunk kaffe, livrädd att spilla på de ålande
ett och ett halvt-åringarna i knäet. "Och Patrik då?"

"Jobb. Misstänkt mordbrand ute på Valö."

"Valö? Vilket hus då?"

Erica drog lite på svaret. "Barnkolonin", sa hon sedan med illa dold upphetsning i rösten.

"Nä, vad läskigt. Jag har alltid fått kalla kårar av det där stället. Att de bara försvann så där."

"Jag vet. Jag har ju försökt forska lite i det där då och då och tänkt att det skulle kunna bli en bok om jag hittade något. Men det har liksom inte funnits någonting att gå på. Förrän nu."

"Vad menar du?" Anna tog en stor tugga till av rabarberkakan. Hon hade också fått receptet av mormor, men bakade gjorde hon lika ofta som hon manglade lakan. Det vill säga aldrig.

"Hon har återvänt."

"Vem?"

"Ebba Elvander. Fast hon heter ju Stark numera."

"Den lilla flickan?" Anna stirrade på Erica.

"Precis. Hon och hennes man har flyttat till Valö och ska visst renovera stället. Och nu har någon försökt bränna ner det. Det får en ju att börja undra." Erica försökte inte ens dölja sin entusiasm längre.

"Kan det inte vara en slump?"

"Visst kan det vara det. Men det är ändå ganska märkligt. Att Ebba återvänder och plötsligt börjar det hända saker."

"Det har hänt *en* sak", påpekade Anna. Hon visste hur lätt Erica fantiserade ihop olika teorier. Att systern skrivit en rad minutiöst researchade och väl underbyggda böcker var ett under och en ekvation som Anna aldrig hade lyckats få ihop.

"Ja, ja, en sak", sa Erica och viftade avvärjande med handen. "Jag kan knappt bärga mig tills Patrik kommer hem. Egentligen hade jag velat åka med honom, men jag hade ju ingen som kunde passa barnen."

"Du tror inte att det skulle ha verkat lite konstigt om du hade hängt med Patrik ut?"

Anton och Noel hade nu tröttnat på att sitta i knäet. De tog sig ner på golvet och rusade iväg inåt vardagsrummet.

"Äsch, jag tänker ändå åka och prata med Ebba någon dag framöver." Erica fyllde på kaffe i kopparna.

"Ja, jag undrar verkligen vad som hände med familjen", sa Anna fundersamt.

"Mammaaaaa! Ta bort dem!" Maja skrek högt och gällt från vardagsrummet och Erica reste sig med en suck.

"Jag visste väl att jag hade fått sitta ner för länge. Så här är det hela

dagarna. Maja får spader på brorsorna. Vet inte hur många akututryck-
ningar jag gör per dag."

"Mmm", sa Anna och såg efter Erica som hastade iväg. Det högg till i
hjärtat. Hon önskade att hon hade sluppit sitta i lugn och ro.

Fjällbacka visade sig från sin allra bästa sida. Från bryggan utanför sjö-
boden där han satt med sin fru och sina svärföräldrar hade John utsikt
över hela hamninloppet. Det strålande vädret hade lockat extra många
seglare och turister, och båtarna låg i täta rader längs pontonbryggorna.
Från dem hördes musik och glada skratt och med kisande blick betrak-
tade han det livliga skådespelet.

"Det är tråkigt att det är så lågt i tak i Sverige i dag." John höjde glaset
och tog en klunk av det väl kylda rosévinet. "Man pratar om demokrati
och att alla ska ha rätt att göra sin röst hörd, men vi får inte uttala oss.
Vi får helst inte finnas till. Vad alla glömmer är att det är folket som
har valt oss. Tillräckligt många svenskar har visat att de hyser ett djupt
misstroende mot hur saker och ting sköts. De vill ha förändring, och den
förändringen har vi lovat dem."

Han ställde ner glaset igen och fortsatte att skala räkor. En stor hög
med skal låg redan på tallriken.

"Ja, det är förfärligt", sa hans svärfar, sträckte sig mot skålen med räkor
och tog en rejäl näve. "Om vi nu har en demokrati måste man lyssna på
folket."

"Och varenda människa vet ju att många invandrare kommer hit för
bidragens skull", inflikade svärmodern. "Om bara de utlänningar som är
beredda att arbeta och bidra till samhället kom hit, gick det väl an. Men
jag har då inte lust att låta mina skattepengar gå till att försörja de där
snyltarna." Hon hade redan börjat sluddra en aning.

John suckade. Idioter. De hade ingen aning om vad de pratade om.
Precis som de flesta i fårskocken av väljare förenklade de problemet. De
såg inte helheten. Hans svärföräldrar personifierade den okunnighet han
så innerligt avskydde, och nu satt han fast här med dem i en vecka.

Liv strök honom lugnande över låret. Hon visste vad han tyckte om
dem och höll i stort sett med. Men Barbro och Kent var ändå hennes
föräldrar och det var inte mycket hon kunde göra åt det.

"Det värsta är hur alla blandas nuförtiden", sa Barbro. "I vårt område
har det precis flyttat in en familj där mamman är svensk och pappan
arab. Man kan ju bara tänka sig hur eländigt den stackars kvinnan måste

ha det, så som araberna är mot sina fruar. Och barnen kommer säkert att bli retade i skolan. Sedan hamnar de i kriminalitet och då är det så dags att ångra sig att man inte skaffade en svensk karl i stället."

"Så sant som det var sagt", instämde Kent och försökte ta en tugga av sin gigantiska räkmacka.

"Kan inte John få vila lite från politiken?" sa Liv med milt förebrående ton. "Han har nog med prat om invandringsfrågor uppe i Stockholm hela dagarna. Här kan han väl få en liten paus i alla fall."

John gav henne en tacksam blick och passade på att beundra sin hustru. Hon var så perfekt. Ljust, silkeslent hår som var mjukt tillbakastruket från ansiktet. Rena drag och klara blå ögon.

"Förlåt, hjärtat. Vi tänkte oss inte för. Vi är bara så stolta över det som John åstadkommer och den ställning han har uppnått. Seså, nu pratar vi om något annat. Hur går det med din lilla verksamhet, till exempel?"

Liv började livligt redogöra för sina vedermödor med att få Tullverket att inte komplicera hennes affärer. Ständigt fördröjdes leveransen av de inredningsvaror från Frankrike som hon importerade och sedan sålde i en butik på nätet. Men John visste att hennes intresse för butiken egentligen hade svalnat. Hon ägnade sig alltmer åt partiverksamheten. Allt annat kändes oviktigt i jämförelse.

Måsarna cirklade allt snävare ovanför bryggan och han reste sig.

"Jag föreslår att vi dukar undan. Fåglarna börjar bli irriterande närgångna." Han tog sin tallrik, gick längst ut på bryggan och kastade alla räkskalen i havet. Måsarna störtdök för att hinna fånga så mycket som möjligt. Resterna skulle krabborna ta hand om.

Han stod kvar en stund, tog ett djupt andetag och tittade ut mot horisonten. Som vanligt fastnade blicken på Valö och som vanligt började ilskan pyra inombords. Lyckligtvis avbröts tankarna av ett surrande i högra byxfickan. Han fick snabbt upp telefonen och innan han svarade kastade han en blick på displayen. Det var statsministern som ringde.

"Vad tror du om de där korten?" Patrik höll upp dörren åt Martin. Den var så tung att han fick stötta upp den med axeln. Tanums polisstation var byggd på sextiotalet och när Patrik första gången steg in i den bunkerliknande byggnaden hade han känt tristessen slå emot honom. Numera var han så van vid inredningens smutsgula och beige färger att han inte brydde sig om den fullständiga bristen på trivsel.

"Det låter märkligt. Vem skickar anonyma födelsedagskort varje år?"

"Inte helt anonyma. Det stod ju 'G'."

"Jo, det gör ju saken betydligt enklare", sa Martin och Patrik skrattade.

"Vad har ni så roligt åt?" frågade Annika som hade tittat upp bakom glasrutan till receptionen när de kom in.

"Inget särskilt", sa Martin.

Annika svängde runt på kontorsstolen och ställde sig i dörröppningen till sitt lilla rum. "Hur gick det där ute?"

"Vi får avvakta lite och se vad Torbjörn kommer fram till, men nog tycks det som om någon har försökt tutta på huset."

"Jag sätter på lite kaffe, så kan vi prata mer." Annika började gå och föste Martin och Patrik framför sig.

"Har du rapporterat till Mellberg?" frågade Martin när de kom in i köket.

"Nej, jag tyckte inte att vi behövde informera Bertil än. Han är ju trots allt ledig över helgen. Inte ska vi störa chefen då."

"Du har en poäng", sa Patrik och satte sig på en av stolarna närmast fönstret.

"Här sitter ni och fikar och har det trevligt utan att säga till mig." Gösta stod i dörren med trumpen min.

"Är du här? Du är ju ledig. Varför är inte du ute på golfbanan?" Patrik drog ut stolen bredvid sig så att Gösta kunde slå sig ner.

"För varmt. Jag kunde lika gärna komma in och skriva några rapporter, så kan jag ta ett par timmar på banan någon annan dag när man inte kan steka ägg på asfalten. Vad är det ni har varit ute på? Annika nämnde något om mordbrand?"

"Ja, det verkar nästan vara det. Ser ut som om någon hällt bensin eller liknande under dörren och sedan tänt på."

"Fy fan." Gösta tog ett Ballerinakex och särade med stor omsorg på de två lagren. "Var var det?"

"På Valö. Gamla barnkolonin", sa Martin.

Gösta stelnade till mitt i en rörelse. "Barnkolonin?"

"Ja, lite märkligt är det. Jag vet inte om du har hört det men yngsta dottern, hon som lämnades kvar när den där familjen försvann, har kommit tillbaka och tagit över stället."

"Jo, ryktet har spritt sig", sa Gösta och stirrade ner i bordet.

Patrik tittade nyfiket på honom. "Just det, du måste ju ha jobbat med fallet då det begav sig?"

"Det stämmer. Så gammal är jag", konstaterade Gösta. "Man undrar ju varför hon skulle vilja flytta tillbaka."

"Hon nämnde något om att de hade förlorat en son", sa Martin.

"Har Ebba mist ett barn? När då? Hur då?"

"De förklarade ingenting mer." Martin reste sig och hämtade mjölkpaketet i kylen.

Patrik rynkade pannan. Det var inte likt Gösta att låta så engagerad, men han hade sett det förut. Varje äldre polis hade ett fall med stort F. Ett fall att grunna på år ut och år in och ständigt återkomma till för att om möjligt finna en lösning eller ett svar innan det var för sent.

"Det där fallet var speciellt för dig, va?"

"Ja, det var det. Jag skulle ge vadsomhelst för att få veta vad som hände den där påskaftonen."

"Det är du nog inte ensam om", inflikade Annika.

"Och nu är Ebba tillbaka." Gösta strök sig över hakan. "Och någon har försökt bränna ner stället."

"Inte bara huset", sa Patrik. "Den som tände på måste ju ha förstått, och kanske räknat med, att Ebba och hennes man låg och sov där inne. Det var ju tur att Mårten vaknade och kunde släcka branden."

"Ja, det är onekligen ett underligt sammanträffande", sa Martin och hoppade till när Gösta slog näven i bordet.

"Det är klart att det inte är ett sammanträffande!"

Hans kollegor gav honom en undrande blick och det blev tyst i köket en stund.

"Vi borde kanske ta och titta på det där gamla fallet", sa Patrik till slut. "Bara för säkerhets skull."

"Jag kan plocka fram det som finns", sa Gösta. Hans magra, vinthundsliknande ansikte var ivrigt igen. "Jag har tagit fram materialet och tittat på det emellanåt, så jag vet var jag kan hitta det mesta."

"Gör så. Sedan hjälps vi åt att gå igenom allt. Kanske kan vi få fram något nytt om vi läser det med fräscha ögon. Och du kan väl ta fram allt som går att hitta om Ebba i registren, Annika?"

"Det fixar jag", sa hon och började duka av bordet.

"Vi bör nog kolla hur paret Starks ekonomi ser ut också. Och om huset på Valö är försäkrat", sa Martin försiktigt med en blick på Gösta.

"Skulle de ha gjort det själva, menar du? Det var det dummaste jag har hört. De befann sig ju i huset när det började brinna och det var Ebbas man som släckte branden."

"Det är ändå värt att undersöka. Vem vet, han kanske tuttade på men ångrade sig? Jag tar hand om det."

Gösta öppnade munnen som för att säga något, men stängde den igen och klampade ut ur köket.

Patrik reste sig. "Jag tror att Erica har en del information också."

"Erica? Varför då?" Martin hejdade sig mitt i steget.

"Hon har varit intresserad av det här fallet länge. Det är ju en berättelse som alla i Fjällbacka har hört, och med tanke på vad Erica sysslar med är det inte konstigt att hon har fastnat lite extra för det."

"Hör med henne då. Allt vi kan få fram är bra."

Patrik nickade men kände sig ändå lite tveksam. Han anade hur det skulle kunna bli om han släppte in Erica i utredningen.

"Visst, jag ska prata med henne", sa han och hoppades för sig själv att han inte skulle behöva ångra det.

Handen darrade lätt när Percy hällde upp två glas av sin finaste cognac. Han räckte det ena till sin hustru.

"Jag förstår inte hur de tänker?" Pyttan drack i snabba klunkar.

"Farfar skulle vända sig i graven om han visste det här."

"Du måste lösa det på något sätt, Percy." Hon höll fram glaset och han tvekade inte att fylla på. Visserligen var det bara tidig eftermiddag, men någonstans i världen var klockan över fem. Den här dagen krävde starka drycker.

"Jag? Vad ska jag göra?" Rösten gick upp i falsett och han var så skakig att hälften av cognacen hamnade utanför Pyttans glas.

Hon drog åt sig handen. "Vad gör du, din idiot!"

"Förlåt, förlåt." Percy sjönk ner i en av de stora, slitna fåtöljerna i biblioteket. Ett ratschande ljud hördes och han förstod att tyget i sitsen spruckit. "Fan också!"

Han for upp och började besinningslöst sparka på möbeln. Allting föll i bitar omkring honom. Hela slottet höll på att förfalla, hans arv var borta sedan länge och nu påstod de jävlarna på skattemyndigheten att han måste punga ut med en stor summa pengar han inte hade.

"Lugna dig." Pyttan torkade sig om händerna med en servett. "Det måste gå att ordna på något sätt. Men jag förstår inte hur pengarna kan vara slut."

Percy vände blicken mot henne. Han visste hur hon skrämdes av tanken, men han kunde inte känna annat än förakt för henne.

"Hur pengarna kan vara slut?" skrek han. "Har du någon aning om hur mycket du gör av med per månad? Begriper du inte vad allting kostar, alla resor, middagar, kläder, väskor, skor och juveler och fan vet allt som du köper?"

Det var inte likt honom att skrika på det här sättet och Pyttan ryggade tillbaka. Hon stirrade på honom och han kände henne tillräckligt väl för att veta att hon nu vägde alternativen mot varandra: ta strid eller stryka honom medhårs. När hennes ansiktsdrag plötsligt mjuknade visste han att hon hade bestämt sig för det senare.

"Älskling, inte ska vi börja bråka om något så futtigt som pengar." Hon rättade till hans slips och stoppade ner skjortan som åkt upp ur byxlinningen. "Så där ja. Nu ser du ut som min stilige slottsherre igen."

Hon smög intill honom och han kände hur han började vekna. Hon hade Gucciklänningen på sig i dag och som alltid hade han extra svårt att motstå henne då.

"Nu gör vi så här: du ringer revisorn och ser över bokföringen igen. Så illa kan det inte vara. Du blir säkert lugnad av att prata med honom."

"Jag måste prata med Sebastian", mumlade Percy.

"Sebastian?" sa Pyttan med en min som om hon smakat på något äckligt. Hon tittade upp på Percy. "Du vet att jag inte tycker om att du umgås med honom. Då måste ju jag umgås med hans menlösa fru. De har helt enkelt ingen klass. Han kan ha hur mycket pengar som helst, men han är en bondtölp. Jag har hört ryktas att Ekobrottsmyndigheten hållit ett öga på honom länge utan att hitta några bevis. Men det är ju bara en tidsfråga och då bör vi inte ha något med honom att göra."

"Pengar luktar inte", sa Percy.

Han visste vad revisorn skulle säga. Det fanns inga pengar kvar. Allt var borta och för att klara sig ur den här knipan och rädda Fygelsta behövde han kapital. Hans enda hopp stod till Sebastian.

De hade åkt in till sjukhuset i Uddevalla men allt hade sett bra ut. Ingen rök i lungorna. Den första chocken hade lagt sig och Ebba kände det som om hon vaknat upp ur en märklig dröm.

Hon kom på sig med att sitta och kisa i dunklet och tände lampan på skrivbordet. Nu på sommaren smög sig mörkret på och hon ansträngde alltid ögonen för länge innan hon insåg att hon behövde bättre ljus.

Ängeln hon höll på med trilskades och hon kämpade för att få öglan på plats. Mårten förstod inte varför hon gjorde smyckena för hand i stället

34

för att låta tillverka dem i Thailand eller Kina, särskilt nu när det började trilla in en hel del beställningar via webbshopen. Men då skulle inte arbetet kännas lika meningsfullt. Hon ville göra varje smycke för hand, lägga lika mycket kärlek i varje halsband som hon skickade iväg. Väva in i sin egen sorg och sina egna minnen i änglarna. Dessutom var det rofyllt att sitta med det på kvällen efter att ha målat, spikat och sågat en hel dag. När hon klev upp på morgnarna värkte varenda muskel, men under arbetet med smyckena slappnade hennes kropp av.

"Jag har låst överallt nu", sa Mårten.

Ebba hoppade till på stolen. Hon hade inte hört honom komma.

"Fan också", svor hon när öglan som hon hade varit så nära att få på föll av igen.

"Ska du inte ta en liten paus från det där i kväll", sa Mårten försiktigt och ställde sig alldeles bakom henne.

Hon kände att han tvekade om han skulle lägga händerna på hennes axlar. Förr, innan det som hände med Vincent, hade han ofta masserat hennes rygg och hon hade älskat den bestämda men samtidigt mjuka beröringen. Nu klarade hon knappt av att han rörde vid henne, och risken var att hon instinktivt skulle skaka av sig hans händer och såra honom så att avståndet mellan dem ökade än mer.

Ebba försökte med öglan igen och slutligen fick hon den på plats.

"Spelar det någon roll om vi låser?" sa hon utan att vända sig om. "Låsta dörrar verkar inte ha hindrat den som ville bränna oss inne i natt."

"Vad ska vi göra då?" sa Mårten. "Du kan väl åtminstone se på mig när du pratar med mig? Det här är viktigt. Någon försökte för fan bränna ner det här stället och vi vet inte vem eller varför. Tycker inte du att det är otäckt? Är du inte rädd?"

Sakta vände sig Ebba mot honom.

"Vad har jag att vara rädd för? Det värsta har ju redan hänt. Låst eller olåst. Mig kvittar det."

"Vi kan inte ha det så här."

"Varför inte? Jag har ju gjort som du föreslog. Jag har flyttat tillbaka hit, gått med på din storslagna plan att renovera det här kråkslottet och sedan leva lycklig i alla mina dagar här i vårt lilla paradis medan gästerna kommer och går. Jag har ju gått med på det. Vad begär du mer?" Hon hörde själv hur kall och oförsonlig hon lät.

"Inget, Ebba. Jag begär ingenting." Mårtens röst var lika kall som hennes. Han vände på klacken och gick ut ur rummet.

Fjällbacka 1915

Äntligen var hon fri. Hon hade fått en tjänst som piga på en gård i Hamburgsund och nu skulle hon slippa ifrån fostermodern och hennes vidriga ungar. Och inte minst fosterfadern. Hans nattliga besök hade blivit allt fler ju äldre hon blev och ju mer hennes kropp utvecklades. Efter att hon fått sina månadsblödningar hade hon levt i skräck för att ett barn skulle börja växa i henne. En unge var det sista hon ville ha. Hon tänkte inte bli som de där rödgråtna, förskrämda flickorna som kommit och knackat på mors dörr med ett skrikande bylte i famnen. Redan som liten hade hon föraktat dem, deras svaghet och deras uppgivenhet.

Dagmar packade sina få tillhörigheter. Hon hade inget kvar från sitt föräldrahem och här hade hon inte fått något av värde att ta med sig. Men hon tänkte inte gå tomhänt. Hon smög in i fosterföräldrarnas sovrum. I en ask under sängen, längst in vid väggen, förvarade fostermodern de smycken som hon ärvt av sin mor. Dagmar lade sig ner på golvet och drog fram asken. Fostermodern var i Fjällbacka och ungarna lekte ute på gården, så ingen skulle störa henne.

Hon öppnade locket och log belåtet. Här fanns nog med värdesaker för att ge henne trygghet ett tag, och det gladde henne att det skulle smärta trollpackan att bli av med arvesmyckena.

"Vad gör du?" Fosterfaderns röst från dörröppningen fick henne att hoppa till.

Dagmar hade trott att han var ute i ladugården. Hjärtat slog vilt för ett ögonblick, men sedan kände hon lugnet infinna sig. Ingenting skulle få förstöra hennes planer.

"Vad ser det ut som?" sa hon, tog alla smyckena i asken och stoppade dem i kjolfickan.

"Är du tokig, jänta? Stjäl du smyckena?" Han tog ett steg närmare henne och hon höll upp handen.

"Det är riktigt. Och jag skulle råda dig att inte försöka hindra mig. För då kommer jag att gå raka vägen till länsman och tala om vad du har gjort mot mig."

"Du skulle bara våga!" Han knöt händerna, men så ljusnade blicken. "Vem skulle förresten tro på Änglamakerskans dotter?"

"Jag kan vara nog så övertygande. Och ryktena kommer att börja spridas på bygden snabbare än du kan ana."

Han mulnade igen, tycktes tveka och hon bestämde sig för att hjälpa honom på traven.

"Jag har ett förslag. När min kära fostermor upptäcker att smyckena är borta, ska du göra allt du kan för att lugna henne och få henne att förstå att hon bör låta saken bero. Om du lovar mig det, kan du få en liten extra belöning innan jag ger mig av härifrån."

Dagmar gick fram till fosterfadern. Långsamt lyfte hon handen, lade den på hans kön och började gnida. Husbondens ögon blev snart glansiga och hon visste att hon nu hade makten över honom.

"Är vi överens?" sa hon och knäppte dröjande upp hans byxor.

"Vi är överens", sa han, lade handen på hennes hjässa och tryckte hennes huvud nedåt.

Hopptornet på Badholmen reste sig lika majestätiskt mot skyn som alltid. Bestämt föste Erica bort bilden av en man som sakta vajade i ett rep från tornet. Hon ville inte ens i tanken återvända till den förfärliga händelsen och Badholmen gjorde också sitt bästa för att få henne att tänka på annat. Den lilla holmen alldeles intill Fjällbacka låg som ett smycke i vattnet. Vandrarhemmet där var populärt och ofta fullbokat under sommaren och Erica förstod mycket väl varför. Läget och byggnadens gammaldags charm var en oemotståndlig kombination. Men i dag förmådde hon inte riktigt njuta av utsikten.

"Är alla med?" Hon såg sig stressad omkring och räknade in barnen.

Tre vilda figurer i skarpt orange flytvästar sprang åt olika håll på bryggan.

"Patrik! Du kanske kan hjälpa till lite?" sa hon och högg tag i Majas stora flytvästkrage när dottern rusade förbi farligt nära bryggkanten.

"Vem ska starta båten då, har du tänkt dig?" Patrik slog ut med armarna och hans ansikte var blossande rött.

"Om vi får ner dem i båten först, innan de trillar i vattnet, så kan du starta den sedan."

Maja vred sig som en mask för att komma loss, men Erica hade fått ett bra grepp om den lilla öglan på kragen och höll henne fast. Med sin fria hand fångade hon in Noel som jagade Anton på knubbiga ben. Nu var det åtminstone bara ett barn på vift.

"Här, ta emot." Hon släpade de trilskande barnen mot träsnipan som låg förtöjd vid bryggan och med irriterad min klättrade Patrik upp på trädäcket för att ta emot Maja och Noel. Sedan vände hon sig raskt om för att jaga efter Anton, som nu hunnit en bra bit i riktning mot den lilla stenbron mellan Badholmen och fastlandet.

"Anton! Stanna!" skrek hon utan att få någon reaktion. Men trots att han pinnade på ordentligt hann hon snabbt i kapp honom. Sonen kämpade emot och började skrika hysteriskt men Erica lyfte resolut upp honom i famnen.

"Herregud, hur kunde jag tycka att det här var en bra idé?" sa hon när hon slutligen räckte över den hulkande Anton till Patrik. Med svetten rinnande lossade hon tampen och hoppade i båten.

"Det blir bättre bara vi kommer ut på sjön." Patrik vred om nyckeln för att starta motorn, som tack och lov gick igång på första försöket. Han böjde sig fram och lossade den bakre tampen medan han med handen höll avstånd till båten bredvid. Det var inte helt enkelt att ta sig ut. Båtarna låg tätt och om de inte hade haft fendrar skulle varken deras egen eller grannarnas båtar ha klarat sig utan skador.

"Förlåt att jag snäste åt dig." Erica slog sig ner på en av båtens sittofter, efter att ha tvingat barnen att sätta sig på durken.

"Redan glömt", ropade han och föste rorpinnen sakta ifrån sig så att båten svängde in med aktern mot hamnen och fören mot Fjällbacka.

Det var en strålande vacker söndagsmorgon, med klarblå himmel och spegelblankt vatten. Måsarna kretsade skrikande ovanför dem och när Erica tittade sig omkring upptäckte hon att det åts frukost på flera av båtarna i hamnen. Troligen var det många som låg och sov ruset av sig också. Lördagskvällarna brukade bli blöta för de besökande ungdomarna. Skönt att den tiden är förbi, tänkte hon och tittade med betydligt större ömhet än tidigare på barnen som nu satt stilla på durken.

Hon gick och ställde sig bredvid Patrik och lutade huvudet mot hans axel. Han lade armen om henne och pussade henne på kinden.

"Du", sa han plötsligt. "Påminn mig när vi har lagt till att jag ska fråga dig lite om Valö och barnkolonin."

"Vad är det du vill veta?" Erica blev nyfiken.

"Vi tar det sedan i lugn och ro", sa han och pussade henne igen.

Hon visste att han gjorde så där bara för att retas. Längtan efter att få veta mer fick det att klia i hela kroppen, men hon behärskade sig. Tigande skuggade hon ögonen med handen och spanade mot Valö. När de sakta tuffade förbi skymtade hon det stora vita huset. Skulle man någonsin få reda på vad som egentligen hade hänt där för så många år sedan? Hon avskydde böcker och filmer där man inte fick alla svaren på slutet och stod knappt ut med att läsa om olösta mord i tidningarna. Och när hon hade grävt i Valöfallet hade hon inte blivit ett dugg klokare, hur mycket hon än sökt efter en förklaring. Sanningen var lika höljd i dunkel som huset som nu låg dolt bakom träden.

Martin stod en stund med handen i luften innan han satte fingret på ringklockan. Snart hörde han steg där inne och han hejdade en impuls att vända om och gå sin väg. Dörren öppnades och Annika tittade förvånat på honom.

"Nej, men är det du? Har det hänt något?"

Han tvingade fram ett leende. Men Annika var fel person att lura och det var på sätt och vis därför han hade gått hem till henne. Ända sedan han började på stationen hade hon varit som en extramamma åt honom och nu var hon den han helst ville prata med.

"Alltså, jag ...", fick han fram.

"Kom in", avbröt Annika. "Vi sätter oss i köket och tar en kopp kaffe, så kan du berätta vad som står på."

Martin klev in, tog av sig skorna och följde efter.

"Sätt dig", sa hon och började med van hand ösa skopor med kaffe i filtret. "Var har du Pia och Tuva då?"

"De är hemma. Jag sa att jag skulle ta en promenad, så jag måste snart vara tillbaka. Vi tänkte nog åka till stranden."

"Jaha. Ja, Leia älskar också att bada. Vi var på badplatsen häromdagen och fick knappt upp henne ur vattnet när vi skulle gå hem. Ett riktigt litet vattendjur är hon. Lennart har precis åkt iväg med henne, så att jag fick tid att röja lite här."

Annikas ansikte lyste när hon pratade om dottern. Det var snart ett år sedan hon och hennes man Lennart, efter många sorger och bedrövelser, hade kunnat hämta hem sin adoptivdotter från Kina. Nu kretsade hela deras tillvaro kring Leia.

Martin kunde inte tänka sig någon bättre mamma än Annika. Allt med henne var varmt och omhändertagande, och hon fick honom att känna sig trygg. Nu skulle han helst av allt vilja luta ansiktet mot hennes axel och släppa fram tårarna som brände bakom ögonlocken, men han höll emot. Om han började gråta skulle han inte kunna sluta.

"Jag tror att jag tar fram några bullar." Hon plockade ut en påse ur frysen och lade den i mikron. "Jag bakade i går och tänkte ta med till stationen också."

"Du vet väl att det inte ingår i dina arbetsuppgifter att hålla oss med kaffebröd?" sa Martin.

"Nja, Mellberg skulle nog inte hålla med om den saken. Om jag granskar mitt anställningskontrakt lite noggrannare står det säkert finstilt någonstans: Ska även förse Tanums polisstation med hembakat fikabröd."

"Ja, herregud. Utan dig och bageriet skulle inte Bertil överleva en dag."

"Nej, särskilt inte sedan Rita har satt honom på diet. Enligt Paula vankas det bara fullkornsbröd och grönsaker hemma hos Bertil och Rita nuförtiden."

"Det skulle jag vilja se." Martin brast i skratt. Det kändes skönt i magen att skratta och en del av spänningarna började redan släppa.

Mikron plingade till och Annika lade upp de varma bullarna på ett fat och ställde fram två fyllda kaffekoppar.

"Då var allt klart. Nu får du ta och berätta vad det är som trycker dig. Jag märkte redan häromdagen att det var något, men jag tänkte att du fick berätta själv när du ville."

"Det kanske inte är något och jag vill inte tynga dig med mina problem, men ..." Frustrerad kände Martin att gråten redan stockade sig i halsen på honom.

"Dumheter, det är därför jag sitter här. Berätta nu."

Martin andades djupt en stund. "Pia är sjuk", sa han till slut och hörde hur orden ekade mellan väggarna i köket.

Han såg hur Annika bleknade. Det här var nog inte vad hon hade väntat sig. Han snurrade kaffekoppen mellan händerna och tog sats igen. Plötsligt kom allt på en gång:

"Hon har varit trött länge. Egentligen ända sedan Tuva föddes, men vi tänkte att det inte var så konstigt, att det var den vanliga tröttheten efter att man fått en bebis. Men Tuva är ju snart två år nu, och det har inte gått över utan bara blivit värre och värre. Sedan började Pia känna några knutor på halsen ..."

Annikas hand for upp till munnen, som om hon förstod vart samtalet skulle leda.

"Och för några veckor sedan följde jag med henne på undersökning och jag såg direkt på läkaren vad han misstänkte. Hon fick en akut remiss till Uddevalla och vi var där och tog prover. Och nu har hon en tid i morgon eftermiddag på onkologen för att få provsvaret, men vi vet ju redan vad de kommer att säga." Tårarna började trilla och han torkade ilsket bort dem.

Annika räckte honom en servett. "Gråt du, det brukar kännas lite bättre då."

"Det är så orättvist. Pia är bara trettio år och Tuva är så liten, och jag har googlat för att få fram statistik och om det är det vi tror är oddsen

41

väldigt dåliga. Pia är så tapper, men jag är bara en feg skit som inte orkar prata med henne. Jag klarar knappt av att se henne med Tuva eller möta hennes blick. Jag känner mig så jäkla värdelös!" Han kunde inte längre hejda tårarna och han lutade huvudet mot armarna på bordet och grät så att han skakade.

En arm lades om hans axlar och han kände Annikas kind mot sin. Hon sa ingenting utan satt bara där och strök honom över ryggen. Efter ett tag rätade han på sig, vände sig mot henne och kröp in i hennes famn, och Annika vyssjade honom som hon troligen brukade vyssja Leia när hon hade slagit sig.

De hade haft tur som fick plats på Café Bryggan. Det var fullt på uteserveringen och Leon såg den ena räkmackan efter den andra bäras ut. Läget vid Ingrid Bergmans torg var perfekt, med bord längs hela bryggan ända fram till vattnet.

"Jag tycker att vi köper huset", sa Ia.

Han vände sig mot sin hustru. "Tio miljoner är inte kaffepengar."

"Har jag påstått det?" Hon böjde sig fram och rättade till filten över hans knän.

"Låt bli den där jäkla filten. Jag svettas ju ihjäl."

"Du får inte bli förkyld, det vet du."

En servitris hade kommit fram till deras bord och Ia beställde ett glas vin till sig och en mineralvatten till honom. Leon tittade upp på den unga flickan.

"En stor stark", sa han.

Ia såg förebrående på honom men han nickade bara till servitrisen. Hon reagerade på samma sätt som alla han mötte och ansträngde sig tydligt för att inte stirra på hans brännskador. När hon hade gått sin väg blickade han ut över vattnet.

"Det luktar precis som jag kommer ihåg", sa han. Händerna med den kraftiga ärrvävnaden vilade i hans knä.

"Jag tycker fortfarande inte om det här. Men jag går med på det om vi köper huset. Jag tänker inte bo i något kyffe och jag tänker inte vara här hela somrarna. Ett par veckor varje år får räcka."

"Du tycker inte att det är orimligt att köpa ett hus för tio miljoner om vi bara ska utnyttja det ett par veckor om året?"

"Det är mitt villkor", sa hon. "Annars får du sitta här ensam. Och det skulle ju knappast gå?"

"Nej, jag vet att jag inte klarar mig själv. Om jag mot förmodan skulle glömma det, påminner du ju mig så ofta du kan."

"Tänker du någonsin på alla uppoffringar jag har gjort för din skull? Jag har fått stå ut med dina galna upptåg utan att du någonsin har tänkt på hur jag har känt det. Och nu vill du hit. Är du inte lite för bränd för att leka med elden?"

Servitrisen kom med vinet och starkölen och satte ner glasen på den blåvitrutiga duken. Leon drack några klunkar och smekte det kalla glaset med tummen.

"Okej, vi gör som du vill. Ring den där mäklaren och säg att vi köper huset. Men då vill jag att vi flyttar in så snart som möjligt. Jag avskyr att bo på hotell."

"Det blir bra", sa Ia utan glädje i rösten. "I det där huset ska jag nog kunna stå ut ett par veckor om året."

"Du är så tapper, älskling."

Hon såg på honom med mörk blick. "Vi får bara hoppas att du inte ångrar det här beslutet."

"Det har flutit mycket vatten under broarna", sa han lugnt.

I samma stund hörde han hur någon bakom honom drog häftigt efter andan.

"Leon?"

Han ryckte till. Han behövde inte vrida på huvudet för att känna igen rösten. Josef. Efter alla dessa år stod Josef där.

Paula såg ut över den glittrande fjärden och njöt av värmen. Hon lade en hand på magen och log när hon kände sparkarna.

"Nej, nu tror jag att det är dags för glass", sa Mellberg och ställde sig upp. Han kastade en blick på Paula och hötte med fingret. "Du vet väl att det inte är bra att exponera magen för solljus?"

Hon tittade förvånat efter honom när han gick iväg mot kiosken.

"Skojar han med mig?" Paula vände sig mot sin mamma.

Rita skrattade. "Bertil menar bara väl."

Paula muttrade men täckte ändå över magen med en sjal. Leo rusade förbi spritt språngande naken och fångades raskt in av Johanna.

"Han har rätt", sa hon. "Du kan få pigmentförändringar av UV-strålningen, så smörj in ansiktet ordentligt också."

"Pigmentförändringar?" sa Paula. "Jag är ju redan brun."

Rita räckte henne en flaska med solskyddsfaktor trettio. "Jag fick massor av bruna fläckar i ansiktet när jag väntade dig, så säg inte emot nu."

Paula lydde och även Johanna smorde in sin ljusa hud noga.

"Du har ändå tur", sa hon. "Du slipper pressa för att få solbränna."

"Jo, men jag önskar att Bertil kunde ta det lite lugnt", sa Paula och tryckte ut en stor klick solkräm i handflatan. "Häromdagen kom jag på honom med att sitta och läsa mina gravidtidningar. Och i förrgår kom han hem med en burk omega-3 från hälsokosten till mig. Han hade läst i någon av tidningarna att det var bra för utvecklingen av bebisens hjärna."

"Han är så lycklig över det här. Låt honom hållas", sa Rita och började för andra gången smörja in Leo från topp till tå. Han hade ärvt Johannas rödlätta, fräkniga hy och brände sig lätt. Paula undrade förstrött om bebisen skulle få hennes eller den okände donatorns färger. För henne spelade det ingen roll. Leo var Johannas och hennes barn och numera reflekterade hon knappt över att det var en annan part inblandad. Det skulle bli samma sak med det här barnet.

Hennes tankar avbröts av Mellbergs glada rop. "Här var det glass!"

Rita gav honom en genomträngande blick. "Du har inte köpt någon till dig själv, hoppas jag."

"Bara en liten, liten Magnum. Jag har ju varit så duktig hela veckan." Han log och blinkade med ena ögat i ett försök att blidka sin sambo.

"Det blir det inget av med", sa Rita lugnt, tog glassen ifrån honom och gick och slängde den i en papperskorg.

Mellberg mumlade något.

"Vad sa du?"

Han svalde. "Ingenting. Absolut ingenting."

"Du vet vad doktorn sa. Du är i riskgruppen för både hjärtattack och diabetes."

"En Magnum hade väl inte gjort någon skada. Man måste ju få leva lite också", sa han och delade ut de övriga glassarna.

"En vecka kvar på semestern", sa Paula, blundade mot solen och slickade på sin Cornetto.

"Jag tycker verkligen inte att du ska gå tillbaka och jobba", sa Johanna. "Det är inte långt kvar nu. Du skulle säkert kunna bli sjukskriven om du pratade med barnmorskan. Du behöver vila."

"Hallå där", sa Mellberg. "Jag hörde vad du sa. Glöm inte att jag är Paulas chef." Han kliade sig fundersamt i det glesa grå håret. "Men jag håller med. Jag tycker inte heller att du ska jobba."

"Vi har redan diskuterat det här. Jag kommer att bli galen om jag bara ska sitta hemma och vänta. Dessutom är det ju ganska lugnt nu."

"Vad då lugnt?" Johanna stirrade på henne. "Det är ju den mest hektiska perioden på hela året, med fyllor och allt."

"Jag menade bara att vi inte har någon större utredning på gång. Det vanliga sommararbetet med inbrott och sådant kan jag sköta i sömnen. Och jag behöver inte åka med ut. Jag kan stanna inne på stationen och ta hand om pappersarbetet. Så sluta tjafsa nu. Jag är gravid, inte sjuk."

"Vi får se hur det blir med det", sa Mellberg. "Men en sak har du i alla fall rätt i. Vi har det faktiskt ganska lugnt för tillfället."

Det var deras bröllopsdag och liksom varje år hade Gösta med sig färska blommor att sätta på Maj-Britts grav. Annars var han lite dålig på att sköta den, men det hade inget med hans känslor för Maj-Britt att göra. De hade haft många fina år tillsammans och han saknade henne fortfarande varje morgon när han steg upp. Visst hade han vant sig vid livet som änkling, och hans dagar var så inrutade att det ibland kändes som en avlägsen dröm att han skulle ha bott med någon annan i det lilla huset. Men att han hade vant sig betydde inte att han trivdes med det.

Han satte sig på huk och följde spåret i stenen som bildade namnet på deras lille pojke. Det fanns inte ens något foto av honom. De trodde att de hade all tid i världen att fotografera honom och tänkte inte på det precis när han fötts. Och när han dog togs det ingen bild. Man gjorde inte så på den tiden. Nu såg man annorlunda på det, hade han förstått, men då skulle man glömma och gå vidare.

Skaffa ett nytt barn så snart ni kan, var rådet de fick med sig när de chockade lämnade sjukhuset. Så hade det inte blivit. Det enda barn de hade fått var flickan. Tösen, som de hade kallat henne. Kanske borde de ha gjort mer för att behålla henne, men sorgen var fortfarande för stor och de trodde inte att de kunde ge henne det hon behövde annat än för en kort tid.

Det var Maj-Britt som till sist hade tagit beslutet. Försiktigt hade han ändå föreslagit att de skulle ta hand om flickan, att hon skulle få stanna. Men med sorgset ansikte och förlusten redan inristad i hjärtat hade Maj-Britt sagt: "Hon behöver syskon." Och så hade den lilla försvunnit. De talade inte om henne efter det, men Gösta hade aldrig kunnat glömma henne. Om han hade fått en enkrona varje gång han tänkt på henne sedan dess, skulle han ha varit en förmögen man nu.

Gösta reste sig. Han hade rensat bort lite ogräs som slagit rot och buketten stod fint i vasen. Han hörde Maj-Britts röst tydligt i huvudet: "Nej, men Gösta, sicket trams. Slösa så tjusiga blommor på mig." Hon hade aldrig trott att hon var värd något utöver det vardagliga och han önskade att han oftare hade struntat i det, att han hade skämt bort henne mer. Gett henne blommor när hon kunde njuta av dem. Nu kunde han bara hoppas att hon någonstans där uppifrån såg ner på de vackra blommorna och gladdes åt dem.

Fjällbacka 1919

Det var kalas hos Sjölins igen. Dagmar var tacksam för varje tillfälle de ställde till med fest. Extrainkomsten var behövlig och det var underbart att på nära håll få se alla rika och vackra människor. De levde ett sådant underbart och bekymmersfritt liv. De åt och drack gott och mycket, de dansade, sjöng och skrattade ända till gryningen. Hon önskade att hennes liv var likadant, men än så länge fick hon nöja sig med att servera de lyckliga och för en liten stund vara i deras närhet.

Den här festen verkade bli något alldeles särskilt. Hon och den övriga personalen hade redan på förmiddagen körts ut till ön utanför Fjällbacka, och hela dagen hade båten gått i skytteltrafik och hämtat mat, vin och gäster.

"Dagmar! Du måste hämta mer vin i jordkällaren!" ropade doktorinnan Sjölin och Dagmar rusade snabbt iväg.

Hon var mån om att hålla sig väl med doktorinnan. Det sista hon ville var att fru Sjölin skulle börja övervaka henne. Då skulle hon snart lägga märke till de blickar och kärvänliga nyp som hennes make gav Dagmar under festerna. Ibland fick han sig mer än så, om doktorinnan ursäktat sig och gått och lagt sig och de övriga festdeltagarna var för fulla eller upptagna av sina egna förlustelser för att bry sig om vad som hände omkring dem. Efter de tillfällena brukade doktorn smyga till henne en extra slant när lönen delades ut.

Skyndsamt plockade hon åt sig fyra flaskor vin och hastade upp med dem. Hon höll dem hårt tryckta mot bröstet, men så sprang hon rakt in i någon och flaskorna for i backen. Två av dem gick sönder och förtvivlad insåg Dagmar att det säkerligen skulle dras från hennes lön. Tårarna började rinna och hon såg på mannen framför sig.

"Undskyld!" sa han, men det danska ordet lät märkligt i hans mun.

Hennes bestörtning och förtvivlan övergick i ilska.

"Vad tar ni er till? Ni kan ju inte stå rakt framför dörren förstår ni väl?"

"Undskyld", upprepade han. "Ich verstehe nicht."

Plötsligt förstod Dagmar vem han var. Hon hade krockat med kvällens hedersgäst: den tyske krigshjälten, flygaren som stridit tappert i kriget men som efter Tysklands svidande nederlag försörjde sig som uppvisningsflygare. Det hade tisslats och tasslats om honom hela dagen. Han hade visst bott i Köpenhamn och det ryktades om någon skandal som nu hade tvingat honom till Sverige.

Dagmar stirrade på honom. Han var den stiligaste man hon någonsin sett. Han verkade inte alls lika berusad som en del av de andra gästerna och hans blick var stadig när den mötte hennes. En lång stund stod de och betraktade varandra. Dagmar sträckte på sig. Hon visste att hon var vacker. Många gånger hade hon fått det bekräftat av män som fört sina händer över hennes kropp och stönat ord i hennes öra. Men aldrig tidigare hade hon varit så glad för sin skönhet.

Utan att ta ögonen ifrån henne böjde flygaren sig ner och började plocka upp glasbitarna efter de flaskor som gått sönder. Försiktigt bar han bort dem till en liten skogsdunge och slängde in dem där. Sedan satte han pekfingret mot läpparna, gick ner i jordkällaren och hämtade två nya flaskor. Dagmar log tacksamt och gick fram mot honom för att ta emot dem. Blicken föll på hans händer och hon upptäckte att han blödde från ett sår i vänster pekfinger.

Hon gjorde ett tecken för att visa att hon ville titta på hans hand och han ställde ner flaskorna på marken. Såret var inte så djupt men det blödde ändå ymnigt. Med blicken fäst i hans tog hon fingret i munnen och sög mjukt bort blodet. Hans pupiller vidgades och hon såg den välbekanta glansiga hinnan över ögonen. Hon drog sig undan och lyfte upp flaskorna. När hon gick bort mot festsällskapet kände hon hans blickar i ryggen.

Patrik hade samlat kollegorna för en genomgång. Framför allt var det Mellberg som behövde informeras om läget. Han harklade sig. "Du var ju inte här i helgen, Bertil, men du kanske har hört vad som hänt?"

"Nej, vad då?" Mellberg såg uppfordrande på Patrik.

"Det brann ute på barnkolonin på Valö i lördags. Det lutar åt att branden var anlagd."

"Mordbrand?"

"Det är inte bekräftat än. Vi väntar på rapporten från Torbjörn", sa Patrik. Han tvekade lite innan han fortsatte: "Men det finns ändå tillräckligt som tyder på det för att vi ska jobba vidare."

Patrik pekade på Gösta som stod framme vid whiteboardtavlan, med en penna i handen.

"Gösta håller på att ta fram materialet om familjen som försvann på Valö. Han ...", började Patrik men blev avbruten.

"Jag vet vad du pratar om. Den där gamla historien har väl ingen kunnat missa. Men vad har det med det här att göra?" sa Mellberg. Han böjde sig ner och kliade sin hund Ernst som låg under stolen.

"Det vet vi inte." Patrik kände sig redan trött. Att han alltid skulle behöva diskutera med Mellberg, som i teorin var stationens chef men som i praktiken mer än gärna överlät det ansvaret på Patrik. Bara han själv fick ta åt sig äran efteråt. "Vi utreder det här förutsättningslöst till en början. Det är ju trots allt märkligt att något sådant händer precis när den kvarlämnade dottern återvänder för första gången på trettiofem år."

"Det är säkert de själva som har tuttat på kåken. För att få ut försäkringspengarna", sa Mellberg.

"Jag håller på och ser över deras ekonomiska situation." Martin satt bredvid Annika och verkade ovanligt dämpad. "Jag bör ha en del att visa i morgon bitti."

"Bra. Ni ska se att det löser mysteriet. De upptäckte att det skulle bli alldeles för dyrt att renovera det där rucklet och bestämde sig för att det var en bättre affär att bränna ner det. Sådant såg jag mycket av under min tid i Göteborg."

"Vi låser oss som sagt inte vid en enskild förklaring", sa Patrik. "Nu tycker jag att vi låter Gösta berätta det han minns."

Han satte sig och nickade åt Gösta att börja. Det som Erica hade berättat under deras skärgårdstur i går var fascinerande, och nu ville han höra vad Gösta hade att säga om den gamla utredningen.

"Ni känner ju redan till en del om det här, men jag tar det från början om ni inte har något emot det?" Gösta såg sig omkring och alla runt bordet nickade.

"Den trettonde april 1974, på påskafton, ringde någon till polisen i Tanum och sa att de måste åka ut till internatskolan på Valö. Personen sa inte vad som hänt utan lade bara på luren. Samtalet togs emot av den gamle chefen och enligt honom gick det inte att höra om det var en man eller kvinna som pratade." Gösta tystnade ett ögonblick och verkade i minnet förflytta sig tillbaka i tiden. "Jag och min kollega Henry Ljung blev beordrade att åka ut och undersöka vad det rörde sig om. Vi var på plats inom en halvtimme och fann något mycket märkligt. I matsalen var det dukat till påsklunch och maten var halväten, men det syntes inte ett spår av familjen som bodde där. Kvar fanns bara en ettårig flicka, Ebba, som tultade runt där helt ensam. Det var som om resten av familjen hade gått upp i rök. Som om de rest sig upp mitt under måltiden och bara försvunnit."

"Poff", sa Mellberg och Gösta gav honom en förintande blick.

"Var fanns alla eleverna?" frågade Martin.

"Eftersom det var påsklov var de flesta hemma hos sina familjer. Det var bara några som var kvar på Valö och de syntes inte till när vi kom dit, men efter en stund dök fem grabbar upp i en båt. De sa att de varit ute och fiskat ett par timmar. Under de följande veckorna förhördes de grundligt, men de visste ingenting om vad som hänt familjen. Jag pratade själv med dem, men de sa samma sak allihop: att de inte var inbjudna till familjens påsklunch och hade åkt ut för att fiska i stället. När de gav sig av var allt som det skulle."

"Låg familjens båt kvar nere vid bryggan?" frågade Patrik.

"Ja. Och vi finkammade hela ön, men de var som bortblåsta." Gösta skakade på huvudet.

"Hur många var de egentligen?" Mellberg tycktes mot sin vilja ha blivit nyfiken och lutade sig fram för att lyssna.

"De var två vuxna och fyra barn i familjen. Men ett av barnen var ju lilla Ebba, så det var två vuxna och tre barn som försvann." Gösta vände sig om för att skriva på tavlan. "Pappan i familjen, Rune Elvander, var rektor för internatet. Han var gammal militär och hans idé var att erbjuda en skola för pojkar vars föräldrar ställde höga krav på utbildning i kombination med strikt disciplin. Förstklassig utbildning, karaktärsdanande regelverk och stärkande friluftsaktiviteter för väl bemedlade pojkar. Så beskrevs skolan i en informationsbroschyr, om jag minns rätt."

"Jösses, det låter som något från tjugotalet", sa Mellberg.

"Det har alltid funnits föräldrar som längtar tillbaka till den gamla goda tiden, och det var just det som Rune Elvander erbjöd", sa Gösta och fortsatte sin redogörelse: "Ebbas mamma hette Inez. Hon var tjugotre år vid försvinnandet, alltså betydligt yngre än Rune som var i femtioårsåldern. Rune hade också tre barn från ett tidigare äktenskap: Claes, nitton år, Annelie, sexton år och Johan som var nio. Deras mamma, Carla, hade dött något år innan Rune gifte om sig. Enligt de fem grabbarna verkade det finnas en del problem inom familjen, men vi fick inte ur dem mycket mer än så."

"Hur många ungdomar var det på internatet när det inte var lov?" frågade Martin.

"Det varierade lite, men omkring tjugo stycken. Förutom Rune fanns det två lärare till, men de var lediga under lovet."

"Och de hade alibi för försvinnandet, antar jag?" Patrik tittade uppmärksamt på Gösta.

"Ja. Den ene var hos sin släkt i Stockholm och firade påsk. Den andre var vi först lite misstänksamma mot, för han slingrade sig väldigt och ville inte riktigt tala om var han hade befunnit sig. Men sedan visade det sig att han hade varit med sin pojkvän på solsemester, vilket var anledningen till hemlighetsmakeriet. Han ville inte att det skulle komma fram att han var homosexuell och han hade dolt det väl på skolan."

"Hur var det med de elever som reste hem på lovet? Kollade ni upp dem?" frågade Patrik.

"Varenda en. Och alla fick intygat av sina familjer att de hade firat påsken hemma och inte varit i närheten av ön. Alla föräldrar verkade för övrigt väldigt nöjda med den inverkan som skolan haft på deras barn, och de var ytterst upprörda över att det nu inte fanns något internat att skicka tillbaka dem till. Jag fick intrycket att många av dem tyckte det var jobbigt att ens behöva ha dem hemma på lovet."

"Okej, och ni hittade alltså inga fysiska spår som tydde på att det hade hänt familjen något?"

Gösta skakade på huvudet. "Det är klart, vi hade ju inte den utrustning och den kunskap som man har i dag, och den tekniska undersökningen blev därefter. Men alla gjorde så gott de kunde och det fanns ingenting. Eller rättare sagt: vi hittade ingenting. Ändå har jag alltid haft en känsla av att vi missade något, utan att riktigt kunna sätta fingret på vad."

"Vad hände med flickan?" frågade Annika, vars hjärta blödde för barn som for illa.

"Det fanns ingen annan släkt i livet, så Ebba placerades hos en fosterfamilj i Göteborg. Vad jag vet adopterade de henne sedan." Gösta tystnade och tittade på sina händer. "Jag vågar hävda att vi gjorde ett bra jobb. Vi undersökte alla möjliga olika spår och försökte hitta en motivbild. Vi rotade i Runes förflutna men hittade inga skelett i garderoben. Vi knackade dörr i hela Fjällbacka, för att höra om någon hade uppmärksammat något utöver det vanliga. Ja, vi angrep fallet från alla upptänkliga håll men kom aldrig någon vart. Utan några bevis var det omöjligt att sluta sig till om de hade blivit mördade eller bortförda eller helt enkelt hade gett sig av frivilligt."

"Mycket fascinerande onekligen." Mellberg harklade sig. "Men jag förstår fortfarande inte varför vi ska rota mer i det här? Det finns ju ingen anledning att komplicera saker och ting i onödan. Antingen är det den där Ebba och hennes karl som själva har anlagt branden, eller så är det några ungar som har hittat på rackartyg."

"Det känns lite väl avancerat för att vara något som uttråkade tonåringar sysslar med", sa Patrik. "Om de skulle vilja bränna ner något vore det ju enklare att göra det inne i samhället än att ta sig ut med båt till Valö. Och som vi sa utreder Martin om det skulle kunna vara frågan om ett försäkringsbedrägeri. Men ju mer jag hör om det här gamla fallet, desto mer känner jag på mig att branden hänger ihop med det som hände när familjen försvann."

"Du och dina känningar", sa Mellberg. "Det finns inget konkret som ens pekar på en koppling. Jag vet att du haft rätt några gånger tidigare, men den här gången är du allt ute och cyklar." Mellberg reste sig, synbart nöjd med att ha levererat vad han ansåg vara dagens sanning.

Patrik ryckte på axlarna och lät det rinna av honom. Det var längesedan han hade slutat bry sig om vad Mellberg tyckte, om han någonsin gjort det. Han fördelade arbetsuppgifterna och avslutade mötet.

På väg ut ur rummet kom Martin fram och tog Patrik åt sidan.

"Kan jag ta ledigt i eftermiddag? Jag vet att det kommer lite hastigt på ..."

"Ja, det är klart att du kan om det är något viktigt. Vad gäller det?"

Martin tycktes tveka. "Det är privat. Jag vill helst inte prata om det just nu. Ifall det är okej?"

Något i hans röst gjorde att Patrik lät bli att fråga mer, men det sårade honom lite att Martin inte ville anförtro sig åt honom. Han tyckte att de hade byggt upp en så nära relation under de år de jobbat tillsammans att Martin borde känna sig tillräckligt trygg för att berätta för honom om något var fel.

"Jag orkar inte riktigt", sa Martin som om han gissade vad Patrik tänkte. "Men då går det alltså bra att jag sticker efter lunch?"

"Absolut, ingen fara."

Martin gav honom ett svagt leende och vände sig om för att gå.

"Du", sa Patrik. "Jag finns här om du vill prata."

"Jag vet." Martin tvekade en sekund. Sedan försvann han ut i korridoren.

Redan på väg nedför trappan visste Anna vad hon skulle få se i köket. Dan i sin slitna morgonrock, djupt försjunken i morgontidningen och med en kaffekopp i handen.

När han såg henne komma över tröskeln sken han upp.

"God morgon, älskling." Han sträckte på sig för att få en puss.

"God morgon." Anna vred undan huvudet. "Jag har sådan morgonandedräkt", sa hon ursäktande men skadan var redan skedd. Dan reste sig utan ett ord och gick och ställde ner sin kopp i diskhon.

Att det skulle vara så förbannat svårt. Hela tiden sa och gjorde hon fel saker. Hon ville ju att det skulle bli rätt igen, som det var förut. Hon ville hitta tillbaka till den självklarhet de hade haft före olyckan.

Dan plockade med morgondisken och hon gick fram och lade armarna om honom, lutade kinden mot hans rygg. Men det enda hon kände var frustrationen i den spända kroppen. Den spred sig till henne och fick önskan om närhet att försvinna för den här gången. Om och när tillfället skulle komma igen var omöjligt att säga.

Med en suck släppte hon Dan och gick och satte sig vid köksbordet.

"Jag måste komma igång och jobba igen", sa hon, tog en brödskiva och sträckte sig efter smörkniven.

Dan vände sig om, lutade sig mot diskbänken och lade armarna i kors över bröstet.

"Vad vill du göra då?"

Anna drog lite på svaret. "Jag skulle vilja driva något eget", sa hon slutligen.

"Det är ju en kanonidé! Vad har du tänkt dig? En butik? Jag kan kolla runt vad som är ledigt."

Dan log med hela ansiktet och på något vis dämpade hans iver hennes egen. Det här var hennes idé och hon ville inte dela den. Varför kunde hon inte ens förklara för sig själv.

"Jag vill göra det på egen hand", sa hon och hörde själv den fräna tonen i rösten.

Dans glada min förändrades i ett slag.

"Gör det du", sa han och började slamra med disken igen.

Fan, fan, fan. Anna svor inom sig och knöt händerna hårt.

"Jag har tänkt på det där med butik. Men i så fall skulle jag ta inredningsuppdrag också, leta rätt på antikviteter och sådant." Hon pladdrade på och försökte fånga in Dan igen. Men han skramlade med glas och tallrikar och svarade inte ens. Ryggtavlan var hård och oförsonlig.

Anna lade ner smörgåsen på tallriken. Hon hade tappat aptiten.

"Jag går ut ett tag", sa hon och reste sig för att gå upp på övervåningen och klä på sig. Dan svarade fortfarande inte.

"Vad trevligt att du kunde komma på en liten lunch", sa Pyttan.

"Trevligt att få komma hit och se hur den andra halvan har det." Sebastian skrattade och dunkade Percy så hårt i ryggen att han hostade till.

"Åh ja, ni har det inte så pjåkigt hos er heller."

Percy log i mjugg. Pyttan hade aldrig gjort någon hemlighet av vad hon tyckte om Sebastians vräkiga hus med dubbla pooler och en tennisbana. Huset var visserligen mindre till ytan än Fygelsta men desto mer påkostat. "Smak kan inte köpas för pengar", brukade hon säga efter att de hade varit där och rynka på näsan åt blänkande guldramar och enorma kristallkronor. Han var böjd att hålla med.

"Kom och slå dig ner", sa han och visade Sebastian till bordet som var dukat ute på altanen. Så här års var Fygelsta oslagbart. Den vackra parken sträckte sig så långt ögat nådde. I många generationer hade den vårdats ömt, men nu var det bara en tidsfråga när den skulle börja förfalla så som slottet gjorde. Tills han hade fått ordning på ekonomin skulle de få klara sig utan trädgårdsmästare.

Sebastian satte sig och lutade sig tillbaka på stolen med solglasögonen uppskjutna i pannan.

"Lite vin?" Pyttan höll fram en flaska förstklassig Chardonnay mot honom. Även om hon inte hade tyckt om idén att be Sebastian om hjälp, visste Percy att hon skulle göra allt för att underlätta för honom nu när beslutet väl var fattat. Det fanns heller inte så många andra alternativ. Om ens några.

Hon fyllde Sebastians glas och utan att invänta att hon i egenskap av värdinna skulle säga "varsågod" började han äta av förrätten. Han skyfflade in en stor klick skagenröra och tuggade med halvöppen mun. Percy noterade att Pyttan vände bort blicken.

"Ni har alltså lite problem med skattmasen?"

"Ja, vad ska man säga om eländet." Percy skakade på huvudet. "Ingenting verkar vara heligt längre."

"Så sant som det var sagt. Det lönar sig inte att arbeta i det här landet."

"Nej, annat var det på pappas tid." Percy började skära sin smörgås efter en frågande blick på Pyttan. "Man kan ju tycka att det borde uppskattas att vi har lagt ner ett sådant arbete på att förvalta det här kulturarvet. Det är ett stycke svensk historia som vår familj har tagit det tunga ansvaret att bevara, och vi har gjort så med den äran."

"Jo, men nu blåser nya vindar", sa Sebastian och viftade med gaffeln. "Sossevindarna har ju i och för sig blåst länge och det verkar inte hjälpa att vi har en borgerlig regering. Du ska inte ha mer än din granne, då jäklar plockar de ifrån dig allt du äger och har. Jag har också fått känna på det där. Det blev en rejäl restskatt i år, men som tur var bara på det jag har i Sverige. Det gäller ju att vara smart och placera tillgångarna utomlands, där Skatteverket inte kan komma åt det man har slitit ihop."

Percy nickade. "Ja, jo, men jag har ju alltid haft mycket av mitt kapital bundet i slottet."

Han var inte dum. Han visste att Sebastian hade utnyttjat honom under åren. Mest hade det handlat om att Sebastian fått låna slottet för att ordna kundträffar med jakt, rena nöjesjippon eller ta hit någon av de många damer han hade vid sidan av. Han undrade om Sebastians fru misstänkte något, men det var inte hans sak. Pyttan höll honom i strama tyglar och själv skulle han aldrig våga sig på något sådant. I övrigt fick folk göra vad de ville i sina äktenskap.

"Arvet från farsgubben var väl inte så litet heller?" sa Sebastian och höll uppfordrande fram sitt nu tomma vinglas mot Pyttan. Utan att med en min avslöja vad hon tänkte tog hon flaskan och fyllde glaset till brädden.

"Jo, men du vet ..." Percy skruvade på sig. Han tyckte otroligt illa om att prata om pengar. "Det kostar enorma summor att hålla det här igång, och levnadskostnaderna stiger ständigt. Allt är förfärligt dyrt numera."

Sebastian flinade. "Ja, det vardagliga kostar en del."

Han synade öppet Pyttan, från de dyrbara diamantörhängena till de högklackade Louboutinskorna. Sedan vände han sig till Percy.

"Vad är det du behöver hjälp med?"

"Ja ..." Percy drog på det, men efter att ha kastat en blick på sin hustru tog han ny sats. Han måste lösa det här, annars kunde hon mycket väl se sig om efter andra möjligheter. "Det handlar självklart bara om ett kortsiktigt lån."

En besvärande tystnad följde, men det tycktes inte bekomma Sebastian. Ett litet leende syntes i hans mungipa.

"Jag har ett förslag", sa han dröjande. "Men det tycker jag att vi tar i enrum, gamla skolkamrater emellan."

Pyttan verkade redo att protestera, men Percy gav henne ett för honom ovanligt hårt ögonkast och hon teg. Han såg på Sebastian och orden flög ljudlöst genom luften mellan dem.

"Ja, det är nog bäst så", sa han och böjde på nacken.

Sebastian log nu stort. Återigen sträckte han fram sitt glas mot Pyttan.

Det var för hett att klänga på fasaden när solen stod som högst, så mitt på dagen jobbade de inomhus.

"Ska vi börja med golvet?" frågade Mårten där de stod och inspekterade matsalen.

Ebba drog lite prövande i en lös tapetremsa och en stor bit följde med. "Är det inte bättre att ta väggarna först?"

"Jag är inte säker på att golvet håller ordentligt, flera plankor har ruttna partier. Vi bör nog ta itu med det innan vi gör något annat." Han tryckte med foten mot en bräda, som sviktade under hans känga.

"Okej, då blir det golvet", sa Ebba och satte på sig skyddsglasögonen. "Hur ska vi göra?"

Hon hade inget emot att jobba hårt och slita lika många timmar som Mårten. Men det var han som hade erfarenhet av sådant här arbete och hon var tvungen att förlita sig på hans expertis.

"Slägga och kofot tror jag blir bäst. Ska jag ta släggan, så tar du kofoten?"

"Det blir bra." Ebba sträckte sig efter verktyget som Mårten räckte henne. Sedan satte de igång.

Hon kände hur adrenalinet flödade och det brände skönt i armarna när hon högg kofoten i gliporna mellan plankorna och bände upp träet. Så länge hon pressade sin kropp till det yttersta, tänkte hon inte på Vincent. När svetten rann och mjölksyran fyllde musklerna, var hon fri för en liten stund. Hon var inte längre Vincents mamma. Hon var Ebba som gjorde i ordning sitt arv, som rev och byggde upp på nytt igen.

Inte heller tänkte hon på branden. Om hon blundade mindes hon paniken, röken som sved i lungorna, hettan som fick henne att ana hur det skulle kännas om elden brände hennes hud. Och hon mindes den sköna känslan av att slutligen ge upp.

Så med blicken riktad framåt och mer kraft än som krävdes för att lossa de rostiga spikarna från bjälklaget under, koncentrerade hon sig på sin uppgift. Efter ett tag trängde sig tankarna ändå på. Vem hade velat dem så illa och varför? Om och om igen gick hon igenom det i sitt huvud, men funderingarna ledde ingen vart. Det fanns ingen. De enda som ville dem illa var de själva. Hon hade flera gånger tänkt tanken att det var bättre om hon inte längre levde, och hon visste att Mårten hade tänkt samma sak om sig själv. Men alla i deras omgivning hade enbart visat medkänsla. Där fanns ingen illvilja, inget hat, bara förståelse för vad de hade varit med om. Samtidigt gick det inte att bortse från att någon måste ha smugit runt där ute i mörkret och velat bränna dem inne. Tankarna fortsatte fara runt utan att få fäste och hon stannade upp och torkade svetten ur pannan.

"Det är för jäkla varmt här", sa Mårten och slog släggan i golvet så att träbitarna flög. Han hade tagit av sig på överkroppen och hängt t-shirten i snickarbältet.

"Akta så du inte får en bit i ögat."

Ebba studerade hans kropp i solljuset som flödade in genom de skitiga fönstren. Han såg precis likadan ut som då de blev tillsammans. En smal, senig kropp, som trots allt hårt kroppsarbete aldrig verkade bygga några muskler. Själv hade hon förlorat sina kvinnliga former under halvåret som gått. Aptiten hade helt försvunnit och hon hade nog gått ner minst tio kilo. Hon visste inte riktigt, hon brydde sig inte om att väga sig.

De jobbade på ett tag under tystnad. En fluga flög ilsket mot en fönsterruta och Mårten gick och ställde upp fönstret på vid gavel. Ute var det alldeles vindstilla och det gav dem ingen svalka, men flugan kunde flyga ut och de slapp det envetna surrandet.

Hela tiden medan de arbetade kände Ebba närvaron av det som varit. Husets historia satt i väggarna. Hon såg framför sig alla barnen som kommit ut hit till kolonin på somrarna för att få frisk luft och god hälsa, som det hade stått i en artikel i ett gammalt nummer av Fjällbacka-Bladet som hon hittat. Huset hade haft andra ägare också, inte minst hennes far, men på något sätt var det barnen hon tänkte mest på. Vilket äventyr det måste ha varit att åka ifrån mamma och pappa och hysas in med barn de inte kände. Soliga dagar och saltvattensbad, ordning och reda blandat med lek och stoj. Hon kunde höra skratten men också skriken. I artikeln hade det även stått om en anmälan om misshandel och allt hade kanske inte varit så idylliskt. Ibland undrade hon om skriken enbart kom från barnkolonibarnen eller om hennes känsla för huset blandades med minnen. Det fanns något skrämmande välbekant med lätena, men hon hade ju varit så liten när hon bodde här. Om det var minnen måste det vara husets egna och inte hennes.

"Kommer vi att greja det här?" sa Mårten och lutade sig mot släggan.

Ebba hade varit så djupt inne i sina tankar att hon spratt till vid ljudet av hans röst. Han tog t-shirten från bältet, torkade sig i ansiktet och såg på henne. Hon ville inte möta hans blick utan sneglade bara på honom medan hon fortsatte att bända upp en envis planka som vägrade ge vika. Han fick det att låta som om han menade renoveringen, men hon insåg att frågan rymde mer än så. Hon hade bara inget svar.

När hon inte sa något, suckade Mårten och tog upp släggan igen. Han drämde den i golvet och stönade för varje slag mot plankorna. Det hade börjat bildas ett stort hål i trägolvet framför honom och han höjde släggan igen. Sedan sänkte han den sakta.

"Vad fan? Ebba, kolla här!" sa han och vinkade åt henne att komma.

Ebba fortsatte slita med den envisa plankan, men mot sin vilja blev hon nyfiken.

"Vad är det?" sa hon och gick bort till honom.

Mårten pekade ner i hålet. "Vad ser det där ut som?"

Ebba satte sig på huk och tittade ner. Hon rynkade ögonbrynen. Där golvet avlägsnats syntes en stor mörk fläck. Tjära, var hennes första tanke. Sedan insåg hon vad det kunde vara.

"Det ser ut som blod", sa hon. "Massor av blod."

Fjällbacka 1919

Dagmar var inte dummare än att hon förstod att det inte bara var hennes goda serveringskunskaper och vackra ansikte som gjorde att hon fick arbeta på de rikas fester. Viskningarna var aldrig särskilt diskreta. Värdparet såg alltid till att det snabbt spreds runt bordet vem hon var, och vid det här laget kände hon väl igen de sensationslystna blickarna.

"Hennes mor ... Änglamakerska ... Halshöggs ..." Orden flög genom luften som små getingar och stingen smärtade, men hon hade lärt sig att fortsätta le och låtsas som om hon inte hörde.

Den här festen var inte annorlunda. När hon gick förbi fördes huvuden tätt ihop följt av små menande nickningar. En av damerna satte förskräckt handen för munnen och stirrade ogenerat på Dagmar som hällde upp vin i glasen. Den tyske flygaren iakttog till synes förbryllad den uppståndelse hon väckte och i ögonvrån såg hon hur han lutade sig mot sin bordsdam. Kvinnan viskade något i hans öra och med bultande hjärta inväntade Dagmar hans reaktion. Tyskens blick förändrades men så glittrade det till i hans ögon. Lugnt studerade han henne en stund innan han höjde glaset mot henne. Hon log tillbaka och kände hur hjärtat slog ännu snabbare.

Ljudnivån vid det stora festbordet steg allteftersom timmarna gick. Det började mörkna och även om sommarkvällen fortfarande var ljum, började en del gäster dra sig in i huset till sällskapsrummen där de fortsatte skåla. Sjölins var frikostiga och även flygaren såg ut att ha fått sig en hel del att dricka. Dagmar hade med lätt darrande hand fyllt på hans glas flera gånger. Reaktionen förvånade henne. Hon hade träffat många män och en del hade varit riktigt stiliga. Flera hade vetat precis vad de skulle säga och hur de skulle röra vid en kvinna, men ingen hade frammanat den här vibrerande känslan i magtrakten.

Nästa gång hon gick fram för att servera honom nuddade hans hand vid hennes. Ingen annan verkade lägga märke till det och Dagmar vinnlade sig om att se oberörd ut men sköt fram bysten lite extra.

"Wie heissen Sie?" sa han och tittade upp på henne med blanka ögon.

Dagmar såg frågande på honom. Svenska var det enda språk hon talade.

"Vad heter ni?" sluddrade en man mittemot flygaren. "Han vill veta vad fröken heter. Tala om det för flygaren nu, så kanske fröken kan komma och sitta lite i knäet sedan. Och få känna på en riktig man ..." Han skrattade åt sitt eget skämt och klappade sig på de feta låren.

Dagmar rynkade på näsan och vände åter blicken mot tysken.

"Dagmar", sa hon. "Jag heter Dagmar."

"Dagmar", upprepade tysken. Han pekade med en överdriven rörelse mot sitt skjortbröst. "Hermann", sa han. "Ich heisse Hermann."

Efter en kort tystnad lyfte han handen och rörde vid hennes nacke och hon kände hur de små håren på hennes armar reste sig. Han sa något på tyska igen och hon tittade på den tjocke mittemot.

"Han säger att han undrar hur ditt hår ser ut när det är utsläppt." Mannen skrattade högt igen som om han hade sagt något oerhört roligt.

Dagmar förde instinktivt handen till knuten i nacken. Hennes blonda hår var så tjockt att hon aldrig lyckades få ordning på det och några lockar envisades med att slita sig ur uppsättningen.

"Det kan han få undra. Säg honom det", sa hon och vände sig om för att gå.

Den tjocke skrattade och sa flera långa meningar på tyska. Tysken skrattade inte och där hon stod med ryggen mot honom kände hon hans hand i nacken igen. Med ett ryck drog han loss kammen ur knuten så att håret föll ner över ryggen på henne.

Långsamt och stelt vände hon sig mot honom igen. Under några ögonblick iakttog hon och den tyske flygaren varandra, ackompanjerade av den tjocke mannens gapskratt. Mellan dem växte en tyst överenskommelse fram, och med håret fortfarande utsläppt gick Dagmar upp mot huset där gästernas skrän och stojande störde sommarnattens lugn.

Patrik satt på huk vid det stora hålet i golvet. Plankorna var gamla och murkna och det var uppenbart att golvet hade behövt rivas upp. Det som fanns under var desto mer oväntat. Han kände en obehaglig klump i magen.

"Ni gjorde rätt som ringde direkt", sa han utan att ta blicken från hålet.

"Visst är det blod?" Mårten svalde. "Jag vet ju inte hur gammalt blod ser ut, det kan vara tjära eller något också. Men med tanke på …"

"Jo, nog ser det ut som blod. Kan du ringa efter teknikerna, Gösta? De får komma hit och undersöka det närmare." Patrik reste sig och grimaserade när han hörde hur det knäppte i lederna. En påminnelse om att han inte blev yngre.

Gösta nickade och gick en bit bort samtidigt som han började knappa på mobiltelefonen.

"Kan det finnas något … mer därunder?" sa Ebba med darrande röst.

Patrik förstod genast vad hon syftade på.

"Det är omöjligt att säga. Vi får bryta upp resten av golvet och se efter."

"Nog för att vi behöver hjälp med renoveringen, men det här var väl inte riktigt vad vi hade tänkt oss", sa Mårten och skrattade ihåligt. Ingen annan stämde in.

Gösta hade avslutat telefonsamtalet och anslöt sig till dem. "Teknikerna har inte möjlighet att komma igång förrän i morgon. Så jag hoppas att ni står ut med att ha det så här till dess. Ni måste låta allting vara precis som det är. Ni får inte börja städa eller röja upp."

"Vi ska inte röra något. Varför skulle vi göra det?" sa Mårten.

"Nej", sa Ebba. "Det här är ju min chans att få reda på vad som hände."

"Vi kanske kan sätta oss ner och prata lite om det?" Patrik backade undan från den upprivna delen av golvet, men synen hade fastnat på näthinnan. För egen del var han säker på att det var blod. En tjock hinna av torkat blod, inte längre rött utan mörkt av ålder. Om han hade rätt i sina antaganden var det över trettio år gammalt.

"Vi kan sitta i köket, det är hyfsat i ordning", sa Mårten och gick före Patrik. Ebba blev stående kvar tillsammans med Gösta.

"Kommer du?" Mårten vände sig om och tittade på henne.

"Gå ni. Jag och Ebba kommer efter", sa Gösta.

Patrik var på väg att invända att det främst var Ebba de behövde prata med. Men så såg han hennes bleka ansikte och förstod att Gösta hade rätt. Hon behövde lite tid och de hade inte bråttom.

Att köket var hyfsat i ordning var en överdrift. Överallt låg verktyg och målarpenslar och diskbänken var full med smutsig disk och resterna av morgonens frukost.

Mårten slog sig ner vid köksbordet.

"Vi är egentligen pedanter, Ebba och jag. Vi var pedanter", rättade han sig. "Svårt att tro när man ser det här, va?"

"Det är ett helvete att renovera", sa Patrik och satte sig på en stol efter att först ha borstat bort lite brödsmulor från sitsen.

"Det känns inte så viktigt med ordning längre." Mårten tittade ut genom köksfönstret. Det var täckt av damm, som om en slöja lagts över utsikten.

"Vad känner du till om Ebbas bakgrund?" sa Patrik.

Han hörde hur Gösta och Ebba pratade ute i matsalen men kunde inte urskilja vad de sa, även om han försökte. Göstas beteende gjorde honom fundersam. Även tidigare på stationen, när han hade rusat in till honom för att berätta om vad som hänt, hade Gösta reagerat på ett sätt som Patrik inte kände igen. Men sedan hade Gösta slutit sig som en mussla och inte sagt ett ljud på hela vägen ut till Valö.

"Mina föräldrar och Ebbas adoptivföräldrar är goda vänner och hennes bakgrund har aldrig varit någon hemlighet. Så jag har vetat länge att hennes familj försvann spårlöst. Mycket mer finns det väl inte att veta."

"Nej, man kom ingen vart med utredningen, även om det lades ner mycket tid och kraft på att försöka ta reda på vad som hade hänt. Det är verkligen ett mysterium, hur de bara kunde försvinna."

"Kanske har de varit här hela tiden?" Ebbas röst fick dem att hoppa till.

"Jag tror inte de ligger därunder", sa Gösta och blev stående i dörröppningen. "Om någon gjort åverkan på golvet hade vi sett det då. Men det var helt orört och det syntes inte några spår av blod heller. Det måste ha sipprat ner mellan plankorna."

"Jag vill i alla fall veta säkert att de inte ligger där", sa Ebba.

"Teknikerna kommer söka igenom varje millimeter i morgon, var så säker", sa Gösta och lade armen om Ebba.

Patrik stirrade. Vanligtvis när de var ute på uppdrag brukade Gösta inte anstränga sig i onödan. Och Patrik kunde inte minnas att han någonsin hade sett honom röra vid någon annan människa.

"Du behöver få lite starkt kaffe i dig." Gösta gav Ebba en klapp på axeln och gick fram till kaffebryggaren. När kaffet började droppa ner i kannan ställde han sig och diskade några av kopparna i diskhon.

"Kan du inte berätta vad du vet om det som hände här?" Patrik drog ut en stol åt Ebba.

Hon satte sig och han slogs av hur tunn hon var. T-shirten hängde löst på henne och nyckelbenen avtecknade sig tydligt under tyget.

"Jag kan nog inte berätta något som folk häromkring inte redan har hört. Jag var bara drygt ett år när de försvann, så jag minns ju inget. Mina adoptivföräldrar vet inte heller mer än att någon ringde till polisen och sa att det hade hänt något här. När ni kom ut hit var min familj borta och jag var ensam kvar. På påskafton var det. De försvann på påskafton." Hon drog fram halsbandet som varit dolt under t-shirten och började dra i hänget, på samma sätt som Patrik hade sett henne göra häromdagen. Det fick henne att se ännu skörare ut.

"Här." Gösta ställde fram en kopp kaffe till Ebba och en till sig själv innan han slog sig ner. Patrik kunde inte hejda ett leende. Nu kände han igen Gösta.

"Du kunde inte hällt upp lite till oss också?"

"Ser jag ut som något slags serveringspersonal?"

Mårten reste sig. "Jag fixar det."

"Stämmer det att du blev alldeles ensam när din familj försvann, att det inte fanns några släktingar i livet?" frågade Patrik.

Ebba nickade.

"Ja, min mamma var enda barnet och min mormor dog innan jag hade fyllt ett år. Min pappa var ju mycket äldre och hans föräldrar var döda sedan länge. Den enda familj jag har är min adoptivfamilj. På sätt och vis har jag väl haft tur. Berit och Sture har alltid fått mig att känna mig som deras egen dotter."

"Det var ju några pojkar kvar på skolan över påsklovet. Har du någonsin haft kontakt med någon av dem?"

"Nej, varför skulle jag ha haft det?" Ebbas ögon var stora i det smala ansiktet.

"Vi har inte haft något med det här stället att göra förrän vi bestämde oss för att flytta hit", sa Mårten. "Ebba ärvde huset när hennes biologiska föräldrar dödförklarades, men det har varit uthyrt i omgångar. Periodvis har det stått tomt. Ja, det är väl därför vi har så fullt upp med renoveringsarbete just nu. Ingen har brytt sig om huset. Man har bara lappat och lagat det allra nödvändigaste."

"Det var nog meningen att vi skulle komma hit och riva upp det här", sa Ebba. "Det finns en mening med allt."

"Gör det?" sa Mårten. "Gör det verkligen det?"

Men Ebba svarade inte och då Mårten följde dem ut satt hon tigande kvar.

När de lämnade Valö bakom sig funderade Patrik på samma sak. Vad skulle det egentligen leda till om de fick bekräftat att det var blod under golvet? Brottet var preskriberat, lång tid hade gått och det fanns inga garantier för att de skulle finna några svar nu. Så vad var meningen med fyndet? Med huvudet fullt av oroliga tankar styrde han båten hemåt.

Läkaren slutade prata och det blev alldeles stilla i rummet. Det enda ljud Martin hörde var sitt eget hjärtas slag. Han såg på läkaren. Hur kunde han se så oberörd ut efter det han nyss sagt? Gav han sådana här besked flera gånger i veckan och hur klarade han i så fall av det?

Martin tvingade sig själv att andas. Det var som om han hade glömt hur man gjorde. Varje andetag krävde en medveten handling, en tydlig instruktion till hjärnan.

"Hur länge?" fick han fram.

"Det finns flera olika behandlingsmetoder och läkarvetenskapen går ju ständigt framåt …" Läkaren slog ut med händerna.

"Hur ser prognosen ut rent statistiskt?" sa Martin med tillkämpat lugn. Helst hade han velat kasta sig fram över skrivbordet, slita tag i läkarens rock och skaka fram ett besked ur honom.

Pia satt alldeles tyst och Martin hade ännu inte klarat av att titta på henne. Om han gjorde det skulle allting brista. Nu kunde han bara koncentrera sig på fakta. Något gripbart, något att förhålla sig till.

"Det går inte att säga säkert, det är många faktorer som spelar in."

Samma beklagande min, händerna i luften. Martin avskydde redan gesten.

"Men svara då!" skrek han och studsade nästan till när han hörde sin egen röst.

"Vi kommer att påbörja behandling omedelbart, så får vi se hur Pia svarar på den. Men med tanke på spridningen och hur aggressiv cancern verkar så … ja, det handlar om ett halvår till ett år."

Martin stirrade på honom. Hade han hört rätt? Tuva var inte ens två år. Hon kunde omöjligt förlora sin mamma. Sådant fick inte hända. Han började skaka. Det var tryckande varmt i det lilla rummet men han frös så att tänderna skallrade. Pia lade en hand på hans arm.

"Lugna dig, Martin. Vi måste hålla oss lugna. Det finns alltid en chans att det inte stämmer och jag gör vadsomhelst …" Hon vände sig mot läkaren. "Ge mig den tuffaste behandling ni har. Jag tänker slåss mot det här."

"Vi lägger in dig omgående. Åk hem och packa, så ordnar vi en plats."

Martin skämdes. Pia var stark medan han själv var nära att bryta ihop. Bilder av Tuva for runt i huvudet, alltifrån ögonblicket när hon föddes till stunden i morse när hon busat med dem i sängen. Det mörka håret hade flugit runt huvudet och ögonen hade varit fulla av skratt. Skulle det skrattet tystna nu? Skulle hon förlora sin livsglädje, tilltron till att allt var bra och att morgondagen skulle bli ännu bättre?

"Vi grejar det här." Pia var askgrå i ansiktet men visade en beslutsamhet som han visste bottnade i en enorm envishet. Nu skulle hon behöva den envisheten i sitt livs viktigaste kamp.

"Vi hämtar Tuva hos mamma och åker och fikar", sa hon och reste sig. "Vi får prata i lugn och ro när hon har lagt sig. Och jag ska packa. Hur länge ska jag räkna med att bli borta?"

Martin ställde sig upp på ben som knappt bar honom. Det var typiskt Pia att alltid vara så praktisk.

Läkaren tvekade. "Packa för att vara hemifrån ett tag."

Han sa adjö och gick sedan vidare till nästa patient.

Kvar i korridoren stod Martin och Pia. Tyst fattade de varandras händer.

"Ger du dem juice på flaska? Är du inte rädd om deras tänder?" Kristina tittade missnöjt på Anton och Noel som satt i soffan och sög på var sin nappflaska.

Erica tog ett djupt andetag. Det var inget ont i hennes svärmor och hon hade bättrat sig, men ibland var hon verkligen påfrestande.

"Jag har försökt att få i dem vatten, men de vägrar. Och de måste ju dricka i den här värmen. Men jag har spätt ut juicen ordentligt."

"Ja, du gör som du vill. Nu har jag sagt det i alla fall. Jag gav Patrik och Lotta vatten och det gick så fint så. De hade inte ett enda hål förrän de flyttade hemifrån och jag fick alltid beröm av tandläkaren för att de hade så fina tänder."

Erica bet sig i knogen där hon stod i köket och plockade undan, utom synhåll för Kristina. I små doser fungerade det utmärkt att umgås med henne, och hon var fantastisk med barnen, men det var en prövning när hon som i dag stannade kvar halva dagen.

"Jag tror att jag tar och lägger i en tvätt i maskinen, Erica", sa Kristina med hög röst och fortsatte prata som för sig själv. "Det är ju lättare om man plockar lite hela tiden och håller snyggt, då blir det inte de här högarna. Var sak på sin plats och så lägger man alltid tillbaka det där, och Maja är så stor nu att hon gott kan lära sig att plocka undan efter sig själv. Annars kommer hon att bli en sådan där bortskämd tonåring som aldrig flyttar hemifrån och som förväntar sig full service. Min väninna Berit, du vet, hennes son är snart fyrtio år och ändå …"

Erica stoppade fingrarna i öronen och lutade sig mot ett av köksskåpen. Hon dunkade huvudet lätt mot den svala träytan och bad en bön om tålamod. En bestämd knackning på axeln fick henne att hoppa högt.

"Vad gör du?" Kristina stod bredvid henne, med en full tvättkorg vid fötterna. "Du svarade inte när jag pratade med dig."

Med pekfingrarna fortfarande i öronen försökte Erica komma på en bra förklaring.

"Jag … jag tryckutjämnar." Hon klämde till om näsan och blåste hårt. "Jag har haft lite problem med öronen på sistone."

"Oj då", sa Kristina. "Sådant ska man ta på allvar. Har du kollat så att det inte är öroninflammation? Barnen är ju rena smittohärdarna när de går på dagis. Jag har alltid sagt att det inte är bra det där med dagis. Själv var jag minsann hemma med Patrik och Lotta ända tills de började högstadiet. De behövde inte vara på dagis eller hos dagmamma en enda dag och de var aldrig sjuka. Ja, vår läkare gav mig beröm för att de var så …"

Erica avbröt henne aningen för bryskt. "Barnen har inte varit där på flera veckor, så jag tror knappast att det är dagis som är boven."

"Nä, nä", sa Kristina med sårad min. "Men nu har jag sagt det i alla fall. Och jag vet ju vem ni ringer när barnen blir sjuka och ni måste jobba. Då är det jag som får rycka in." Hon knyckte på nacken och gick sin väg med tvätten.

Sakta räknade Erica till tio. Visst fick de mycket hjälp av Kristina, det kunde hon inte neka till. Men priset var ofta högt.

Josefs föräldrar var båda över fyrtio när hans mor fick det högst oväntade beskedet att hon var gravid. De hade sedan många år förlikat sig med att de inte skulle få några barn och inrättat sitt liv efter det. I stället hade de ägnat all sin tid åt det lilla skrädderiet i Fjällbacka. Josefs ankomst hade förändrat allt, och lika stor som deras glädje var över att få en son, lika stort och tungt hade de känt ansvaret att med honom föra sin historia vidare.

Kärleksfullt betraktade Josef fotot av dem som han hade i en tung silverram på skrivbordet. Bakom det stod bilder av Rebecka och barnen. Han hade alltid varit medelpunkten i sina föräldrars liv och de skulle alltid vara medelpunkten i hans. Det fick hans familj finna sig i.

"Maten är snart klar." Rebecka steg försiktigt in i arbetsrummet.

"Jag är inte hungrig. Ät ni", sa han utan att ens titta upp. Han hade mycket viktigare saker att göra än att äta.

"Kan du inte komma, nu när barnen är hemma och hälsar på?"

Josef tittade förvånat på henne. Hon brukade aldrig insistera. Irritationen vällde upp inom honom, men så tog han ett djupt andetag. Hon hade rätt. Barnen kom inte hem så ofta längre.

"Jag kommer", sa han med en suck och slog igen anteckningsboken. Den var full med tankar om hur projektet skulle utformas, och han bar den ständigt med sig ifall han skulle få någon ny idé.

"Tack", sa Rebecka, vände på klacken och gick ut.

Josef följde efter henne. I matsalen var det redan dukat och han noterade att hon hade ställt fram finporslinet. Hon hade en viss dragning till det flärdfulla och egentligen tyckte han inte om att hon gjorde sig till för barnens skull, men han lät saken bero.

"Hej, pappa", sa Judith och kysste honom på kinden.

Daniel reste sig och kom fram och omfamnade honom. För ett ögonblick fylldes hans hjärta av stolthet och han önskade att hans far hade fått se sina barnbarn växa upp.

"Nu sätter vi oss innan maten kallnar", sa han och slog sig ner vid huvudändan av bordet.

Rebecka hade lagat Judiths favoriträtt, helstekt kyckling med potatismos. Plötsligt kände Josef hur hungrig han var och insåg att han hade glömt att äta lunch. Efter att han mumlat välsignelsen lade Rebecka upp maten på tallrikarna och de började äta under tystnad. När den värsta hungern hade stillats lade Josef ner besticken.

"Går det bra med studierna?"

Daniel nickade. "Jag har fått högsta betyg på alla tentorna på sommarkursen. Nu gäller det bara att få en bra praktikplats i höst."

"Och jag trivs jättebra på mitt sommarjobb", inflikade Judith. Hennes ögon brann av iver. "Du skulle se hur tappra barnen är, mamma. De får genomgå tuffa operationer och långa strålbehandlingar och allt du kan tänka dig, men de gnäller inte och de ger inte upp. De är helt otroliga."

Josef tog ett djupt andetag. Barnens framgångar gjorde inget för att dämpa oron han ständigt bar på. Han visste att de alltid hade lite mer att ge, att de kunde nå lite högre. De hade så mycket att leva upp till och ta revansch för, och han var tvungen att se till att de gjorde sitt yttersta.

"Forskningen då? Du hinner väl med den?" Han spände blicken i Judith och såg hur ivern sakta slocknade i hennes ögon. Hon ville att han skulle bekräfta henne och säga några berömmande ord, men om han gav barnen intrycket att det de gjorde var gott nog skulle de sluta anstränga sig. Och det fick inte ske.

Han väntade inte ens på Judiths svar förrän han vände sig till Daniel. "Jag pratade med kursansvarig i förra veckan och han sa att du missade två dagar på sista kursen. Vad berodde det på?"

I ögonvrån såg Josef att Rebecka tittade besviket på honom, men det kunde inte hjälpas. Ju mer hon klemade med barnen, desto större ansvar fick han ta för att leda dem rätt.

"Jag var magsjuk", sa Daniel. "Det skulle nog inte ha varit så populärt om jag hade suttit i föreläsningssalen och kräkts i en påse."

"Försöker du göra dig lustig?"

"Nej, det var bara ett ärligt svar."

"Du vet att jag alltid får reda på om du ljuger", sa Josef. Besticken låg fortfarande kvar på tallriken. Han hade förlorat aptiten. Han avskydde att inte längre ha kontroll över barnen på samma sätt som när de bodde hemma.

"Jag var magsjuk", upprepade Daniel och slog ner blicken. Också han verkade ha tappat matlusten.

Josef reste sig hastigt. "Jag måste jobba."

När han flydde in i arbetsrummet tänkte han att de nog var glada att slippa honom. Genom dörren kunde han urskilja deras röster och skramlet av porslin. Sedan skrattade Judith, högt och befriande, och ljudet trängde igenom dörrens trä och hördes lika tydligt som om hon suttit bredvid honom. Med ens insåg han att barnens skratt, deras glädje, alltid dämpades så fort han kom in i rummet. Judith skrattade igen, och det kändes som om en kniv vreds om i hans hjärta. Så där hade hon aldrig skrattat med honom och han undrade om det hade kunnat vara annorlunda. Samtidigt visste han inte hur det skulle gå till. Han älskade dem så mycket att det värkte i kroppen, men han kunde inte vara den far de önskade. Han kunde bara vara den far livet hade lärt honom att vara och älska dem på sitt sätt, genom att föra vidare sitt arv till dem.

Gösta stirrade på tv:ns flimrande ljus. Det rörde sig i rutan, människor kom och gick och eftersom det var Morden i Midsomer som visades var det säkert någon som blev ihjälslagen. Men han hade tappat bort sig i handlingen för längesedan. Hans tankar befann sig någon annanstans.

På bordet framför honom stod en assiett med två smörgåsar. Skogaholmslimpa med smör och prickig korv. I princip åt han inget annat hemma. Det var för ansträngande och för trist att laga mat bara till sig själv.

Soffan han satt i började bli gammal, men han hade inte hjärta att slänga ut den. Han mindes hur stolt Maj-Britt hade varit när de fick hem den. Flera gånger kom han på henne med att föra handen över det blanka, blommiga tyget som om hon smekte en kattunge. Själv fick han knappt sitta i soffan det första året. Men tösen hade fått både hoppa och åka rutschkana på den. Maj-Britt hade leende hållit henne i händerna när hon hoppade högre och högre på den studsande fjädringen.

Nu var tyget matt och slitet med stora hål. På ett ställe, precis vid det högra armstödet, stack en fjäder upp. Men han satt ändå alltid i det vänstra hörnet. Det var hans sida medan det högra hade varit Maj-Britts. På kvällarna den där sommaren hade tösen suttit mellan dem. Hon hade aldrig tidigare sett på tv, så hon skrek förtjust så fort det hände något. Favoriten hade varit Drutten och Gena. Då kunde hon inte sitta still utan studsade på rumpan av pur glädje.

Ingen hade studsat i soffan på länge. Efter att tösen försvann var det som om hon tog med sig en del av deras livsglädje, och det blev många tysta kvällar. Att ånger kunde göra så ont hade nog ingen av dem anat. De hade trott att de gjorde rätt och när de insett att de tänkt alldeles galet var det för sent.

Gösta såg tomt på kommissarie Barnaby som just hittade ännu ett lik. Han tog en av korvmackorna och bet en tugga. Det var en kväll som liknade så många andra. Och som skulle följas av många fler.

Fjällbacka 1919

De kunde inte ses i tjänstefolkets sovsal, så Dagmar väntade på ett tecken från honom att de skulle dra sig tillbaka till hans rum. Det var hon som hade bäddat och gjort i ordning rummet åt honom, utan att veta att hon senare skulle längta så hett efter att få glida ner mellan de vackra bomullslakanen.

Festen var fortfarande i full gång när hon fick tecknet hon väntat på. Han var något ostadig på benen, det blonda håret rufsigt och ögonen punschblanka. Men han var inte mer berusad än att han obemärkt kunde smyga till henne nyckeln till sitt rum. Den korta beröringen av hans hand fick hennes hjärta att rusa och utan att titta på honom gömde hon nyckeln i sin förklädesficka. Ingen skulle vid det här laget märka om hon försvann. Både värdparet och gästerna var för druckna för att bry sig om något annat än att glasen fylldes på, och det fanns det gott om tjänstefolk kvar som kunde göra.

Hon såg sig ändå omkring innan hon låste upp dörren till det största gästrummet, och när hon klivit in blev hon stående med ryggen mot dörren och andades med djupa andetag. Blotta åsynen av sängen med de vita lakanen och täcket prydligt uppvikt fick det att pirra i kroppen. Han skulle säkert komma vilket ögonblick som helst, så hon rusade in i det lilla badrummet. Snabbt slätade hon till håret, tog av sig serveringskläderna och vaskade sig under armarna. Sedan bet hon sig i läpparna och nöp sig hårt i kinderna för att få dem så rosiga som hon visste var på modet bland stadsflickorna.

När hon hörde att någon tog i handtaget skyndade hon sig in i rummet och satte sig på sängen, endast iförd sin underklänning. Hon draperade håret över axlarna, väl medveten om vilken lyster det fick i det milda sommarnattsljuset från fönstret.

Hon blev inte besviken. När han såg henne spärrade han upp ögonen och stängde dörren hastigt efter sig. Han betraktade henne en stund innan han gick fram till sängen, satte handen under hennes haka och lyfte hennes ansikte mot sig. Så böjde han sig ner och deras läppar möttes i en kyss. Försiktigt, nästan retsamt, förde han sedan in sin tungspets mellan hennes lätt sårade läppar.

72

Dagmar besvarade längtansfullt kyssarna. Hon hade aldrig varit med om något liknande och det kändes som om den här mannen var utsänd av någon gudomlig makt för att förena sig med henne och göra henne hel. För en kort stund svartnade det för ögonen och bilder från det förflutna spelades upp i hennes inre. Barnen som lades i en balja, med en tyngd ovanpå tills de slutade röra sig. Poliserna som rusade in och tog hennes mor och far. De små liken som grävdes fram i källaren där hemma. Trollpackan och fosterfadern. Männen som stönade ovanpå henne med andedräkten stinkande av sprit och rök. Alla som utnyttjat henne och hånat henne – nu skulle de tvingas buga sig och be om ursäkt. När de såg henne gå vid den blonde hjältens sida skulle de få ångra vartenda ord de hade viskat bakom ryggen på henne.

Sakta drog han upp underklänningen över hennes mage och Dagmar lyfte armarna över huvudet för att hjälpa honom att få av plagget. Hon ville inget hellre än att känna hans hud mot sin. Knapp för knapp knäppte hon upp hans skjorta och han krängde den av sig. När alla hans plagg låg på golvet i en hög lade han sig över henne. Ingenting skilde dem längre åt.

Då de förenades blundade Dagmar. I den stunden var hon inte längre Änglamakerskans dotter. Hon var en kvinna som ödet slutligen hade välsignat.

Han hade förberett sig i flera veckor. Det var svårt att få en intervju med John Holm i Stockholm, men när han skulle komma till Fjällbacka på semester hade Kjell lyckats tjata till sig en timme för att få göra ett porträtt för Bohusläningen.

Han visste att John skulle känna till hans far, Frans Ringholm, som hade varit en av grundarna till Sveriges Vänner, det parti som John nu företrädde. De nazistiska sympatierna var en av många anledningar till att Kjell hade tagit avstånd från sin far. Först alldeles innan fadern dog hade Kjell närmat sig något slags försoning, men han skulle aldrig förlika sig med faderns åsikter. Lika lite som han kunde förlika sig med Sveriges Vänner och deras nyvunna framgångar.

De hade stämt träff i Johns sjöbod och bilturen till Fjällbacka från Uddevalla tog nästan en timme i sommartrafiken. Tio minuter sent parkerade han på grusplanen framför sjöboden och hoppades att förseningen inte skulle tas från hans intervjutid.

"Du kan plåta lite under tiden ifall vi inte hinner efteråt", sa han till sin kollega när de steg ur bilen. Han visste att det inte skulle bli några problem. Stefan var Bohusläningens mest erfarne fotograf och levererade alltid, oavsett omständigheter.

"Välkomna!" John kom dem till mötes.

"Tack", sa Kjell. Det krävdes ansträngning för att skaka Johns utsträckta hand. Förutom att hans åsikter var vidriga ansåg Kjell att han var en av de farligaste männen i Sverige.

John gick före dem genom den lilla sjöboden och ut på bryggan.

"Jag träffade aldrig din far. Men jag har förstått att han var en respektingivande man."

"Jo, ett antal år i fängelse kan ha den effekten."

"Det kan inte ha varit lätt att växa upp under de förhållandena", sa John och slog sig ner i utemöbeln vid det vindskyddande planket.

74

För ett ögonblick greps Kjell av avundsjuka. Det kändes så orättvist att en man som John Holm hade ett sådant här vackert ställe, med utsikt över hamnen och skärgården. För att dölja motviljan som borde synas tydligt i hans ansikte slog han sig ner mittemot John och började ordna med bandspelaren. Han var väl medveten om att livet var just orättvist och av hans research att döma hade John fötts med en silversked i munnen.

Bandspelaren surrade igång. Den såg ut att fungera som den skulle och han satte igång.

"Vad tror du att det beror på att ni numera sitter i riksdagen?"

Det var alltid bra att börja försiktigt. Han visste också att han hade haft tur som kunnat fånga John ensam. I Stockholm skulle pressekreteraren och säkert ytterligare personer ha varit närvarande. Nu var det bara han och John, och förhoppningsvis skulle partiledaren vara mer avslappnad när han hade semester och befann sig på eget revir.

"Jag tror att svenska folket har mognat. Vi har blivit mer medvetna om vår omvärld och hur den påverkar oss. Länge har vi varit alltför godtrogna, men nu har vi vaknat upp och Sveriges Vänner har förmånen att vara en förnuftets röst mitt i det uppvaknandet", sa John med ett leende.

Kjell kunde förstå varför människor drogs till honom. Han hade en utstrålning och en självsäkerhet som gjorde att man ville tro på det han sa. Men Kjell var för luttrad för att gå på den sortens charm och han ogillade starkt hur John använde ordet "vi" om sig själv och svenska folket. John Holm var knappast en representant för svenskarna. De var bättre än så.

Han fortsatte att ställa några harmlösa frågor: hur det kändes att komma in i riksdagen, hur bemötandet hade varit, hur han såg på det politiska arbetet i Stockholm. Hela tiden kretsade Stefan omkring dem med sin kamera och Kjell kunde se bilderna framför sig. John Holm sittande på sin egen brygga, med havet som glittrade i bakgrunden. Det var något helt annat än de strama bilder av honom i kostym och slips som brukade synas i tidningarna.

Kjell sneglade på klockan. Tjugo minuter hade gått av den avtalade intervjutiden och stämningen var trevlig, om än inte hjärtlig. Nu var det dags att börja ställa de riktiga frågorna. Under veckorna som gått sedan han hade fått intervjun bekräftad, hade han läst otaliga artiklar om John Holm och sett mängder av klipp ur tv-debatter. Många journalister gjorde ett undermåligt arbete. De skrapade bara på ytan, och om de mot förmodan ställde en vettig fråga missade de alltid att ställa följdfrågor och godtog Johns tvärsäkra svar, ofta fyllda av felaktig statistik och rena lögner. Ibland skämdes han över att vara journalist, men till skillnad från många av sina kollegor hade han gjort sin hemläxa.

"Er budget baseras på de stora besparingar som samhället enligt er skulle göra om invandringen stoppades, nämligen sjuttioåtta miljarder. Hur har ni fått fram den siffran?"

John stelnade till. En rynka mellan ögonbrynen avslöjade en lätt irritation, men den försvann fort och ersattes av det förbindliga leendet.

"Kalkylen är väl underbyggd."

"Är du säker på det? Det finns snarare en hel del som talar för att era beräkningar är felaktiga. Låt mig ta ett exempel: ni hävdar att bara tio procent av dem som invandrar till Sverige får jobb."

"Ja, det är korrekt. Det råder en hög arbetslöshet bland de personer som vi tar emot i Sverige, vilket innebär en enorm kostnad för samhället."

"Men enligt den statistik jag har tagit del av har sextiofem procent av alla invandrare i Sverige mellan tjugo och sextiofyra år ett arbete."

John satt tyst och Kjell kunde se hur hans hjärna arbetade för högtryck.

"Den siffra jag har fått är tio procent", sa han till slut.

"Men du vet inte hur ni har kommit fram till den?"

"Nej."

Kjell kände hur han började njuta av situationen. "Era beräkningar utgår vidare från att samhället skulle göra stora besparingar genom sänkta bidragskostnader om invandringen stoppades. Men en studie över åren 1980 till 1990 visar att de skatteinkomster invandrarna bidrar med vida överstiger de statliga kostnaderna för invandringen."

"Det låter inte särskilt troligt", sa John med ett snett leende. "Svenska folket går inte längre på sådana bluffstudier. Det är allmänt känt att invandrarna utnyttjar bidragssystemet."

"Jag har en kopia av studien här. Du får gärna behålla den och granska den närmare." Kjell tog fram en bunt papper och lade dem framför John.

Han tittade inte ens på dem. "Jag har folk som sköter sådant."

"Jaha, men de verkar inte ha läst på så bra", sa Kjell. "Sedan har vi utgiftssidan. Hur mycket kommer till exempel den allmänna värnplikten ni vill återinföra att kosta? Skulle du inte kunna spalta upp kostnaden för era förslag här så att vi får klarhet?" Han sköt fram block och penna till John som tittade på dem som om det var något osmakligt.

"Alla våra siffror finns i budgeten. Det är bara att titta där."

"Har du inte dem i huvudet? Era budgetsiffror är ju själva kärnan i hur ni vill driva er politik."

"Självklart har jag full koll på alla siffror." John föste undan blocket. "Men jag tänker inte sitta här och göra cirkustrick."

"Då lämnar vi budgetsiffrorna för en stund. Vi kanske får anledning att återkomma till dem senare." Kjell rotade i sin portfölj och tog fram ett annat dokument, en lista han hade skrivit ut.

"Förutom en mer restriktiv invandringspolitik vill ni arbeta för att införa strängare straff för brottslingar."

John sträckte på sig.

"Ja, det är en skandal hur släpphänta vi är i Sverige. Med vår politik kommer ingen längre att kunna komma undan med bara en smäll på fingrarna. Även inom partiet har vi satt en hög standard, särskilt som vi är fullt medvetna om att vi tidigare har förknippats med en del ... ja, olyckliga element."

Olyckliga element. Jo, så kunde man ju uttrycka det, tänkte Kjell men teg medvetet. Det lät som om han var på väg att få John precis dit han ville.

"Vi har rensat ut alla kriminella element på våra riksdagslistor och vi tillämpar nolltolerans. Alla har till exempel fått skriva på en vandelsförsäkran där även domar långt tillbaka i tiden måste redovisas. Om man har ett kriminellt förflutet får man inte representera Sveriges Vänner." John lutade sig tillbaka och lade upp det ena benet över det andra.

Kjell lät honom känna sig trygg i några sekunder innan han lade fram listan på bordet.

"Hur kommer det sig att ni inte ställer samma krav på dem som arbetar på partikansliet? Inte mindre än fem av dina medarbetare har kriminell bakgrund. Det rör sig om domar för misshandel, olaga hot, rån och våld mot tjänsteman. Din pressekreterare till exempel dömdes 2001 för att ha sparkat ner en etiopisk man på torget i Ludvika." Kjell sköt fram listan lite till så att den låg precis framför John. En flammande rodnad syntes på partiledarens hals.

"Jag sköter varken anställningsintervjuerna eller rutinerna på kansliet, så jag kan inte uttala mig i den frågan."

"Som ytterst ansvarig för den personal som anställs, borde väl frågan hamna på ditt bord även om det inte är du som sköter det rent praktiskt?"

"Alla har rätt till en andra chans. Till största delen handlar det om ungdomssynder."

"En andra chans, sa du? Varför förtjänar dina anställda en andra chans, när inte de invandrare som begår brott gör det? Enligt er ska de ju skickas ut ur landet så fort de har dömts."

John bet ihop käkarna så att hans ansikte såg ännu mer skarpskuret ut.

"Jag har som sagt inte varit inblandad i anställningsprocessen. Jag får återkomma om det."

Kjell övervägde helt kort om han skulle pressa John ytterligare, men tiden rann iväg och John kunde närsomhelst få nog och bestämma sig för att avsluta i förtid.

"Jag har några mer personliga frågor också", sa han i stället och kikade i sina anteckningar. Egentligen hade han allt i huvudet, men av erfarenhet visste han att det hade en avskräckande effekt att ha saker på pränt. Det ingav respekt.

"Du har tidigare berättat att ditt engagemang i invandringsfrågor började när du som tjugoåring blev överfallen och misshandlad av två afrikanska studenter som gick samma utbildning som du vid universitetet i Göteborg. Du anmälde händelsen till polisen men utredningen lades ner och du tvingades möta de skyldiga i skolan varje dag. Under resten av utbildningstiden hånskrattade de åt dig och därigenom åt det svenska samhället. Det sista var ett direkt citat ur en intervju med dig i Svenska Dagbladet i våras." Kjell tittade på John som nickade allvarligt.

"Ja, det är en händelse som har satt djupa spår och format min syn på världen. Den visade tydligt hur samhället fungerade och hur svenskar hade degraderats till andra klassens medborgare medan det gullades med de individer som vi hade varit naiva nog att ta emot från övriga världen."

"Intressant." Kjell lade huvudet på sned. "Jag har kollat upp den här händelsen och det är flera saker som är lite … ja, märkliga."

"Vad menar du?"

"För det första finns det ingen sådan här anmälan i polisens register och för det andra gick det inga afrikanska studenter på samma utbildning som du. Det fanns faktiskt inga afrikanska studenter överhuvudtaget på universitetet när du studerade där."

Kjell såg hur adamsäpplet åkte upp och ner då John svalde.

"Jag minns det tydligt. Du har fel."

"Är det inte snarare så att dina åsikter kommer från din hemmiljö? Jag har uppgifter som tyder på att din far hade starka nazistsympatier."

"Min fars eventuella åsikter uttalar jag mig inte om."

En snabb titt på klockan visade att det bara var fem minuter kvar av intervjun. Kjell kände missnöjet blandas med tillfredsställelse. Intervjun hade inte gett något konkret resultat, men det hade varit ett nöje att få John ur balans. Och han tänkte inte ge sig. Intervjun var bara början. Han skulle gräva och gräva tills han hittade något som satte stopp för John Holm. Möjligen skulle han behöva träffa honom igen, så det var lika bra att avrunda intervjun med en fråga som låg utanför politiken. Han log mot honom.

"Jag har förstått att du var elev på internatet på Valö när den där familjen försvann. Man undrar ju verkligen vad som hände där."

John gav honom en blick och reste sig hastigt. "Intervjutiden är slut nu och jag har en hel del annat att ta itu med. Jag antar att ni hittar härifrån själva."

Kjells journalistiska instinkt hade alltid varit god och Johns reaktion fick hjärnan att gå på högvarv. Här fanns något som John inte ville att han skulle veta, och han kunde knappt bärga sig tills han kom tillbaka till redaktionen och kunde börja rota i vad det kunde vara.

"Var är Martin?" Patrik tittade på de andra där de satt i köket på stationen.

"Han har sjukanmält sig", sa Annika undvikande. "Men jag har hans rapport om ekonomi- och försäkringsbiten här."

Patrik tittade på henne men frågade inget. Om Annika inte frivilligt ville berätta vad hon visste, skulle det krävas tortyr för att få ur henne något.

"Och jag har det gamla utredningsmaterialet här", sa Gösta och pekade på några tjocka mappar på bordet.

"Det gick fort", sa Mellberg. "Det brukar ta evigheter att få fram så gamla papper i arkivet."

Gösta teg en lång stund innan han sa: "Jag hade dem hemma."

"Förvarar du arkivmaterial hemma hos dig? Är du från vettet, människa?" Mellberg for upp från stolen och Ernst som legat på hans fötter satte sig upp och spetsade öronen. Han skällde ett par gånger men konstaterade sedan att allt verkade lugnt och lade sig ner igen.

"Jag har tittat på det emellanåt och det kändes onödigt att springa fram och tillbaka till arkivet. Och det var ju tur att jag hade det hos mig, annars skulle vi inte ha det här redan nu."

"Hur jäkla dum får man vara …", fortsatte Mellberg och Patrik insåg att det var dags att ingripa.

"Sätt dig, Bertil. Det viktigaste är att vi nu har tillgång till materialet. Disciplinfrågorna får vi ta efteråt."

Mellberg muttrade något surt men lydde sedan motvilligt. "Har teknikerna börjat jobba där ute då?"

Patrik nickade. "De är i full gång med att bryta upp golvet och ta prover. Torbjörn har lovat att höra av sig så fort han vet något."

"Kan någon förklara för mig varför vi ska lägga tid och resurser på ett eventuellt brott som redan är preskriberat?" sa Mellberg.

Gösta blängde på honom. "Har du glömt att någon försökte bränna ner stället?"

"Nej, det har jag inte. Men jag undrar fortfarande vad det är som säger att det ena hör ihop med det andra?" Han artikulerade överdrivet som för att reta Gösta.

Patrik suckade igen. De var som två barnungar.

"Det är du som bestämmer, Bertil, men jag tror att det vore ett misstag att inte närmare undersöka fyndet paret Stark gjorde i går."

"Jag vet vad du tycker, men det är inte du som kommer att få stå till svars när ledningen undrar varför vi slösar våra magra resurser på ett fall som passerat bästföredatum."

"Om det hör ihop med mordbranden som Hedström tror, är ju försvinnandet relevant", sa Gösta med enträgen röst.

Mellberg satt tyst en stund. "Ja, då lägger vi väl några timmar på det. Kör igång."

Patrik andades ut. "Då så. Vi börjar med att titta på vad Martin har fått fram."

Annika tog på sig sina glasögon och tittade ner i rapporten. "Martin har inte hittat något som avviker. Paret Stark har inte överförsäkrat barnkolonin, snarare tvärtom, så de skulle inte få ut någon större summa vid en brand. Vad gäller deras privatekonomi har de ganska mycket pengar på banken, från försäljningen av deras hus i Göteborg. Jag antar att det är pengar som ska användas till renoveringen och alla vardagliga kostnader tills de kommer igång med verksamheten. Och jo, Ebba har ett företag registrerat i sitt namn. Min Ängel heter det. Tydligen gör hon änglasmycken i silver och säljer på nätet, men det ger inga inkomster att tala om."

"Bra. Vi släpper inte det spåret helt, men just nu verkar ingenting tyda på försäkringsbrott. Sedan har vi gårdagens upptäckt", sa Patrik och vände sig till Gösta. "Du kan väl berätta hur det såg ut när ni undersökte huset efter försvinnandet?"

"Visst. Ni kan få se bilder också", sa Gösta och vek upp en av mapparna. Han plockade fram en bunt gulnade foton och skickade runt dem. Patrik häpnade. Trots sin ålder var det alldeles utmärkta brottsplatsbilder.

"I matsalen syntes inga spår av att något hade hänt", sa Gösta. "Påsklunchen var påbörjad men det fanns inte minsta tecken på att det förekommit någon strid. Inget var trasigt och golvet var rent. Titta om ni inte tror mig."

Patrik gjorde som han sa och studerade bilderna noggrant. Gösta hade rätt. Det såg helt enkelt ut som om familjen hade rest sig upp mitt i lunchen och gått sin väg. Han rös. Det var något spöklikt med det dukade bordet, den halvätna maten på tallrikarna och de prydligt inskjutna stolarna. Mitt på bordet stod en stor vas med en bukett påskliljor. Det enda som saknades var människorna, och fyndet under golvplankorna gav bilderna ännu en dimension. Nu förstod han varför Erica hade ägnat så många timmar åt att gräva i familjen Elvanders mystiska försvinnande.

"Om det är blod, kan man då säga om det är familjens?" frågade Annika.

Patrik skakade dröjande på huvudet. "Det är ju inte mitt specialområde, men jag tror inte det. Jag skulle gissa att det är för gammalt för att man ska kunna göra sådana analyser. Det enda vi kan hoppas få bekräftat är nog att det är människoblod. Och vi har ju inget att jämföra med heller."

"Ebba finns", påpekade Gösta. "Om blodet kommer från Rune eller Inez kanske man kan få fram en dna-profil som kan matchas mot Ebbas."

"Jo, visserligen. Men jag tror att blod bryts ner väldigt snabbt och det har ju gått många år. Oberoende av resultatet av blodanalysen måste vi ta reda på vad som hände den där påskaftonen. Vi måste förflytta oss bakåt i tiden." Patrik lade ifrån sig fotografierna på bordet. "Vi får läsa alla förhör med personer som hade med internatet att göra och sedan prata med dem igen. Sanningen finns där någonstans. En hel familj kan inte bara försvinna. Och om vi får bekräftat att det rör sig om människoblod kan vi utgå från att ett brott begicks i det där rummet."

Han tittade på Gösta som nickade svagt.

"Ja, du har rätt. Vi måste förflytta oss bakåt i tiden."

Det var kanske lite märkligt att ha så många foton uppställda på ett hotellrum, men i så fall hade ingen vågat påpeka det för honom. Det var fördelen med att bo i sviten. Alla förutsatte att man skulle vara lite excentrisk när man hade mycket pengar. Hans utseende gav honom dessutom möjlighet att göra som han ville utan att bry sig om vad andra ansåg om honom.

Fotona var viktiga för honom. Att han alltid hade dem med sig var en av få saker som Ia inte hade något att säga till om. I övrigt var han i hennes våld, det visste han. Men den han en gång varit och det han åstadkommit kunde hon inte ta ifrån honom.

Leon rullade fram rullstolen till byrån där fotona stod. Han blundade och för en kort stund tillät han sig att i tanken färdas tillbaka till de platser bilderna visade. Han föreställde sig hur ökenvinden brände hans kinder, hur extrem kyla fick hans fingrar och tår att värka. Han hade älskat smärtan. No pain, no gain, hade alltid varit hans motto. Nu levde han ironiskt nog med smärta varje sekund, varje dag. Utan att få något för det.

Ansiktet som log mot honom på fotona var vackert, eller snarare stiligt. Att säga att det var vackert antydde att det var feminint, vilket var helt missvisande. Han utstrålade manlighet och styrka. En djärv våghalsighet, en längtan efter att känna adrenalinet rusa genom kroppen.

Han sträckte ut vänster hand, som till skillnad från högerhanden var hel, och greppade sitt favoritfoto. Det var taget på toppen av Mount Everest. Klättringen hade varit hård och flera av expeditionens deltagare hade avbrutit under de olika etapperna. Några hade till och med gett upp innan de hade börjat. Den sortens svaghet var obegriplig. Att ge upp var inget alternativ för honom. Många hade skakat på huvudet åt hans försök att nå toppen utan syrgas. Det skulle aldrig gå, sa de som förstod sig på. Till och med expeditionens ledare hade vädjat till honom att använda syrgasen, men Leon visste att det gick. Reinhold Messner och Peter Habeler hade gjort det 1978. Det ansågs omöjligt redan då, inte ens de infödda nepalesiska klättrarna hade klarat det. Men de lyckades, vilket innebar att han också skulle göra det. Och han tog sig till toppen av Mount Everest på första försöket – utan syrgas. På bilden log han brett, med den svenska flaggan i handen och de färgglada böneflaggorna i drivor bakom sig. Just då befann han sig högst av alla i hela världen. Han såg stark ut. Lycklig.

Leon ställde försiktigt tillbaka bilden och lyfte upp nästa. Paris–Dakar.

Motorcykelklassen självklart. Det grämde honom fortfarande att han inte hade vunnit. I stället hade han fått nöja sig med en plats bland de tio bästa. Egentligen visste han att det var en fantastisk prestation, men för honom var det bara förstaplatsen som räknades, så hade det alltid varit. Överst på prispallen skulle han stå, vad det än gällde. Han smekte glaset över fotot med tummen och hejdade ett leende. Om han log stramade det obehagligt i ena sidan av ansiktet och han avskydde den känslan.

Ia hade varit så rädd. En av de tävlande hade kört ihjäl sig redan i början av loppet och hon hade bönat och bett att han skulle bryta. Men olyckan ökade bara hans motivation. Det var vetskapen om att det var farligt som drev honom, insikten om att livet kunde tas ifrån honom när-somhelst. Faran fick honom att älska det goda i livet ännu intensivare. Champagnen smakade bättre, kvinnorna tycktes vackrare, sidenlakanen kändes lenare mot huden. Hans rikedom var mer värdefull om han stän-digt riskerade den. Ia, däremot, var rädd att förlora allt. Hon avskydde när han skrattade åt döden och spelade högt på kasinon i Monaco, Saint-Tropez och Cannes. Hon förstod inte den upphetsning han kände när han förlorade stort, för att kvällen därpå spela tillbaka allt igen. Då kunde hon inte sova på nätterna utan låg och vred sig i sängen medan han lugnt njöt av en cigarr ute på balkongen.

Innerst inne hade han njutit av hennes oro. Han visste att hon älskade det liv han kunde erbjuda henne. Och hon inte bara älskade det, hon behövde och krävde det. Därför gav det en extra krydda till förlusterna att se hennes min när kulan rullade ner i fel hål, se hur hon bet sig i kinden för att inte skrika rakt ut när han satsade allt på rött och vinsten trillade in på svart.

Leon hörde ljudet av en nyckel som sattes i låset. Sakta ställde han tillbaka fotot på byrån. Mannen på motorcykeln log stort mot honom.

Fjällbacka 1919

Det var en underbar dag att vakna till och Dagmar sträckte på sig som en katt. Nu skulle allt bli annorlunda. Äntligen hade hon mött någon som skulle få pratet att tystna och skrattet att fastna i halsen på de skvallrande käringarna. Änglamakerskans dotter och flygarhjälten – det skulle minsann ge dem annat att prata om. Men det skulle inte längre beröra henne, för de skulle åka iväg tillsammans. Vart visste hon inte och det hade heller ingen betydelse.

I natt hade han smekt henne så som ingen annan smekt henne förut. Han hade viskat så många ord i hennes öra, ord hon inte förstod men som hon i sitt hjärta visste var löften om deras gemensamma framtid. Hans heta andedräkt hade fått lusten att sprida sig ut i minsta kroppsdel och hon hade gett honom allt hon hade.

Dagmar satte sig långsamt upp på sängkanten och naken gick hon fram till fönstret och öppnade det på vid gavel. Utanför kvittrade fåglarna och solen hade precis gått upp. Hon undrade var Hermann var. Kanske hade han gått för att hämta frukost till dem?

Inne i badrummet gjorde hon en noggrann morgontoalett. Egentligen ville hon inte tvätta bort lukten av honom från sin kropp men samtidigt ville hon dofta som den vackraste av rosor när han kom tillbaka. Och hon skulle snart få känna hans lukt igen. Ett helt liv skulle hon få insupa hans doft.

När hon var klar lade hon sig på sängen igen och väntade, men han dröjde och hon kände otåligheten komma krypande. Solen hade klättrat ännu högre utanför fönstret och fågelkvittret började kännas påträngande högt. Vart hade Hermann tagit vägen? Förstod han inte att hon väntade på honom?

Till slut steg hon upp, klädde sig och gick med högburet huvud ut genom dörren. Varför skulle hon bry sig om ifall någon såg henne? Snart nog skulle det stå klart vilka avsikter Hermann hade.

Det var tyst och stilla i huset. Alla låg och sov ruset av sig och skulle säkerligen göra det ännu ett par timmar. Först framåt elva brukade gästerna vakna till. Från köket hördes det ändå ljud. Personalen var uppe tidigt och förberedde frukosten. Festfolket brukade alltid ha en glupande aptit när de sent omsider vaknade och då gällde det att äggen var kokade och kaffet färdigbryggt. Försiktigt kikade hon in i köket. Nej, ingen Hermann där. En av köksorna såg henne och rynkade ögonbrynen, men Dagmar knyckte på nacken och stängde dörren igen.

Efter att ha sökt igenom huset gick hon ner mot bryggan. Kunde han ha tagit sig ett morgondopp? Hermann var så atletisk, han hade säkert gått ner till bryggan för att ta en uppfriskande simtur.

Hon ökade farten och småsprang ner mot stranden. Fötterna tycktes sväva över gräset, och när hon kom fram till bryggan spanade hon leende ut över vattnet. Men hon blev snart allvarlig. Han var inte där. Hon tittade sig omkring än en gång, men det fanns ingen Hermann i vattnet och inga kläder på bryggan. En av pojkarna som arbetade för doktorn och doktorinnan kom släntrande mot henne.

"Kan jag hjälpa fröken?" sa han och kisade mot solen. När han kom närmare och såg vem det var skrattade han till. "Nej, men är det inte Dagmar. Vad gör du här nere så här dags? Jag hörde att du inte sov bland tjänstefolket i natt utan förlustade dig på annat håll."

"Tyst på dig, Edvin", sa hon. "Jag letar efter den tyske flygaren. Har du sett honom?"

Edvin stack händerna i byxfickorna. "Flygaren? Så det var där du var?" Han skrattade samma hånfulla skratt igen. "Visste han att han gick till sängs med en mörderskas dotter? Men det kanske de där utlänningarna bara tycker är kittlande?"

"Sluta upp med det där! Svara på min fråga i stället. Har du sett honom nu på morgonen?"

Edvin sa inget på en lång stund. Han bara granskade henne, uppifrån och ner.

"Vi borde ses någon gång, du och jag", sa han till sist och tog ett steg fram mot henne. "Vi har ju aldrig riktigt fått tillfälle att lära känna varandra."

Hon blängde på honom. Åh, vad hon avskydde dessa vidriga män, utan förfining eller bakgrund. De hade ingen rätt att röra vid henne med sina smutsiga händer. Hon förtjänade bättre. Hon var värd ett gott liv, det hade mor och far sagt.

"Nå?" sa hon. "Du hörde vad jag sa."

Han spottade i marken, tittade henne rakt i ögonen och kunde inte dölja sin skadeglädje när han sa:

"Han har åkt."

"Vad menar du? Vart skulle han?"

"Han fick ett telegram tidigt i morse om ett flyguppdrag. Han kördes in med båten för två timmar sedan."

Dagmar kippade efter andan. "Du ljuger!" Hon ville slå knytnäven rakt i Edvins flinande ansikte.

"Du behöver inte tro mig", sa han och vände sig om. "Men borta är han."

Hon såg ut över vattnet, i samma riktning som Hermann försvunnit, och svor att hon skulle finna honom igen. Han skulle bli hennes, hur lång tid det än tog. För det var så det var menat.

Erica kände sig aningen skuldmedveten, även om hon egentligen inte hade ljugit för Patrik utan bara utelämnat sanningen. I går kväll hade hon dessutom försökt berätta om sina planer för honom, men det hade inte blivit något riktigt bra tillfälle och han hade varit på ett sådant konstigt humör. Hon hade frågat om det hänt något på jobbet, men han hade bara svarat undvikande och kvällen hade förflutit i tystnad framför tv:n. Det fick bli ett senare problem hur hon skulle förklara dagens utfärd.

Erica ökade gasen och föll av åt babord med snipan. Hon skänkte en tacksamhetens tanke till pappa Tore som hade insisterat på att lära sina döttrar att köra båten. Det var ens skyldighet, hävdade han, att kunna hantera en båt när man bodde vid havet. Och om hon skulle vara ärlig var hon bättre än Patrik på att lägga till, även om hon för husfridens skull lät honom sköta det. Män hade sådana bräckliga egon.

Hon hejade på en av sjöräddningsbåtarna som var på väg in mot Fjäll-backa. Den verkade komma utifrån Valö och hon undrade vad de hade haft för ärende dit. Men efter en stund släppte hon tanken för att koncentrera sig på att lägga till, och elegant gled hon in med snipan vid bryggan. Till sin förvåning kände hon sig nervös. Efter att ha ägnat så mycket tid åt historien kändes det lite egendomligt att träffa en av huvudpersonerna i verkliga livet. Hon tog sin handväska och hoppade i land.

Det var längesedan hon hade varit på Valö, och som så många andra från Fjällbacka förknippade hon platsen med läger och skolutflykter. Det var nästan så att hon kunde känna lukten av grillad korv och bränt pinnbröd då hon gick mellan träden.

När hon närmade sig huset stannade hon häpet till. Där rådde febril aktivitet och på trappan stod en välbekant figur och gestikulerade med armarna. Hon började gå igen och ökade takten tills hon nästan små-sprang.

"Hej, Torbjörn!" Hon vinkade och fick slutligen hans uppmärksamhet. "Vad gör ni här?"

Han tittade förvånat på henne. "Erica? Jag kan ju fråga dig detsamma. Vet Patrik om att du är här?"

"Nja, det vet han nog inte. Men berätta nu vad ni har för er."

Torbjörn tycktes överväga vad han skulle svara.

"Ägarna gjorde ett fynd i huset i går när de höll på med renoveringen", sa han till sist.

"Ett fynd? Har de hittat familjen som försvann? Var fanns de?"

Torbjörn skakade på huvudet. "Mer kan jag tyvärr inte säga."

"Kan jag få komma in och titta?" Hon tog ett steg upp på trappan.

"Nä du, ingen får komma in här. Vi kan ju inte ha en massa obehöriga som springer runt när vi ska jobba." Han log. "Jag antar att du söker paret som bor här. De är på baksidan av huset."

Erica backade. "Okej", sa hon utan att riktigt kunna dölja sin besvikelse.

Hon gick längs med husväggen och när hon vek om hörnet såg hon en man och en kvinna i ungefär samma ålder som hon själv. Sammanbitna satt de med blicken riktad på huset. De pratade inte med varandra.

Erica tvekade ett ögonblick. I sin iver och nyfikenhet hade hon inte ens tänkt på hur hon skulle förklara varför hon dök upp här och störde. Men tveksamheten höll bara i sig ett par sekunder. Att ställa nyfikna frågor och rota i människors hemligheter och tragedier var trots allt en del av hennes arbete. Hon hade för längesedan övervunnit sina betänkligheter och visste att många av de anhöriga i efterhand hade tyckt om böckerna. Dessutom var det alltid lättare när händelsen, som i det här fallet, låg långt tillbaka i tiden. Då var såren oftast läkta och tragedierna hade börjat förvandlas till historia.

"Hej!" ropade hon och paret vände blickarna mot henne. Sedan log kvinnan igenkännande.

"Dig känner jag igen. Erica Falck. Jag har läst alla dina böcker och älskar dem", sa hon och tystnade sedan förskräckt som om hon skämdes för sin framfusighet.

"Hej, det måste vara du som är Ebba." Erica skakade Ebbas hand. Den kändes ömtålig i hennes, men de tydliga valkarna i handflatan vittnade om att hon arbetade hårt med renoveringen. "Tack för berömmet."

Fortfarande en aning blyg presenterade Ebba sin man och Erica hälsade på honom också.

"Vilken tajming du har." Ebba satte sig ner och verkade vänta på att Erica skulle göra detsamma.

"Hur menar du?"

"Ja, jag antar att du vill skriva om försvinnandet? Och då har du kommit helt rätt dag."

"Jo", sa Erica. "Jag hörde att ni har hittat något i huset."

"Ja, vi upptäckte det när vi bröt upp golvet i matsalen", sa Mårten. "Vi visste inte riktigt vad det var men fick för oss att det kunde vara blod. Polisen var här och tittade och de beslutade att det skulle undersökas. Det är därför det är en massa folk här."

Erica började förstå varför Patrik hade varit så avig i går när hon frågade om något hade hänt. Hon undrade vad han trodde om det hela, om han utgick från att familjen hade dödats där i matsalen och att kropparna sedan forslats bort. Ivrig ville hon fråga om de hade hittat något annat än blod, men hon behärskade sig.

"Det måste kännas obehagligt för er. Jag kan inte förneka att händelsen alltid har intresserat mig, men för dig, Ebba, är det ju personligt och nära."

Ebba skakade på huvudet. "Jag var så liten att jag inte kommer ihåg min familj. Jag kan inte sörja några jag inte minns. Det är inte som …" Hon hejdade sig och tittade bort.

"Jag tror att min man Patrik Hedström var en av de poliser som var här, och han var ju ute hos er i lördags också. Det hade visst inträffat en otäck incident?"

"Så kanske man kan kalla det. Otäckt var det i alla fall och jag kan inte förstå varför någon skulle vilja göra oss illa." Mårten slog ut med händerna.

"Patrik tror att det kan ha något med det som hände här 1974 att göra", sa Erica innan hon hann hejda sig. Hon svor inombords. Hon visste hur förbannad Patrik skulle bli om hon avslöjade något som kunde påverka utredningen.

"Hur skulle det kunna hänga ihop? Det är ju så längesedan det hände." Ebba tittade mot huset. Där de satt såg de inget av det som pågick, men de hörde ljudet av trä som splittrades då golvet bröts upp.

"Om det är okej skulle jag gärna vilja ställa några frågor om försvinnandet", sa Erica.

Ebba nickade. "Visst. Som jag sa till din man tror jag inte att jag har så mycket att bidra med, men fråga på du."

"Gör det något om jag spelar in vårt samtal?" frågade Erica medan hon plockade upp en bandspelare ur väskan.

Mårten tittade frågande på Ebba som ryckte på axlarna. "Nej, det gör inget."

När bandet började snurra kände Erica hur det pirrade i magen av förväntan. Hon hade inte kommit sig för med att söka upp Ebba i Göteborg, trots att hon många gånger tänkt att hon skulle göra det. Nu fanns hon här och kanske skulle Erica få reda på något som kunde leda researcharbetet framåt.

"Har du något sparat efter dina föräldrar? Någonting som du fick med dig härifrån?"

"Nej, ingenting. Mina adoptivföräldrar har berättat att jag bara hade en liten väska med kläder med mig när jag kom till dem. Och jag tror inte ens att de kom härifrån. Enligt mamma hade någon snäll människa sytt en uppsättning kläder till mig och broderat mina initialer på dem. Jag har fortfarande kvar de kläderna. Mamma sparade dem ifall jag skulle få en dotter en dag."

"Inga brev, inga foton?" sa Erica.

"Nej. Jag har aldrig sett till några."

"Hade dina föräldrar någon annan släkting som kan ha tagit hand om sådana saker?"

"Det fanns ingen. Det sa jag till din man också. Vad jag förstår var varken mina mor- eller farföräldrar i livet, och tydligen hade mina föräldrar inga syskon heller. Om det finns några avlägsna släktingar, så har de i alla fall aldrig hört av sig till mig. Och det var ju ingen som ville ha mig."

Det lät oerhört sorgligt och Erica såg beklagande på henne, men Ebba log.

"Det gick ingen nöd på mig. Jag har en mamma och en pappa som älskar mig och två fina syskon. Jag har inte saknat något."

Erica log tillbaka. "Det är få förunnat att kunna säga så."

Hon kände att hon tyckte mer och mer om den späda kvinnan framför sig.

"Vet du något annat om dina biologiska föräldrar?"

"Nej, jag har nog inte varit så intresserad av att ta reda på mer. Visst har jag ibland undrat vad som hände, men på något sätt har det känts som om jag inte har velat blanda in det i mitt liv. Möjligen har jag varit orolig att mamma och pappa skulle bli ledsna och känna att de inte räckte till om jag började intressera mig för mina biologiska föräldrar."

"Tror du att intresset för att söka dina rötter skulle vakna om ni fick barn?" sa Erica försiktigt. Hon visste inte mycket om Ebba och Mårten och kanske var det en känslig fråga.

"Vi hade en son", sa Ebba.

Erica ryggade undan som om hon hade fått en örfil. Det var inte det svar hon hade väntat sig. Hon ville fråga mer, men Ebbas kroppsspråk visade tydligt att hon inte tänkte tala om det.

"Att vi flyttade hit kan väl ses som ett sätt för Ebba att söka sina rötter", sa Mårten.

Han skruvade besvärat på sig och Erica noterade att paret till synes omedvetet flyttade aningen längre ifrån varandra på bänken, som om de inte stod ut med att vara alltför nära. Stämningen hade blivit tryckt och med ens kändes det som om hon trängde sig på och bevittnade något mycket privat.

"Jag har forskat lite i din släkts historia och fått fram en del. Säg bara till om du vill ta del av det jag har hittat. Jag har allting hemma", sa hon.

"Vad snällt", sa Ebba utan entusiasm. All energi tycktes ha runnit ur henne och Erica insåg att det inte var någon mening med att fortsätta samtalet. Hon reste sig.

"Tack för att jag fick prata med er en stund. Jag hör av mig, eller så får ni gärna höra av er till mig." Hon tog upp ett anteckningsblock, skrev upp sitt telefonnummer och sin mejladress, rev ut sidan och gav den till dem. Sedan stängde hon av bandspelaren och lade den i handväskan.

"Du vet var vi finns. Vi gör inget annat än jobbar på huset dygnet runt", sa Mårten.

"Ja, jag förstår det. Klarar ni allt själva?"

"Ja, vi tänkte det. I alla fall så långt det är möjligt."

"Om du känner någon i trakten som är duktig på inredning får du gärna tipsa oss", inflikade Ebba. "Varken Mårten eller jag är särskilt duktiga på det."

Erica skulle precis säga att hon tyvärr inte visste så mycket om sådant när hon fick en idé.

"Jag vet en jättebra person som säkert kan hjälpa er. Låt mig återkomma."

Hon tog adjö och gick till framsidan av huset igen. Torbjörn stod och instruerade två medarbetare ur sitt team.

"Hur går det för er?" ropade Erica för att överrösta ljudet från en motorsåg.

"Det har du inte med att göra", ropade Torbjörn tillbaka. "Men jag ringer och rapporterar till din man sedan, så du kan fråga ut honom i kväll."

Erica skrattade och vinkade. När hon gick ner mot bryggan blev hon allvarligare. Vart hade familjen Elvanders tillhörigheter tagit vägen? Varför betedde sig Ebba och Mårten så konstigt mot varandra? Vad hade hänt med deras son? Och inte minst: talade de sanning när de sa att de inte visste vem som hade försökt bränna dem inne? Även om samtalet med Ebba inte hade gett så mycket som hon hoppats, virvlade tankarna runt i huvudet när hon startade snipan och styrde hemåt igen.

Gösta muttrade för sig själv. Egentligen tog han inte illa vid sig av Mellbergs kritik, men det kändes så onödigt att gnälla över att han hade tagit med sig utredningsmaterialet hem. Det borde väl vara resultatet som räknades? Allt som var från tiden före datoriseringen var svårt att hitta och nu slapp de ägna timmar åt att leta efter mapparna i arkivet.

Han lade fram penna och papper bredvid sig och slog upp den första mappen. Hur många timmar av sitt liv hade han inte ägnat åt att grubbla över vad som hade hänt på internatet? Hur många gånger hade han inte granskat fotografierna, gått igenom förhörsutskrifterna och rapporten från brottsplatsundersökningen? Om de skulle göra det här ordentligt nu, krävdes det att han var metodisk. Patrik hade gett honom i uppdrag att göra en lista över i vilken ordning de skulle förhöra de personer som funnits med i den ursprungliga utredningen. De hade inte möjlighet att prata med alla samtidigt, så det var viktigt att de började i rätt ände.

Gösta sjönk ner på stolen och började traggla sig igenom de ganska intetsägande förhörsrapporterna. Eftersom han hade läst dem otaliga gånger visste han att det inte fanns något konkret i dem, så det gällde att tyda nyanserna och läsa mellan raderna. Men han hade svårt att koncentrera sig. Tankarna gled hela tiden iväg till den lilla tösen som nu blivit stor. Det hade varit besynnerligt att se henne igen och få en verklig bild att foga till den som han hade målat upp i fantasin.

Oroligt vred han sig på stolen. Det var många år sedan han hade tagit sig an sitt arbete med något slags iver, och trots att han kände entusiasm inför uppgiften var det som om hjärnan inte ville lyda de nya instruktionerna. Han lade rapporterna åt sidan och gick i stället sakta igenom bilderna. Där fanns även foton av pojkarna som var kvar på skolan över lovet. Gösta blundade och tänkte tillbaka på den där soliga men lite kyliga påskaftonen 1974. Tillsammans med sin nu döde kollega Henry

Ljung hade han vandrat upp mot det stora vita huset. Allt hade varit så stilla, nästan kusligt stilla, men det kanske bara var en efterhandskonstruktion. Ändå kunde han minnas att han rös till när han gick där på stigen. Henry och han hade sett på varandra, osäkra på vad som skulle möta dem efter det märkliga telefonsamtalet till stationen. Dåvarande chefen hade avsatt två man för att åka ut och titta. "Det är nog ungarna där ute som spelar oss ett spratt", hade han sagt och skickat iväg dem, mest för att ha ryggen fri om det mot förmodan skulle vara något annat än ett pojkstreck utfört av några uttråkade rikemansungar. De hade haft en del problem i början av höstterminen när skolan startade, men efter att chefen ringt upp Rune Elvander hade allt sådant upphört. Gösta hade ingen aning om hur rektorn uppnått detta, men vad han än gjort hade det haft verkan. Till nu.

Utanför ytterdörren hade han och Henry stannat till. Inte ett ljud hördes inifrån huset. Sedan skar ett barnskrik högt och gällt genom stillheten och väckte dem ur deras tillfälliga handlingsförlamning. De knackade en gång på dörren men klev sedan rakt in. "Hallå", hade Gösta ropat, och nu när han satt vid skrivbordet på stationen många år senare undrade han hur han kunde minnas allting så i detalj. Ingen hade svarat men barnskriket hade blivit allt högre. De skyndade sig i riktning mot skriket och tvärstannade när de kom in i matsalen. En liten flicka tultade runt alldeles ensam och skrek hjärtskärande. Instinktivt rusade Gösta fram och lyfte upp henne.

"Var är resten av familjen?" sa Henry och tittade sig omkring. "Hallå?" ropade han och gick ut i hallen igen.

Inget svar.

"Jag kollar där uppe", hojtade han och Gösta nickade, fullt upptagen med att försöka lugna den lilla flickan.

Han hade aldrig hållit i en unge tidigare, så han var osäker på hur han skulle bära sig åt för att få gråten att upphöra. Valhänt vaggade han henne i famnen, strök henne över ryggen och nynnade någon obestämbar melodi. Till hans förvåning fungerade det. Flickans gråt övergick i små stötvisa hulkanden och han kände hur hennes bröstkorg höjdes och sänktes när hon lutade huvudet mot hans axel. Gösta fortsatte att vagga och nynna medan han fylldes av känslor som han inte kunde sätta ord på.

Henry steg in i matsalen igen. "Det finns ingen där uppe heller."

"Vart har de tagit vägen? Hur kan de lämna en sådan här liten ensam? Det hade kunnat gå hur illa som helst."

"Ja, och vem i helvete var det som ringde?" Henry tog av sig kepsen och kliade sig i huvudet.

"Kan de ha gett sig ut på en promenad här på ön?" Gösta tittade klentroget på bordet med den halvätna påsklunchen.

"Mitt i maten? Det är konstigt folk i så fall."

"Ja, det är en sak som är säker." Henry satte på sig kepsen igen. "Vad gör en sådan här liten gullunge här alldeles ensam?" jollrade han och gick fram mot flickan i Göstas famn.

Hon började genast gråta igen och höll så hårt om Göstas hals att han knappt kunde andas.

"Låt henne vara", sa han och tog ett steg bakåt.

En varm känsla av tillfredsställelse spred sig i bröstkorgen och han undrade om det var så här det skulle ha varit ifall hans och Maj-Britts pojke hade fått leva. Snabbt slog han bort tanken. Han hade bestämt sig för att inte tänka på det som kunde ha varit.

"Låg båten där nere?" sa han efter en stund då flickans gråt avtagit igen.

Henry rynkade pannan. "Det låg en båt vid bryggan, men de har väl två? Jag tror att de köpte Sten-Ivars snipa i höstas och nu var det bara plastbåten som låg förtöjd där nere. Men inte skulle de ge sig ut på en båtfärd utan att ta flickan med sig? Så tokiga kan de väl inte vara även om de är stadsfolk?"

"Inez är härifrån", rättade Gösta honom frånvarande. "Hennes släkt kommer från Fjällbacka sedan några generationer tillbaka."

Henry suckade. "Ja, konstigt är det i alla fall. Vi får väl ta med oss flickan till fastlandet och så får vi se om det dyker upp någon." Han vände sig om för att gå.

"Det är dukat för sex personer", sa Gösta.

"Ja, det är ju påsklov, så det var väl bara familjen kvar."

"Kan vi verkligen lämna det så här?" Situationen var minst sagt underlig och bristen på rutiner gjorde Gösta orolig. Han funderade ett slag. "Vi gör som du säger och tar med oss tösen. Om ingen har hört av sig innan dess åker vi ut hit igen i morgon. Om de inte är tillbaka då, måste vi utgå från att något har hänt. Och i så fall är det här en brottsplats."

Fortfarande osäkra på om de gjorde rätt, gick de ut och stängde ytterdörren efter sig. De gick ner mot bryggan och när de var bara en liten bit ifrån den såg de en båt som närmade sig ute på vattnet.

"Titta, där är Sten-Ivars gamla snipa", sa Henry och pekade.

"Det sitter några i båten. Det kanske är resten av familjen."

"I så fall ska jag säga dem ett sanningens ord. Lämna flickungen så här. Jag har god lust att ge dem ett kok stryk."

Henry stegade iväg nedåt bryggan. Gösta småsprang för att hänga med, men vågade inte hålla samma fart av rädsla för att snubbla med flickan. Båten lade till och en pojke i femtonårsåldern hoppade ur. Han hade korpsvart hår och ansiktsuttrycket var ilsket.

"Vad gör ni med Ebba?" fräste han.

"Och vem är du?" sa Henry när pojken ställde sig framför honom med händerna i sidan.

Fyra pojkar till klev ur båten och kom fram till Henry och Gösta som nu hade hunnit i kapp.

"Var är Inez och Rune?" sa pojken med det svarta håret. De andra pojkarna stod tysta bakom honom och avvaktade. Det var uppenbart vem som var ledaren.

"Det undrar vi med", sa Gösta. "Vi fick ett telefonsamtal till polisen om att något hade hänt här, och när vi kom ut hit hittade vi flickan alldeles ensam i huset."

Pojken stirrade häpet på honom. "Var det bara Ebba där?"

Det var alltså Ebba hon hette, tänkte Gösta. Den lilla tösen vars hjärta pickade så snabbt mot hans.

"Är ni Runes skolungar?" sa Henry myndigt, men pojken verkade inte låta sig skrämmas. Han såg bara lugnt på polismannen och svarade artigt:

"Vi är elever på skolan. Vi är kvar här över lovet."

"Var har ni varit?" Gösta rynkade pannan.

"Vi har varit ute med båten sedan tidigt i morse. Familjen skulle äta påsklunch och vi var inte välkomna. Så vi for ut och fiskade i stället, för att 'dana vår karaktär'."

"Blev det god fångst?" Henrys ton visade tydligt att han inte litade på pojkens ord.

"Vi fick ett helt tråg med fisk", sa pojken och pekade mot båten.

Gösta tittade i samma riktning och såg släpdörjen som satt fast förankrad i båtens akter.

"Ni får följa med oss till stationen tills vi har rett ut det här", sa Henry och gick före mot sin egen båt.

"Kan vi inte få tvätta av oss först? Vi är smutsiga och stinker fisk", sa en av de andra pojkarna med skrämd uppsyn.

"Nu gör vi som konstaplarna säger", snäste pojken med ledarattityden. "Vi följer självklart med. Jag ber om ursäkt ifall vi var otrevliga. Vi blev bara oroliga när vi såg några främmande män med Ebba. Jag heter Leon Kreutz." Han sträckte fram handen och hälsade på Gösta.

Henry hade redan hunnit ombord på sin båt och stod och väntade på dem. Med Ebba i famnen steg Gösta i efter pojkarna. Han slängde ett sista ögonkast upp mot huset. Var sjutton befann sig familjen? Vad hade hänt?

Gösta återvände till nuet. Minnena var så levande att han nästan hade tyckt sig känna värmen av flickan i famnen. Han rätade på ryggen och tog fram ett foto ur högen. Bilden var tagen på stationen den där påskaftonen och föreställde alla fem pojkarna: Leon Kreutz, Sebastian Månsson, John Holm, Percy von Bahrn och Josef Meyer. De hade rufsigt hår, smutsiga kläder och dyster uppsyn. Alla utom Leon. Han log glatt mot kameran och såg äldre ut än sina sexton år. Han var en stilig pojke, nästan vacker, insåg Gösta när han nu tittade på den gamla bilden. Då hade han inte riktigt tänkt på det. Han bläddrade i utredningsmaterialet. Leon Kreutz. Undrar vad han hade gjort av sitt liv? Gösta gjorde en anteckning i sitt block. Av de fem pojkarna var det Leon som hade satt tydligast spår i minnet. Det kunde vara en bra person att börja prata med.

Fjällbacka 1920

*F*lickan skrek oavbrutet, dag som natt, och inte ens om Dagmar satte händerna för öronen och vrålade rakt ut kunde hon överrösta henne. Hon hörde ändå både ungens skrik och grannens bankningar i väggen.

Det var inte så här det skulle bli. Fortfarande kunde hon känna hans händer på sin kropp, se hans blick när hon låg där naken med honom i sängen. Hon var övertygad om att hennes känslor hade varit besvarade, så något måste ha hänt. Annars skulle han inte ha lämnat henne i fattigdom och förnedring. Kanske hade han blivit tvungen att återvända till Tyskland? De behövde honom säkert där. Han var en hjälte, som plikttroget hade kommit när hemlandet kallat, även om det krossat hans hjärta att tvingas överge henne.

Redan innan hon förstod att hon var med barn hade hon sökt efter honom på alla sätt hon kunde komma på. Hon hade skrivit flera brev till tyska legationen i Stockholm och frågat varenda person hon mötte om de kände till krigshjälten Hermann Göring och visste vad som hade hänt med honom. Om han fick veta att hon fött hans barn skulle han nog komma tillbaka. Vilka viktiga åtaganden han än hade i Tyskland, skulle han lämna allt och komma och rädda henne och Laura. Han skulle aldrig låta henne leva i en sådan här misär, bland vidriga människor som såg ner på henne och som inte trodde henne då hon berättade vem Lauras far var. De skulle häpna när Hermann väl stod utanför hennes dörr, stilig i sin flygaruniform, med famnen öppen och en flott bil väntande.

Flickan skrek högre och högre i sin vagga och Dagmar kände hur ilskan vällde upp inom henne. Inte en endaste liten stund kunde hon få ro. Ungen gjorde det med flit, det syntes i hennes blick. Så liten hon var visade hon samma förakt för Dagmar som alla andra. Dagmar hatade dem allihop. De kunde brinna i helvetet, varenda sladdertacka och varenda horbock som trots glåporden kom till henne om kvällarna och betalade en alltför liten peng för att få sticka in den i henne. När de låg ovanpå henne och grymtade och bökade var hon minsann god nog.

Dagmar kastade av sig täcket och gick in i det lilla köket. Alla fria ytor var täckta av disk och en lätt unken doft steg upp från de intorkade matresterna. Hon öppnade dörren till skafferiet. Det var tomt sånär som på en flaska utblandad läkarsprit hon hade fått i betalning av apotekaren, och hon tog med sig den och gick tillbaka till sängen. Flickan fortsatte skrika och grannen dunkade än en gång hårt i väggen, men Dagmar brydde sig inte om det. Hon lirkade upp korken, torkade med ärmen på nattlinnet bort några brödsmulor som fastnat runt mynningen och satte flaskan till munnen. Om hon bara drack tillräckligt, försvann ljuden runtomkring henne.

Josef öppnade förväntansfullt dörren till Sebastians arbetsrum. På skrivbordet låg ritningarna över marken där museet förhoppningsvis skulle ligga inom en inte alltför avlägsen framtid.

"Gratulerar!" sa Sebastian och kom honom till mötes. "Kommunen har sagt ja till att stödja projektet." Han dunkade Josef hårt i ryggen.

"Bra", sa Josef. Egentligen hade han inte förväntat sig något annat. Hur skulle de kunna tacka nej till en sådan här fantastisk möjlighet? "När kan vi sätta igång?"

"Lugn, lugn. Jag tror inte att du inser vilket jobb vi står inför. Vi måste börja tillverka fredssymbolerna, planera bygget, räkna på det och vi måste framför allt få in en massa kosing."

"Men änkan Grünewald har ju gett oss marken och vi har fått flera donationer. Och eftersom det är du som bygger, är det väl du som avgör när vi kan börja?"

Sebastian skrattade. "Bara för att det är min firma som bygger är det inte gratis. Jag har löner att betala ut och material som måste köpas in. Det kommer att kosta en hel del att bygga det här." Han knackade med fingret på ritningarna. "Jag måste ta in underleverantörer och de gör inget av godhet. Inte som jag."

Josef suckade och slog sig ner på en stol. Han var minst sagt skeptisk till Sebastians motiv.

"Vi börjar med graniten", sa Sebastian och slängde upp fötterna på skrivbordet. "Jag har fått några schysta skisser av hur fredssymbolerna kan se ut. Sedan behöver vi bara ta fram lite snyggt marknadsföringsmaterial och en bra paketering och så kan vi börja sälja eländet." Han såg Josefs min och flinade brett.

"Skratta du. För dig handlar det bara om pengar. Förstår du inte symbolvärdet i det här? Graniten skulle ha blivit en del av Tredje riket, men i stället är den ett vittnesbörd om nazisternas förlust och om att de goda krafterna segrade. Och vi kan göra något av den, och i förläng-ningen skapa det här." Han pekade på ritningen, så arg att han nästan skakade.

Sebastians flin blev ännu bredare. Han slog ut med händerna.

"Det är ingen som tvingar dig att jobba med mig. Jag kan riva vårt avtal nu, och du är fri att gå till vem du vill."

Tanken var frestande och för ett ögonblick övervägde Josef att göra precis som Sebastian sa. Sedan sjönk han ihop på stolen. Han måste fullfölja det här. Hittills hade han slösat bort sitt liv. Han hade ingenting att visa upp för omvärlden, ingenting som skulle hedra hans föräldrars minne.

"Du vet mycket väl att du är den ende jag kan vända mig till", sa han till slut.

"Och vi håller ihop." Sebastian tog ner fötterna från skrivbordet och lutade sig fram. "Vi har känt varandra länge. Vi är som bröder och du vet ju hur jag är. Jag vill alltid hjälpa en broder."

"Ja, vi håller ihop", sa Josef. Han såg forskande på Sebastian. "Har du hört att Leon är tillbaka?"

"Jag hörde något om det. Tänk att vi skulle få se honom här igen. Och Ia. Det hade jag aldrig trott."

"De har visst köpt huset som var till salu där ovanför Brandparken."

"De har ju kapital, så varför inte. Förresten kanske Leon är sugen på att investera också. Du har inte frågat honom?"

Josef ruskade häftigt på huvudet. Han gjorde vadsomhelst för att skyn-da på arbetet med museet. Vadsomhelst utom att ge sig i lag med Leon.

"Jag träffade Percy i går förresten", sa Sebastian lakoniskt.

"Hur går det för honom?" Josef var tacksam över att byta ämne. "Har han kvar slottet?"

"Ja, det är tur för honom att Fygelsta är fideikommiss. Om han hade behövt dela med sig av arvet till syskonen skulle han ha varit pank för längesedan. Men nu verkar kassan ha sinat för gott och det var därför han tog kontakt med mig. För att få lite tillfällig hjälp, som han kallade det." Sebastian gjorde citationstecken i luften med fingrarna. "Skatte-myndigheterna är visst ute efter honom och dem kan man ju inte charma med adliga anor och tjusigt namn."

"Ska du hjälpa honom också?"

"Se inte så rädd ut. Jag vet inte än. Men som jag sa vill jag alltid hjälpa en broder och det är ju Percy i lika hög grad som du, eller hur?"

"Jo", sa Josef och blickade ut över vattnet utanför fönstret. Nog var de bröder alltid, förenade av mörker. Han vände blicken mot ritningarna igen. Mörkret skulle motas bort med hjälp av ljus. Han skulle göra det för sin fars skull och för sin egen.

"Vad är det med Martin?" Patrik stod i dörröppningen till Annikas rum. Han kunde inte låta bli att fråga. Något var inte som det skulle och det gjorde honom orolig.

Annika vände blicken mot honom och knäppte händerna i knäet.

"Jag kan inte säga något. När Martin är redo berättar han för dig."

Patrik suckade och med huvudet fullt av tankar satte han sig på besöksstolen vid dörren.

"Vad tror du om det här fallet då?"

"Jag tror att du har rätt." Annika var synbart lättad över att Patrik valt att byta samtalsämne. "Branden och försvinnandet hänger ihop på något vis. Och med tanke på det som hittats under golvet känns det väl troligt att någon var rädd för vad Ebba och hennes man skulle hitta om de fortsatte med renoveringen."

"Min kära hustru har varit fascinerad av försvinnandet länge."

"Och nu är du rädd att hon kommer att lägga sin söta näsa i blöt", fyllde Annika i.

"Ja, det kan man säga, men hon kanske har vett nog att inte blanda sig i den här gången."

Annika log och Patrik insåg att han inte ens trodde på det själv.

"Hon har säkerligen en del intressant bakgrundsfakta, så duktig som hon är på att göra research. Om hon bara kan hålla efterforskningarna på en lagom nivå kan du nog ha hjälp av henne", sa Annika.

"Jo, fast hon är inte så bra på det där med lagom nivå."

"Men hon är ju rätt bra på att ta vara på sig själv. I vilken ände tänker du börja förresten?"

"Jag vet inte riktigt." Patrik lade upp ena benet på det andra och pillade lite frånvarande med skosnöret. "Vi måste höra alla som var med när det hände. Gösta håller på att ta fram kontaktuppgifter till lärarna och alla elever. Viktigast är förstås att vi pratar med de fem pojkarna som var på ön den där påskaftonen. Jag har bett Gösta att göra en prioriteringslista och bestämma vem han tycker att vi ska börja med. Sedan tänkte jag att du skulle kunna göra bakgrundskontroller utifrån det som Gösta får fram. Jag har inte världens största förtroende för hans administrativa förmågor, så egentligen borde väl du ha fått den uppgiften också. Men han är ju den som vet mest om fallet."

"Han verkar minst sagt engagerad. För ovanlighetens skull", sa Annika. "Och jag tror att jag vet varför. Jag har hört att han och hans fru hade den lilla flickan Elvander boende hemma hos sig ett tag."

"Bodde Ebba hemma hos Gösta?"

"Det sägs så i alla fall."

"Det förklarar ju varför han uppförde sig så underligt där ute på ön." Patrik såg framför sig hur Gösta hade tittat på Ebba. Hur han månat om och rört vid henne.

"Säkert är det därför han inte har kunnat glömma det här fallet. De blev antagligen fästa vid flickan." Annikas blick sökte sig till det stora inramade fotot av Leia som stod på skrivbordet.

"Ja, det är klart", sa Patrik. Det var så mycket han inte visste, så mycket han behövde ta reda på om det som hade inträffat där ute på Valö. Med ens kändes uppgiften han hade framför sig överväldigande stor. Var det verkligen möjligt att lösa det här gamla fallet efter så många år? Och hur bråttom var det?

"Tror du att den som försökte bränna ner huset försöker igen?" sa Annika som om hon hade läst hans tankar.

Patrik begrundade hennes fråga. Sedan nickade han.

"Jag vet inte. Kanske. Men vi kan inte ta några risker. Vi måste jobba så fort vi kan med att reda ut vad som egentligen hände den där påskaftonen. Vem det än var som ville skada Ebba och Mårten måste stoppas innan han eller hon slår till igen."

Anna stod naken framför spegeln och tårarna brände bakom ögonlocken. Hon kände inte igen sig själv. Sakta lyfte hon handen och strök sig över håret. När det växt ut igen efter olyckan hade det varit mörkare och grövre än tidigare, och det var fortfarande mycket kortare än det långa hår hon alltid haft. Ett besök hos frisören skulle kanske kunna få ordning på det, men det kändes inte som om det var någon idé. Hennes kropp skulle inte förändras av att hon fick en fin frisyr.

Med darrande hand följde hon ärren som löpte över hennes kropp och tecknade en slumpmässig karta. De hade bleknat en del men skulle aldrig försvinna helt. Håglöst nöp hon tag i en hudvalk i midjan. Hon som alltid hade varit slank utan någon större ansträngning och som ärligt kunnat säga att hon var stolt över sin kropp. Nu såg hon med avsky på hullet. På grund av skadorna hade hon inte kunnat röra sig särskilt mycket och hon hade struntat fullkomligt i vad hon stoppat i sig. Anna lyfte blicken mot ansiktet men orkade nästan inte möta sin egen blick. Tack vare barnen och Dan hade hon kämpat sig tillbaka till livet, upp ur ett mörker som varit djupare än hon någonsin upplevt, ens under tiden med Lucas. Frågan var om det verkligen hade varit värt det. Ännu visste hon inte svaret.

Dörrklockans signal fick henne att rycka till. Hon var ensam hemma, så det var bara hon som kunde öppna. Efter en sista blick på sin nakna kropp, slängde hon på sig myskläderna som låg i en hög på golvet och rusade ner. När hon såg att det var Erica som stod utanför dörren fylldes hon av lättnad.

"Hej, vad har du för dig?" sa Erica.

"Inget. Kom in. Var har du barnen?"

"Hemma. Kristina passar dem, jag hade lite att göra. Så tänkte jag att jag skulle svänga förbi dig också innan jag löste av henne."

"Bra tänkt", sa Anna och gick för att fixa fika. Hon såg spegelbilden av det vita hullet framför sig men sköt snabbt bort den och plockade fram några chokladbiskvier ur kylen.

"Usch, jag borde inte äta mer sådant", sa Erica med en grimas. "Råkade se mig själv i bikini i helgen och det var ingen rolig syn."

"Äh, du är jättefin", sa Anna och kunde inte hejda en bitter ton. Erica hade ju inget att klaga över.

Hon gjorde i ordning en tillbringare med saft och Erica följde efter henne ut till den lilla uteplatsen på baksidan av huset.

"Vilka fina utemöbler. Är de nya?" Hon strök med handen över det vitmålade träet.

"Ja, vi hittade dem hos Paulssons vid gamla Evas Livs, du vet."

"Du är verkligen bra på att hitta rätt grejer", sa Erica och kände sig än mer säker på att Anna skulle gilla det som hon hade kommit på.

"Tack. Men var sa du att du hade varit?"

"På barnkolonin", sa Erica. Hon berättade i stora drag vad som hänt där.

"Vad spännande. De har alltså hittat blod men inga kroppar? Då måste det ju ha hänt något där i alla fall."

"Ja, det verkar onekligen så." Erica sträckte sig efter en biskvi. Hon tog en kniv för att dela den på mitten och bara ta halva, men lade sedan tillbaka kniven och tog ett stort bett av bakverket.

"Le stort", sa Anna och kände för ett ögonblick en varm fläkt av barndom i kroppen.

Erica förstod precis vad hon tänkte och log så brett hon kunde, med tänderna täckta av chokladkräm.

"Kolla här då", sa hon sedan och tog två sugrör från brickan. Hon stoppade dem i näsan samtidigt som hon skelade och fortsatte le så att de bruna tänderna syntes.

Anna kunde inte låta bli att fnissa. Hon mindes hur hon älskat när hennes storasyster fånade sig när de var barn. Erica hade alltid varit så vuxen och allvarlig, mer som en liten mamma än en storasyster.

"Jag slår vad om att du inte kan dricka med näsan längre", sa Erica.

"Klart att jag kan", sa Anna förnärmat och satte ett sugrör i vardera näsborren. Hon lutade sig fram, stack ner sugrören djupt i glaset och andades in med näsan. När saften kom in i näsborrarna började hon hosta och nysa okontrollerat, och Erica exploderade av skratt.

"Vad sysslar ni två med egentligen?"

Dan stod plötsligt på uteplatsen och när de såg hans min bröt de fullkomligt ihop. De pekade på varandra och försökte säga något, men de skrattade så mycket att de inte fick fram ett ord.

"Jag inser att jag aldrig mer ska komma hem oanmäld." Dan skakade på huvudet och gick därifrån.

Till slut lyckades de lugna ner sig och Anna kände att den hårda klumpen i magen hade börjat lösas upp lite. Erica och hon hade haft sina duster genom åren men ingen kunde som systern nå fram till hennes innersta. Ingen kunde göra henne så förbannad som Erica men ingen kunde heller göra henne så glad. De var för evigt sammanknutna av ett osynligt band och hon insåg där hon satt mittemot henne och torkade skrattårarna hur mycket hon behövde sin syster.

"Efter att han sett dig så där ska du nog inte räkna med några närmanden i kväll", sa Erica.

Anna fnös. "Vet inte om det gör någon större skillnad. Men jag byter gärna samtalsämne. Det känns lite incestuöst att prata om sitt sexliv när ens sambo råkar ha varit ihop med ens syster …"

"Herregud, det var ju hundra år sedan. Om jag ska vara ärlig kommer jag inte ens ihåg hur han såg ut naken."

Anna stoppade demonstrativt fingrarna i öronen och Erica skakade skrattande på huvudet.

"Okej, jag lovar, vi pratar om något annat."

Anna tog bort fingrarna. "Berätta mer om Valö. Hur är dottern? Vad var det hon hette? Emma?"

"Ebba", sa Erica. "Hon bor där med sin man. Mårten. De har tänkt renovera stället och öppna ett bed and breakfast."

"Tror du verkligen att det kan gå runt? Säsongen är inte särskilt lång."

"Jag har ingen aning, men jag fick känslan av att det inte är för pengarna de gör det. Att projektet har ett annat syfte."

"Ja, det kanske går. Stället har ju potential."

"Jag vet. Och det är där du kommer in." Erica pekade på henne och hade fått något ivrigt i rösten.

"Jag?" sa Anna. "På vilket sätt är jag inblandad?"

"Inget alls, än så länge, men du kan bli. Jag har fått den mest fantastiska idé!"

"Du är lika blygsam som alltid", fnös Anna men kände att hennes nyfikenhet väcktes.

"Det var egentligen Ebba och Mårten som tog upp det först. De är duktiga på själva renoverings- och hantverksbiten men skulle behöva hjälp att få fram rätt stil och känsla. Och du har precis det som krävs: du kan inredning, du kan antikviteter, du har som sagt god smak. Du är helt enkelt perfekt!" Erica hämtade andan och tog en klunk saft.

Anna trodde knappt sina öron. Det här kunde vara ett sätt att ta reda på om det fungerade att jobba som frilansande inredare, det kunde bli hennes första konsultjobb. Hon kände hur ett leende spred sig på läpparna.

"Sa du det till dem? Tror du att de vill anlita någon? Har de råd med det? Vad tror du att de vill ha för stil? Det behöver ju inte vara så dyra grejer, snarare vore det roligt att åka runt på bondauktioner och hitta riktigt fina möbler och prylar billigt. Där ute skulle jag kunna tänka mig att det passar med en lite gammaldags, romantisk stil och jag vet var man kan hitta fina tyger och …"

Erica satte upp en hand i luften.

"Hallå, lugn! Svaret är nej, jag pratade inte om dig. Jag sa bara att jag kanske visste någon som kunde hjälpa dem. Hur stor deras budget är har jag ingen aning om, men ring och hör med dem så kan vi åka ut och ha ett möte om de är intresserade."

Anna hejdade sig och synade Erica.

"Du vill ju bara ha en ursäkt att åka ut dit igen och snoka."

"Kanske det … Men jag tycker också att det vore en strålande idé om ni träffades. Jag tror att du skulle vara fantastiskt bra på det här."

"Jo, jag har ju tänkt tanken att starta något eget."

"Men då är det ju bara att köra! Du ska få numret, så ringer du dem direkt."

Anna kände hur något nytt vaknade inom henne. Entusiasm. Det var nog ordet som bäst beskrev vad hon kände. För första gången på väldigt länge kände hon verklig entusiasm.

"Okej, ge hit det innan jag ångrar mig", sa hon och tog upp sin mobil.

Intervjun fortsatte att gnaga i honom. Det var så frustrerande att behöva vakta sin tunga och inte kunna tala klarspråk. Journalisten han hade träffat i morse var en idiot. Folk var i allmänhet idioter. De såg inte verkligheten som den var, vilket gjorde hans ansvar ännu större.

"Tror du att partiet kommer att ta skada?" John snurrade sitt vinglas mellan händerna.

Hans hustru ryckte på axlarna. "Det är säkert ingen fara. Det är ju inte någon av rikstidningarna." Hon förde håret bakom öronen och satte på sig glasögonen för att börja läsa den stora högen dokument framför henne.

"Det krävs inte mycket för att en intervju ska sprida sig. De är på oss som hökar och letar efter minsta anledning att attackera."

Liv tittade på honom över kanten på läsglasögonen. "Kom inte och säg att du är förvånad? Du vet ju vilka som har makten inom medierna i det här landet."

John nickade. "Du behöver inte predika för en redan frälst."

"Vid nästa val kommer det att se annorlunda ut. Människor kommer att ha fått upp ögonen ordentligt för hur samhället ser ut." Hon log segervisst och fortsatte att bläddra i papperen.

"Jag önskar att jag hade din tro på mänskligheten. Ibland undrar jag om folk någonsin kommer att begripa. Har svenskarna blivit för lata och dumma, för uppblandade och degenererade för att förstå att ohyran sprider sig? Det kanske rinner för lite rent blod i ådrorna för att vi ska ha något som är värt att arbeta för."

Liv slutade läsa. Hennes ögon glödde när hon tittade på sin man.

"Nu hör du på, John. Ända sedan vi träffades har du haft målet klart för dig. Du har alltid vetat vad du måste göra, vad du är utsedd att utföra. Om ingen lyssnar – ja, då får du tala högre. Om någon ifrågasätter – ja, då får du argumentera bättre. Äntligen sitter vi i riksdagen och det är folket, precis det folk som du nu tvivlar på, som har sett till att vi hamnat där. Strunt samma om någon dussinjournalist ifrågasätter hur vi räknar i budgeten. Vi vet ju att vi har rätt och det är det enda som betyder något."

John såg leende på henne. "Du låter precis som när jag träffade dig på ungdomsföreningen. Fast jag måste säga att du klär bättre i hår än utan." Han gick fram och kysste henne på hjässan.

Förutom det snabbt uppblossande humöret och den agitatoriska retoriken fanns det inget hos hans svala hustru, alltid snyggt och prydligt klädd, som påminde om den skinnskalle i militärkläder som han hade förälskat sig i. Men han älskade henne ännu mer nu.

"Det är bara en artikel i en lokaltidning." Liv kramade hans hand som blivit liggande kvar på hennes axel.

"Ja, det är väl det", sa John men oron dröjde kvar. Han måste hinna genomföra det han förutsatt sig. Ohyran måste utrotas och det var han som hade fått den uppgiften. Han önskade bara att han hade haft mer tid på sig.

Badrummets kakel var ljuvligt svalt mot hennes panna. Ebba blundade och lät svalkan fylla henne.

"Kommer du och lägger dig snart?"

Hon hörde Mårtens röst inifrån sovrummet men svarade inte. Hon ville inte gå och lägga sig. Varje gång hon lade sig bredvid Mårten var det som om hon svek Vincent. Den första månaden hade hon inte kunnat vistas i samma hus som honom. Hon kunde inte ens titta på Mårten, och om hon mötte sin egen blick i spegeln vände hon bort ansiktet. Det enda som fanns omkring henne var skuld.

Hennes föräldrar hade tagit hand om henne dygnet runt och pysslat om henne som om hon var en liten bebis. De hade pratat med henne, vädjat och sagt att Mårten och hon behövde varandra. Till slut började hon tro på dem eller så gav hon bara upp, för att det var enklare.

Sakta och motvilligt hade hon närmat sig honom. Hon flyttade hem igen. De första veckorna levde de i tystnad, rädda för vad som skulle hända om de började tala med varandra och sa något som aldrig skulle kunna tas tillbaka. Sedan hade de börjat säga vardagliga saker:

"Skicka smöret."

"Har du tvättat?"

Ofarliga, harmlösa saker som inte kunde provocera fram några

anklagelser. Med tiden blev meningarna längre och de trygga samtals-
ämnena fler. De hade börjat prata om Valö. Det var Mårten som först
hade föreslagit att de skulle flytta hit. Men även hon hade sett det som
en möjlighet att lämna allt det som påminde dem om ett annat liv. Ett
liv som inte hade varit perfekt men lyckligt.

Där hon satt med slutna ögon och pannan mot badrummets kakel
tvivlade hon för första gången på om de hade gjort rätt. Huset var sålt,
huset som Vincent bott i hela sitt korta liv. Där de bytt blöjor, gått och
vankat på nätterna med honom på axeln, där han lärt sig krypa, gå och
prata. Det var inte längre deras, och hon undrade om de fattat ett beslut
eller om de bara hade flytt.

Nu var de här. I ett hus där de kanske inte ens var säkra och där hela
matsalsgolvet var uppbrutet för att hennes familj troligtvis utplånats där
inne. Det berörde henne mer än hon ville erkänna. Under sin uppväxt
hade hon inte ägnat så mycket tid åt att fundera över sitt ursprung. Men
det gick inte längre att skjuta det förflutna ifrån sig. När hon såg den
där stora, konstiga fläcken under plankorna hade hon i ett förfärande
ögonblick av klarsyn insett att det inte var något mysterium. Det var på
riktigt. Hennes mamma och pappa hade antagligen dött precis där och
på något märkligt sätt kändes det verkligare än att någon kanske hade
försökt ha ihjäl henne och Mårten. Hon visste inte hur hon skulle för-
hålla sig till den verkligheten och leva mitt i den, men det fanns ingen
annanstans att ta vägen.

"Ebba?"

Hon hörde på hans röst att han snart skulle kliva upp och leta efter
henne om hon inte svarade. Så hon lyfte huvudet och ropade i riktning
mot dörren:

"Jag kommer!"

Noggrant borstade hon tänderna medan hon betraktade sig själv i
spegeln. Den här kvällen väjde hon inte med blicken. Hon tittade på
kvinnan med den döda blicken, på modern utan barn. Sedan spottade
hon i handfatet och torkade munnen på handduken.

"Vilken tid det tog." Mårten höll en bok uppslagen framför sig, men
hon noterade att han var på samma sida som kvällen före.

Hon svarade inte, lyfte bara på täcket och kröp ner. Mårten lade ifrån
sig boken på nattduksbordet och släckte sänglampan. Rullgardinerna de
hade satt upp när de flyttade in gjorde att det var kolsvart i rummet trots
att det aldrig blev riktigt mörkt ute.

Ebba låg blickstilla och stirrade upp i taket. Hon kände hur Mårtens hand trevande sökte hennes. Hon låtsades att hon inte märkte den famlande handen, men han drog inte tillbaka den som han brukade. I stället fortsatte den mot låret, sökte sig sakta innanför t-shirten och smekte henne över magen. Hon kände hur illamåendet steg i halsen på henne medan handen målmedvetet rörde sig uppåt och nuddade vid hennes bröst. Samma bröst som gett Vincent mjölk, samma bröstvårtor som hans lilla mun hungrigt sugit på.

Smaken av galla fyllde munnen och hon for upp ur sängen, rusade in i badrummet och hann knappt få upp locket på toaletten innan magen vände sig ut och in. När hon var klar sjönk hon kraftlös ihop på golvet. Från sovrummet hörde hon hur Mårten grät.

Fjällbacka 1925

Dagmar såg på tidningen som låg på marken. Laura ryckte henne i ärmen och upprepade sitt "mamma, mamma", men Dagmar brydde sig inte om henne. Hon var så trött på att höra den där krävande, gnälliga rösten och ordet som upprepades så ofta att hon trodde att det skulle driva henne till vansinne. Sakta böjde hon sig ner och tog upp tidningen. Det var sent på eftermiddagen och blicken var grumlig, men det rådde inget tvivel. Svart på vitt stod det där: "Tyske flygarhjälten Göring återvänder till Sverige."

"Mamma, mamma!" Laura slet allt hårdare i henne, och hon slog ut med armen så häftigt att flickan trillade av bänken och började gråta.

"Tyst med dig!" fräste Dagmar. Hon avskydde den där falska gråten. Det gick ingen nöd på ungen. Hon hade tak över huvudet, kläder på kroppen och hon svalt inte, även om det ibland var knapert.

Dagmar vände blicken mot artikeln igen och stavade sig igenom den. Hjärtat slog hårt i bröstkorgen. Han hade kommit tillbaka, han var i Sverige och nu skulle han komma och hämta henne. Så fastnade hennes blick på en rad längre ner: "Göring flyttar till Sverige med sin svenska hustru Carin." Dagmar kände hur hon blev torr i munnen. Han hade gift sig med någon annan. Han hade svikit henne! Raseriet steg inom henne och förvärrades av Lauras skrik som skar i huvudet och fick människor som gick förbi att stirra på dem.

"Nu tiger du!" Hon gav Laura en örfil så att det sved i handflatan.

Flickan tystnade, höll handen mot sin flammande röda kind och såg på henne med uppspärrade ögon. Sedan började hon tjuta igen, ännu högre, och Dagmar kände hur förtvivlan slet henne mitt itu. Hon kastade sig över tidningen och läste meningen om och om igen. Carin Göring. Namnet for fram och tillbaka genom huvudet på henne. Det stod inte hur länge de hade varit gifta, men eftersom hon var svensk borde de ha träffats i Sverige. På något sätt måste hon ha lurat Hermann att gifta sig med henne. Det måste vara Carins fel att Hermann inte hade kommit och hämtat Dagmar, att han inte kunde vara hos henne och dottern, hos sin familj.

Hon nickade, knycklade ihop tidningen och sträckte sig efter flaskan som stod bredvid henne på bänken. Bara slatten fanns kvar, vilket förbryllade henne eftersom buteljen hade varit full i morse. Men hon funderade inte mer på det utan drack och kände hur det brände skönt i halsen när den välsignade drycken rann ner.

Ungen hade slutat yla nu. Hon satt bara där på marken och snyftade, med benen uppdragna och armarna om knäna. Som vanligt tyckte hon väl synd om sig själv, redan förslagen trots att hon endast var fem år gammal. Men Dagmar visste vad som måste göras. Allt gick fortfarande att ställa till rätta. I framtiden skulle Hermann kunna vara med dem och han skulle nog få fason på Laura också. En far som kunde styra med fast hand var precis det som ungen behövde, för hur mycket Dagmar än försökte banka vett i henne verkade det inte hjälpa.

Dagmar log där hon satt på bänken i Brandparken. Hon hade fått reda på vad som var roten till det onda, och nu skulle allt ordna sig för henne och Laura.

Göstas bil svängde in på uppfarten och Erica andades ut. Risken fanns att Patrik skulle ha mött honom på vägen till jobbet.

Hon öppnade dörren innan Gösta hann ringa på. Bakom henne stojade barnen så högt att det måste vara som att kliva rakt in i en ljudvägg.

"Ursäkta oväsendet. Det här stället kommer att dömas ut som arbetsplats vilken dag som helst." Hon vände sig om för att säga till Noel som jagade en gråtande Anton.

"Ingen fara. Jag är van vid Mellberg som gormar", sa Gösta och satte sig på huk. "Hej på er. Ni verkar vara ena riktiga busungar."

Anton och Noel stannade upp och blev med ens blyga, men Maja steg kavat fram.

"Hej, gamla farbrorn. Jag heter Maja."

"Men Maja! Så där säger man väl inte", sa Erica och tittade strängt på dottern.

"Det gör inget." Gösta skrattade högt och reste sig. "Från barn och idioter får man höra sanningen, och jag är ju en gammal farbror. Eller hur, Maja?"

Maja nickade, blängde triumferande på sin mamma och gick därifrån. Tvillingarna hade fortfarande inte vågat sig fram. Sakta backade de i riktning mot vardagsrummet utan att släppa Gösta med blicken.

"De där två är inte lika lättflörtade", sa han när han följde efter Erica in i köket.

"Anton har alltid varit blyg. Noel brukar däremot vara rätt framåt av sig, men nu verkar han också ha kommit in i en fas då främlingar är jätteläskiga."

"Ingen dum inställning, tycker jag." Gösta slog sig ner på en av köksstolarna och tittade sig oroligt omkring. "Är det säkert att Patrik inte kommer hem igen?"

"Han åkte till jobbet för en halvtimme sedan, så han är nog på stationen vid det här laget."

"Jag är inte så säker på att det här är någon bra idé." Han ritade med fingret på bordsduken.

"Den är ju strålande", sa Erica. "Det finns ingen anledning att blanda in Patrik än. Han uppskattar inte alltid att jag hjälper till."

"Inte utan anledning. Du har lyckats ställa till det ordentligt för dig ibland."

"Men det har ju gått bra i slutändan."

Erica vägrade att låta sig nedslås. Hon tyckte själv att det var ett genidrag hon fått i går kväll och hon hade genast smitit iväg och ringt Gösta. Nu satt han här, även om det hade krävts viss övertalning för att få honom att komma hit utan att tala om det för Patrik.

"Vi har något gemensamt, du och jag", sa hon och slog sig ner mittemot honom. "Vi vill båda väldigt gärna veta vad som hände ute på Valö den där påsken."

"Jo, men nu jobbar polisen på det."

"Och det är jättebra. Men du vet ju själv hur ineffektivt det blir ibland när ni måste följa föreskrifter och regler. Jag kan arbeta friare på ett helt annat sätt."

Gösta såg fortsatt skeptisk ut. "Det kan nog stämma, men om Patrik får reda på det här blir det inte nådigt. Jag vet inte om jag vill …"

"Just därför får Patrik inte reda på något", avbröt Erica. "Du ser till att jag i hemlighet får ta del av utredningsmaterialet, och du får ta del av allt som jag gräver fram. Så fort jag hittar något ger jag det till dig. Du presenterar det för Patrik och blir hjälte och jag kan använda allt material i en bok sedan. Alla vinner på det här, inte minst Patrik. Han vill ju lösa det här och få fast mordbrännaren. Han kommer inte att ställa några frågor utan tacksamt ta emot det som bjuds. Dessutom har ni väl extra dåligt med resurser på stationen nu när Martin är sjuk och Paula har semester? Det kan väl inte skada att en person till arbetar med utredningen?"

"Du kanske har rätt." Göstas min ljusnade något och Erica gissade att han tilltalades av tanken på att få vara hjälte. "Men tror du verkligen inte att Patrik blir misstänksam?"

"Nej då. Han vet hur engagerad du är i det här fallet, så han kommer inte ana något."

Det lät som om ett upplopp ägde rum i vardagsrummet, så Erica reste sig och sprang dit. Efter ett par förmanande ord till Noel om att låta Anton vara i fred och en snabb igångsättning av en Pippifilm lade sig lugnet och hon kunde återvända till köket.

"Då är frågan var vi ska börja. Har ni hört något om blodet än?"

Gösta skakade på huvudet. "Nej, inte än. Men Torbjörn och teamet jobbar vidare där ute för att se om de hittar något mer och någon gång under dagen hoppas han kunna få en rapport som slår fast om det rör sig om människoblod eller inte. Det enda vi har fått hittills är en preliminär rapport om branden som Patrik fick just innan jag gick hem i går."

"Har ni börjat förhöra folk än?" Erica var så ivrig att hon knappt kunde sitta still. Hon tänkte inte ge sig förrän hon hade gjort allt hon kunde för att bidra till lösningen på det här mysteriet. Att det dessutom kunde bli en fantastisk bok var snarast en bonus.

"I går gjorde jag en lista över i vilken ordning jag tycker att vi ska prata med de berörda personerna, och så började jag försöka få fram kontaktuppgifter. Men det är lite speciellt när det har gått så pass lång tid sedan det hände. Dels kan det vara svårt att hitta folk, dels kan minnena vara rätt vaga. Så vi får väl se vad det ger."

"Tror du att pojkarna kan ha varit inblandade?" sa hon.

Han förstod direkt vilka pojkar hon menade. "Det är klart att jag har tänkt tanken, men jag vet inte. Vi förhörde dem flera gånger och deras historier överensstämde med varandra. Vi hittade heller inga fysiska spår som tydde på …"

"Hittade ni några fysiska spår alls?" avbröt Erica.

"Nej, det fanns inte mycket att gå på. Efter att jag och min kollega Henry hittat Ebba ensam i huset gick vi ner till bryggan. Då mötte vi de här pojkarna när de kom in med båten, och nog såg det ut som om de hade varit ute och fiskat."

"Undersökte ni båten? Det vore ju inte helt otroligt om kropparna hade dumpats i havet."

"Den undersöktes mycket noggrant men det fanns inga blodspår eller liknande, vilket det borde ha funnits om de hade fraktat fem lik i båten. Jag undrar om de överhuvudtaget skulle ha orkat bära ner kropparna till båten. De var spensliga grabbar. Dessutom brukar lik flyta upp och sköljas i land förr eller senare. Någon av familjemedlemmarna borde ha hittats om inte pojkarna lade ner ett rejält jobb på att tynga ner liken. Och till det krävs kraftiga doningar som man kanske inte hittar i brådrasket."

"Pratade ni med de andra eleverna på skolan också?"

"Ja, men vissa föräldrar ville knappt låta sina söner förhöras. De var väl för fina och ville inte riskera någon skandal."

"Fick ni veta något intressant då?"

Gösta fnös. "Nej, bara floskler om hur hemskt föräldrarna tyckte att det var men att deras son inte hade något att berätta om livet på skolan. Allt hade varit toppen. Rune var toppen, lärarna var toppen och det fanns inga konflikter eller bråk. Och eleverna själva upprepade mest föräldrarnas ord."

"Och hur var det med lärarna?"

"Ja, självklart förhörde vi dem båda. En av dem, Ove Linder, misstänkte vi först. Men sedan visade det sig att han ändå hade alibi." Gösta tystnade en stund. "Vi hittade helt enkelt inget misstänkt. Vi kunde ju inte ens bevisa att ett brott hade begåtts. Men …"

Erica lade armarna på bordet och lutade sig fram. "Vad då men?"

Han tvekade. "Äh, jag vet inte. Din man hänvisar gärna till sin magkänsla och vi brukar reta honom för det, men jag måste erkänna att min magkänsla redan då sa mig att det fanns mer att ta reda på. Vi försökte verkligen, ändå kom vi ingen vart."

"Då försöker vi igen. Mycket har ändrats sedan 1974."

"Min erfarenhet är att en hel del förblir detsamma. Sådana där fina människor ser alltid till att skydda sig."

"Vi försöker igen", sa Erica tålmodigt. "Du gör färdig listan med namn på eleverna och lärarna. Sedan ger du mig den, så kan vi jobba på dubbel front."

"Bara inte …"

"Nej, Patrik får inte reda på det. Och du får allt jag hittar sedan. Det var väl så vi sa?"

"Jo." Göstas smala ansikte såg plågat ut.

"Jag var förresten ute och pratade med Ebba och hennes man i går."

Gösta stirrade på henne. "Hur mådde hon? Är hon orolig efter det som hände? Hur …?"

Erica skrattade. "Lugn, lugn. En fråga i taget." Sedan blev hon allvarlig. "Hon var dämpad men samlad, skulle jag säga. De hävdar att de inte vet något mer om vem som kan ha anlagt branden, men jag kan inte avgöra om de ljuger eller inte."

"Jag tycker att de borde ge sig av därifrån." Hans blick blev mörk av oro. "I alla fall tills vi har rett ut det här. Det är ingen säker plats och det var ren tur att de inte strök med."

"De verkar inte vara sådana som ger sig i första taget."

"Ja, envis är hon", sa Gösta med uppenbar stolthet.

Erica tittade undrande på honom men frågade inget. Hon visste själv hur personligt engagerad hon kunde bli i de människor hon skrev om. Troligtvis var det samma sak för poliser som fick följa så många människors öden under sina yrkesliv.

"En sak som jag funderade över när jag träffade Ebba och som jag tyckte var lite underligt ..."

"Ja?" sa Gösta, men ett illtjut fick Erica att hastigt springa ut i vardagsrummet för att se vem det var som hade slagit sig. Först ett par minuter senare kunde hon ta upp tråden igen.

"Var var vi? Jo, jag tyckte att det var underligt att Ebba inte hade några av de saker som familjen borde ha lämnat efter sig. Huset var ju inte bara ett internat, det var deras hem också och det måste ha funnits personliga tillhörigheter där. Jag hade nog tagit för givet att Ebba fått dem, men hon hade ingen aning om vart de kunde ha tagit vägen."

"Det har du rätt i." Gösta strök sig över hakan. "Det måste jag se om det finns registrerat någonstans. Jag kan faktiskt inte påminna mig att det gör det."

"Jag tänkte att det kunde vara värt att gå igenom deras saker med nya ögon."

"Ingen dum idé. Jag ska se vad jag kan hitta." Han tittade på klockan och for sedan upp från stolen. "Herrejösses, vad tiden har sprungit iväg. Hedström måste undra var jag är."

Erica lade en lugnande hand på hans arm.

"Du kommer säkert på någon bra ursäkt. Säg att du försov dig eller vadsomhelst. Han kommer inte att misstänka något, jag lovar."

"Lätt för dig att säga", sa Gösta och gick för att ta på sig skorna.

"Glöm inte vad vi har kommit fram till. Jag behöver kontaktuppgifter till alla inblandade och sedan ser du om du kan hitta något om Elvanders prylar."

Erica lutade sig fram och gav Gösta en spontan kram. Han kramades stelt tillbaka.

"Ja, ja, släpp iväg mig bara, så lovar jag att ta tag i det så fort jag får möjlighet."

"Du är en klippa", sa Erica och blinkade.

"Äsch. Återgå till dina små nu. Jag hör av mig när jag har något."

Erica stängde dörren efter honom och gjorde precis som han sa. Hon satte sig i soffan och medan alla tre barnen klättrade på henne för att få den bästa platsen i hennes knä följde hon okoncentrerat Pippis äventyr i rutan.

Det var lugnt och tyst på stationen. Mellberg hade för ovanlighetens skull lämnat sitt rum och satt sig i köket. Ernst, som aldrig var längre än en meter från husse, hade placerat sig under bordet där han låg och hoppades på att det förr eller senare skulle bli dags för fika.

"Vilken jäkla idiot!" fräste Mellberg och pekade på tidningen framför sig. Bohusläningen hade slagit upp intervjun med John Holm stort.

"Ja, jag förstår inte hur folk kan rösta in sådana typer i riksdagen. Det är väl demokratins baksida, antar jag." Patrik slog sig ner mittemot Mellberg. "Vi behöver prata med honom dessutom. Han var tydligen en av grabbarna som var ute på Valö den där påskveckan."

"Då är det bäst att vi skyndar oss. Det står att han bara ska stanna den här veckan, sedan ska han tillbaka till Stockholm igen."

"Jo, jag såg det, så jag tänkte ta med mig Gösta och snacka med honom nu på förmiddagen." Han vände sig om och tittade ut i korridoren. "Jag fattar inte vart han har tagit vägen bara. Annika? Har du hört något om Gösta?"

"Inte ett ord. Han kanske har försovit sig?" ropade Annika tillbaka från receptionen.

"Då följer jag med i stället", sa Mellberg och slog ihop tidningen.

"Nej, men det behövs inte. Jag kan vänta på Gösta. Han måste komma närsomhelst. Du har säkert viktigare saker för dig." Patrik kände paniken komma krypande. Att ha med Mellberg vid ett förhör kunde inte annat än sluta i katastrof.

"Dumheter! Det är nog bra för dig att ha mig vid din sida när du träffar den där idioten." Han reste sig och såg bestämt på Patrik. "Nå? Ska vi åka då?"

Mellberg knäppte med fingrarna ett par gånger och Patrik försökte febrilt komma på något argument som skulle få honom att avstyra sin plan.

"Vi kanske borde ringa innan och boka tid?"

Mellberg fnös. "En sådan här snubbe gäller det att fånga … vad heter det …", han knäppte med fingrarna igen, "en garde."

"Off-guard", sa Patrik. "Det heter off-guard."

Några minuter senare satt de i bilen och åkte i riktning mot Fjällbacka. Mellberg småvisslade nöjt för sig själv. Han hade först insisterat på att få köra, men där gick Patriks gräns.

"Sådana där människor är så begränsade i sitt tänkande. De är väldigt små människor utan respekt för andra kulturer eller för mänsklighetens olikheter." Mellberg nickade åt sitt eget påstående.

Det fullkomligt kliade i Patrik att påminna honom om hur begränsad han själv hade varit tidigare. En del av de kommentarer han strött omkring sig hade utan tvivel vunnit gehör hos Sveriges Vänner. Till Mellbergs försvar måste ändå sägas att han gjort sig av med sina fördomar i samma stund som han förälskade sig i Rita.

"Det är den här sjöboden, va?" Patrik svängde in på den lilla grusplanen framför en av de röda bodarna längs Hamngatan. De hade enats om att chansa på att det var där John befann sig och inte i huset som låg i Mörhult.

"Det ser i alla fall ut som om någon sitter ute på bryggan." Mellberg sträckte på halsen och kikade över planket.

Gruset knastrade under sulorna när de gick fram till grinden. Patrik blev osäker på om han skulle knacka, men det kändes fånigt så han sköt helt enkelt upp den.

Han kände genast igen John Holm. Bohusläningens fotograf hade fångat hans nästan klichéartade svenska utseende och dessutom lyckats få bilden på den brett leende mannen att kännas oroväckande hotfull. Även nu log han brett, men den blå blicken var frågande när han kom emot dem.

"Hej, vi är från polisen i Tanum", sa Patrik och presenterade sig och Mellberg.

"Jaha?" Blicken övergick till att bli mer vaksam. "Har det hänt något?"

"Det beror på hur man ser det. Det rör egentligen något som hände för längesedan men som tyvärr har blivit aktuellt igen."

"Valö", sa John. Det gick inte längre att tyda uttrycket i hans ögon.

"Ja, det är riktigt", sa Mellberg i aggressiv ton. "Det gäller Valö."

Patrik tog ett par djupa andetag för att behålla lugnet.

"Kan vi sätta oss?" sa han och John nickade.

"Visst, slå er ner. Solen är rätt stark här. Jag trivs med det, men om ni tycker att det blir för varmt kan jag fälla upp parasollet."

"Tack, det går bra." Patrik viftade avvärjande med handen. Han ville få det här avklarat så fort som möjligt innan Mellberg hann ställa till med något.

"Du sitter och läser Bohusläningen ser jag." Mellberg gjorde en gest mot tidningen som låg uppslagen på bordet.

John ryckte på axlarna. "Det är alltid lika tråkigt med dålig journalistik. Jag är felciterad, feltolkad och hela artikeln är full av insinuationer."

Mellberg drog sig i skjortkragen. Han hade redan börjat bli röd i ansiktet. "Jag tycker att den är välskriven."

"Tidningen har uppenbart valt sida och sådana här påhopp är sådant man får tåla när man ger sig in i leken."

"Allt som han ifrågasätter är sådant ni själva har fört fram i er politik. Det här tramset till exempel om att invandrare som begår brott ska utvisas ur landet även om de har uppehållstillstånd. Hur skulle det gå till? Skulle någon som har bott i Sverige i många år och rotat sig här skickas tillbaka till sitt ursprungsland bara för att han eller hon snott en cykel?" Mellberg hade höjt rösten och spottet flög när han pratade.

Patrik satt som paralyserad. Det var som att bevittna en bilolycka som snart skulle ske. Även om han höll med om allt Mellberg sa var det här fel tillfälle att diskutera politik.

John såg oberörd på Mellberg. "Det där är en fråga som våra motståndare har valt att tolka helt felaktigt. Jag skulle kunna förklara det mer ingående, men jag antar att det inte är därför ni är här."

"Nej, vi är som sagt här för att prata om händelserna på Valö 1974. Eller hur, Bertil?" sa Patrik snabbt. Han spände ögonen i Mellberg som efter några sekunders tystnad nickade motvilligt.

"Ja, det går rykten om att något har hänt där", sa John. "Har ni hittat familjen?"

"Inte direkt", sa Patrik undvikande. "Men någon har försökt tända eld på huset. Om det hade lyckats skulle troligtvis dottern med man ha brunnit inne."

John satte sig aningen rakare upp på stolen.

"Dottern?"

"Ja, Ebba Elvander", sa Patrik. "Eller Ebba Stark som hon heter numera. Hon och hennes man har tagit över stället och ska renovera det."

"Det behövs säkert. Efter vad jag har hört är det rätt så slitet." Johns blick sökte sig ut mot Valö som låg framför dem på andra sidan det blänkande vattnet.

"Du har inte varit där på länge?"

"Inte sedan internatet stängdes."

"Varför inte?"

John slog ut med händerna. "Jag har väl inte haft något ärende dit."

"Vad tror du själv kan ha hänt familjen?"

"Ja, min gissning är väl lika god som någon annans, men jag har faktiskt ingen aning."

"Lite mer insyn än de flesta har du väl", invände Patrik. "Du bodde ju med familjen och var på plats när de försvann."

"Inte riktigt, jag och några andra elever var ute och fiskade. Vi blev helt chockade när vi kom i land och möttes av två poliser. Leon blev till och med förbannad. Han trodde att det var några främlingar som hade tagit Ebba."

"Så du har inga teorier? Du måste väl ha funderat på det här under åren?" Mellberg lät skeptisk.

John brydde sig inte om honom utan vände sig till Patrik. "För att förtydliga det hela lite bodde vi inte med familjen. Vi gick i skolan där, men det fanns en strikt gräns mellan oss elever och familjen Elvander. Till exempel var vi ju inte inbjudna till påsklunchen. Rune var mycket noggrann med att hålla oss på avstånd och han drev den där skolan som en militärförläggning. Det var därför våra föräldrar älskade honom lika innerligt som vi hatade honom."

"Höll eleverna ihop eller fanns det några konflikter mellan er?"

"En del bråk förekom. Det hade nästan varit konstigt annars på en skola med enbart pojkar i tonåren. Men det inträffade inget allvarligare."

"Hur var det med lärarna? Vad tyckte de om rektorn?"

"De mesarna var så rädda för honom att de nog inte tyckte någonting. De sa i alla fall ingenting som nådde våra öron."

"Runes barn var ungefär lika gamla som ni var då. Umgicks ni med dem?"

John skakade på huvudet. "Det skulle Rune aldrig ha tolererat. Hans äldste son hade vi i och för sig en del att göra med. Han var ett slags hjälpreda på skolan. En riktig skitstövel."

"Det låter som om du hade rätt starka åsikter om några av familjemedlemmarna?"

"Jag avskydde dem, precis som alla andra pojkarna på skolan gjorde. Men inte tillräckligt för att ha ihjäl dem, om ni trodde det. Det ingår väl att man ska misstro överheten i den åldern."

"De andra barnen då?"

"De höll sig mest för sig själva. De vågade nog inget annat. Likadant med Inez. Hon skötte ensam städning, tvätt och matlagning. Runes dotter Annelie hjälpte till en del också. Men vi fick som sagt inte umgås med dem och det fanns kanske en anledning till det. Många av killarna var riktiga slynglar, bortskämda och privilegierade sedan barnsben. Det var så de hamnade på skolan, antar jag. Föräldrarna började i sista stund inse att de fostrat lata och odugliga individer och försökte råda bot på det genom att skicka ungarna till Rune."

"Dina föräldrar kan inte ha varit barskrapade de heller?"

"De hade pengar", sa John med betoning på "hade". Sedan knep han ihop läpparna för att visa att han inte tänkte diskutera det mer. Patrik lät det bero, men beslutade sig för att senare undersöka Johns familjebakgrund.

"Hur har hon det?" sa John plötsligt.

Det tog någon sekund innan Patrik förstod vem han menade. "Ebba? Jo, hon verkar ha det bra. Hon ska som jag sa rusta upp huset."

John vände åter blicken mot Valö och Patrik önskade att han haft förmågan att läsa tankar. Han undrade vad som rörde sig i Johns huvud.

"Vi får tacka för att du har tagit dig tid", sa han och reste sig. De skulle inte komma så mycket längre just nu, men samtalet hade gjort honom ännu mer nyfiken på hur tillvaron tett sig på internatet.

"Ja, vi får tacka. Jag förstår att du är väldigt upptagen", sa Mellberg. "Jag ska förresten hälsa från min sambo. Hon är från Chile. Invandrade hit på sjuttiotalet."

Patrik drog Mellberg i armen för att få iväg honom. Med ett stelt leende stängde John grinden efter dem.

Gösta försökte smyga in på stationen, men det hade han inte mycket för.

"Har du försovit dig? Det var inte likt dig", sa Annika.

"Klockan ringde inte", sa han utan att våga möta hennes blick. Annika hade en förmåga att se rakt igenom en och han tyckte inte om att ljuga för henne. "Var är alla?"

Inte ett ljud hördes inifrån korridoren och Annika tycktes vara ensam på plats. Bara Ernst kom tassande i korridoren när han hörde Göstas röst.

"Patrik och Mellberg stack iväg för att prata med John Holm, men Ernst och jag håller ställningarna, eller hur gubben?" sa hon och kliade den stora hunden bakom öronen. "Patrik undrade var du var. Så det är nog bäst att du övar lite mer på den där historien om väckarklockan."

Hon tittade upp och synade honom.

"Tala om vad du har för hyss för dig, så kanske jag kan hjälpa dig så att du slipper bli avslöjad."

"Det var då själva fan", sa Gösta men visste att han var besegrad. "Vi tar det över en kopp."

Han började gå mot köket och Annika följde med.

"Nå", sa Annika när de hade satt sig.

Ovilligt berättade Gösta om sin överenskommelse med Erica, och Annika skrattade högt.

"Men nu har du väl ändå krånglat till det för dig. Du vet väl hur Erica är? Om man ger henne lillfingret tar hon hela handen. Patrik kommer att bli galen om han får reda på det."

"Ja, jag vet", sa han och vred på sig. Han visste att hon hade rätt, men samtidigt kändes det här så viktigt. Och han var inte dummare än att han förstod varför. Det var för hennes skull han gjorde det, jäntungen som han och Maj-Britt svek.

Annika hade slutat skratta och såg allvarligt på honom.

"Det här betyder mycket för dig."

"Ja, det gör det. Och Erica kan hjälpa till. Hon är duktig. Jag vet att Patrik inte skulle godkänna att jag blandar in henne, men det är hennes jobb att gräva fram fakta ur det förflutna och det är onekligen en kunskap vi behöver nu."

Annika satt tyst en stund. Sedan tog hon ett djupt andetag.

"Okej. Jag säger inget till Patrik. På ett villkor."

"Vad då?"

"Du håller mig informerad om vad du och Erica kommer fram till och jag får hjälpa till där det behövs. Jag är inte heller så dålig på att ta fram fakta."

Gösta tittade förvånat på henne. Det var inte riktigt vad han hade förväntat sig.

"Då bestämmer vi det. Men som du sa: det kommer inte att bli roligt när Patrik kommer på oss."

"Den dagen, den sorgen. Hur långt har ni kommit då? Vad kan jag göra?"

Lättad återgav Gösta samtalet som han och Erica hade haft på morgonen.

"Vi måste få fram aktuella kontaktuppgifter till alla eleverna och lärarna på skolan. Jag har den gamla listan, men där är det inte mycket som stämmer. Fast om vi utgår från den kan vi nog hitta de flesta. En del hade rätt ovanliga efternamn och det finns kanske någon på den gamla adressen som vet vart de kan ha tagit vägen."

Annika såg på honom med höjda ögonbryn.

"Fanns det inga personnummer?"

Han stirrade på henne. Hur dum fick man vara? Han kände sig som en idiot och visste inte vad han skulle säga.

"Ska jag tolka ditt ansiktsuttryck som att det finns personnummer? Då så. Då kan jag ha en uppdaterad förteckning klar till i eftermiddag eller senast i morgon. Är det snart nog?"

Hon log åt honom, vilket Gösta gärna bjöd på.

"Det blir bra", sa han. "Själv tänkte jag ta med Patrik och prata med Leon Kreutz."

"Varför just han?"

"Ingen orsak egentligen, men han är den av pojkarna jag minns bäst. Jag fick intryck av att han var ledaren i gruppen. Dessutom hörde jag att han och hans fru precis köpt det stora vita huset uppe på berget, du vet. I Fjällbacka."

"Det vita med utsikten? Som de begärde tio miljoner för?" sa Annika.

Priserna på husen med havsutsikt upphörde aldrig att fascinera den bofasta befolkningen och alla följde noggrant utropspris och slutbud. Men tio miljoner fick till och med de mest luttrade att reagera.

"De har råd, vad jag har förstått." Gösta mindes pojken med de mörka ögonen och det vackra ansiktet. Han hade redan då utstrålat rikedom och något mer odefinierbart. Ett slags medfödd självsäkerhet var det närmaste Gösta kom om han skulle försöka beskriva det.

"Då sätter vi igång och jobbar", sa Annika. Hon ställde ner sin kopp i diskmaskinen och efter att hon gett Gösta en blick gjorde han likadant. "Jag hade förresten glömt att du skulle till tandläkaren nu på morgonen."

"Tandläkaren? Jag har väl inte …" Gösta avbröt sig och log. "Ja, just det. Jag sa ju till i går att jag skulle till tandläkaren. Och se här: inga hål." Han pekade mot munnen och blinkade.

"Förstör inte en bra lögn med för många detaljer", sa Annika, viftade skämtsamt med fingret och satte fart mot datorn.

Stockholm 1925

Det var nära att de hade blivit avslängda av tåget. Konduktören hade tagit hennes flaska ifrån henne och yrat om att hon var för full för att åka med. Det var hon minsann inte. Hon behövde bara en styrketår då och då för att orka med livet, vilket var och en borde förstå. Ständigt tvingades hon tigga till sig allmosor och utföra de förnedrande arbetsuppgifter som på nåder slängdes åt henne "för flickans skull", och allt som oftast slutade det ändå med att hon måste ta emot besök i kammaren av de flåsande, skenheliga horbockarna.

Det var också för flickans skull som konduktören förbarmade sig och lät dem åka med ända till Stockholm. Tur var väl det, för om han hade slängt av dem på halva vägen hade Dagmar inte vetat hur de skulle ta sig hem igen. Det hade tagit två månader att spara ihop till en enkel biljett till Stockholm och nu hade hon inte ett öre kvar. Men det gjorde inget, för om de bara kom fram och hon fick tala med Hermann skulle de aldrig behöva bekymra sig om pengar igen. Han skulle ta hand om dem. När de träffades och han förstod hur hon hade haft det, skulle han genast lämna den där lögnaktiga kvinnan som han gift sig med.

Dagmar stannade till vid ett skyltfönster och speglade sig i rutan. Jo, hon hade åldrats lite sedan de senast sågs. Håret var inte lika tjockt längre och när hon tänkte efter hade hon nog glömt att tvätta det på ett tag. Och klänningen, som hon stulit från en tvättlina innan de for, hängde som en säck på hennes magra kropp. När pengarna tröt valde hon hellre sprit än mat, men det skulle det också bli slut med nu. Hon skulle snart se ut som hon gjorde förr, och Hermann skulle snarast känna ömt medlidande med henne när han förstod hur hårt livet farit fram med henne sedan han övergav henne.

Hon tog Lauras hand och började gå igen. Flickan stretade emot så att Dagmar blev tvungen att släpa henne med sig.

"Rör på påkarna", väste hon. Att ungen alltid skulle vara så förbannat långsam.

De fick fråga sig fram flera gånger, men till slut stod de utanför rätt port.

Det hade varit lätt att hitta hans adress. Den hade stått i telefonkatalogen:
Odengatan 23. Huset var lika stort och imponerande som hon hade föreställt
sig och hon drog i porten. Den var låst och hon rynkade misslynt pannan. I
samma stund kom en herre emot dem, tog upp en nyckel och öppnade.

"Vart ska ni?"

Hon sträckte stolt på nacken. "Till Göring."

"Jaså, ja, där kan det nog behövas hjälp", *sa han och släppte in dem.*

För ett ögonblick undrade Dagmar vad han menade, men sedan ryckte hon
på axlarna. Det hade ingen betydelse. De var nära nu. Hon tittade på tavlan i
entrén, noterade vilken våning paret Göring bodde på och släpade Laura med
sig uppför trapporna. Med darrande hand ringde hon på dörrklockan. Snart
skulle de vara tillsammans igen. Hermann, hon och Laura. Hans dotter.

Att det krävdes så lite, tänkte Anna där hon stod vid rodret på sin och Dans båt. När hon ringt Mårten hade han föreslagit att hon skulle komma ut till Valö så snart hon hade tid, och sedan dess hade hon inte tänkt på något annat. Hela familjen hade märkt av hennes förändrade, gladare humör, och under gårdagskvällen hade hemmet fyllts av en hoppfull stämning.

Men egentligen var det inte så lite. Det här var hennes första steg mot en ny självständighet. I hela sitt liv hade hon varit beroende av andra. När hon var liten hade Erica varit den som hon lutat sig mot. Sedan blev hon beroende av Lucas, vilket ledde till den katastrof som hon och barnen fortfarande bar med sig. Och därefter Dan. Varma, trygga Dan som tagit både henne och hennes sargade barn under sina vingar. Det hade varit så skönt att än en gång få vara liten och förlita sig på att någon annan ställde allt till rätta.

Men olyckan hade lärt henne att inte ens Dan kunde ordna allt. Om hon skulle vara ärlig var det nog det som hade påverkat henne mest. Förlusten av deras första gemensamma barn hade varit en ofattbar sorg, men känslan av ensamhet och utsatthet hade nästan varit värre.

Ifall hon och Dan skulle kunna fortsätta leva tillsammans, var hon tvungen att lära sig att stå på egna ben. Även om det skedde lite senare än för de flesta andra, visste hon att hon innerst inne hade styrkan. Ett första steg var att få det här inredningsuppdraget. Nu återstod bara att se om hon hade talangen och om hon kunde sälja in sig själv tillräckligt bra.

Med bultande hjärta knackade hon på ytterdörren. Hon hörde steg närma sig och dörren öppnades. En man i hennes egen ålder, iförd snickarkläder och med skyddsglasögon uppskjutna i pannan, tittade frågande på henne. Han såg så bra ut att Anna för en stund tappade fattningen.

"Hej", sa hon sedan. "Det är jag som är Anna. Vi pratades vid på telefon i går."

"Anna! Ja, just det. Förlåt, det var inte meningen att verka ohyfsad. Jag blir så uppe i det jag håller på med att jag glömmer allt. Men stig på, välkommen in i kaoset."

Han klev åt sidan och släppte in henne. Anna tittade sig omkring. Kaos var onekligen ett bra ord för att beskriva hur det såg ut där inne. Samtidigt kunde hon inte undgå att se potentialen. Det var en förmåga hon alltid haft, som om hon ägde ett par magiska glasögon som hon närsomhelst kunde sätta på sig och genom dem se det färdiga resultatet.

Mårten följde hennes blick. "Vi har lite jobb kvar som du ser."

Hon skulle precis svara när en blond och smal kvinna kom nedför trappan. "Hej, det är jag som är Ebba", sa hon och torkade av sig på en trasa. Både händerna och hennes kläder var fläckade av vit färg, och hon hade små färgprickar i ansiktet och det ljusa håret. En stark lukt av terpentin fick Annas ögon att tåras.

"Jag ber om ursäkt för hur vi ser ut", tillade Ebba och höll upp händerna. "Vi får nog strunta i att ta i hand."

"Ingen fara, ni är ju mitt i en renovering. Jag är mer orolig för ... ja, för allt annat ni har omkring er just nu."

"Har Erica berättat?" sa Ebba, mer som ett konstaterande än en fråga.

"Jag har hört om branden och det andra", sa Anna. Att hitta blod under golvet i sitt hem var så absurt att hon inte förmådde formulera det.

"Vi försöker att jobba vidare så gott det går", sa Mårten. "Vi har inte råd att låta bygget stå still."

Inifrån huset hördes röster och ljudet av träplankor som splittrades.

"Teknikerna är fortfarande kvar", sa Ebba. "De håller på att bryta upp hela matsalsgolvet."

"Är ni säkra på att det är tryggt för er att vara kvar här?" Anna insåg att hon var väl framfusig, men det var något hos det här paret som väckte hennes beskyddarinstinkter.

"Vi har det bra här", sa Mårten tonlöst. Han lyfte armen för att lägga den om Ebba, men det var som om hon i förväg kände på sig det, för hon tog ett steg åt sidan och hans arm föll ner igen.

"Ni behövde lite hjälp?" sa Anna avledande. Stämningen var så tryckt att det var svårt att andas.

Mårten tycktes tacksam över att byta samtalsämne. "Som jag sa på telefon vet vi inte hur vi ska fortsätta när vi väl har gjort själva grundarbetet. Vi kan inte så mycket om inredning."

"Jag beundrar er verkligen. Det är inget litet projekt ni satt igång. Men det kan bli hur fint som helst när det är färdigt. Jag föreställer mig en lite gammaldags, lantlig stil, med skavda vita möbler, blekta färger, romantiska rosor, vackra linnetyger, fattigmanssilver, små udda föremål som blicken kan fasta på." Bilderna for genom huvudet medan hon pratade. "Det ska inte vara några dyra antikviteter, snarare en blandning av loppisfynd och nyproducerade möbler i gammal stil som vi själva kan skava till. Det enda som behövs är lite stålull och kedjor och ..."

Mårten skrattade och hans ansikte ljusnade. Anna kom på sig själv med att tycka om det.

"Du vet verkligen vad du vill. Men prata på du, jag tror att vi båda tycker att det låter bra."

Ebba nickade. "Ja, det är precis så jag har sett det framför mig. Jag har bara inte förstått hur man praktiskt ska genomföra det." Hon rynkade pannan. "Vår budget är ju nästan obefintlig, och du kanske är van vid att kunna spendera en hel del och ta bra betalt ..."

Anna avbröt henne. "Jag vet vad som gäller. Mårten förklarade det. Men ni skulle bli mina första kunder och om ni blir nöjda med mitt jobb kan jag ha er som referens. Vi kan säkert enas om ett pris som ni har råd med. Och vad gäller själva inredningen är ju idén att det ska kännas som om den består av arvegods och loppisfynd. Jag kommer att se det som en utmaning att komma undan så billigt som det bara går."

Anna såg hoppfullt på dem. Hon ville otroligt gärna ha det här uppdraget och det hon sagt till Ebba och Mårten var sant. Att få fria händer att göra om barnkolonin till en pärla i skärgården skulle vara ett fantastiskt projekt som dessutom skulle kunna locka kunder till hennes nya företag.

"Jag är själv egenföretagare, så jag förstår precis vad du menar. Word of mouth är det viktigaste av allt." Ebba såg nästan blygt på henne.

"Vad är det du sysslar med?" sa Anna.

"Smycken. Jag gör halsband i silver, med änglar som motiv."

"Det låter fint. Hur kom du på det?"

Ebbas ansikte stelnade och hon vände sig bort. Mårten såg förlägen ut och bröt snabbt tystnaden som uppstått.

"Vi vet inte riktigt när vi kommer att vara klara med renoveringen. Polisens undersökning och brandskadan i hallen sabbar vårt tidsschema lite, så det är svårt att säga när det finns något för dig att börja jobba med."

"Det gör inget, jag anpassar mig efter er", sa Anna utan att riktigt kunna släppa tanken på Ebbas reaktion nyss. "Om ni vill får ni gärna fråga mig redan nu om färgval till väggar och liknande. Och så kan jag börja skissa och kanske även åka på några auktioner här i närheten och se om jag hittar något."

"Det låter jättebra", sa Mårten. "Vår tanke är väl egentligen att vi ska kunna öppna så smått till påsk nästa år och sedan vara i full gång till sommaren."

"Då har ni ju gott om tid. Är det okej om jag går runt och antecknar lite innan jag åker?"

"Självklart. Känn dig som hemma i röran", sa Mårten. Sedan hejdade han sig. "Men du måste nog hålla dig undan från matsalen."

"Ingen fara. Jag kan komma tillbaka senare och titta på matsalen."

Ebba och Mårten återgick till det de hållit på med när hon kom och lät henne vandra runt i fred. Hon antecknade flitigt och kände hur det bubblade av förväntan i magen. Det här kunde bli så bra. Det kunde bli början på hennes nya liv.

Percys hand var ostadig när han skulle skriva på papperen. Han tog ett djupt andetag för att lugna sig och advokat Buhrman tittade bekymrat på honom:

"Är du verkligen säker på det här, Percy? Din far skulle inte tycka om det."

"Far är död!" fräste han men mumlade nästan genast fram en ursäkt och fortsatte: "Det kan verka som en drastisk åtgärd, men antingen får jag göra så här eller så måste jag sälja slottet."

"Ett banklån då?" sa advokaten. Han hade även varit faderns advokat och Percy undrade ofta hur gammal Buhrman egentligen var. Efter alla timmar på golfbanan vid sitt hus på Mallorca hade han dessutom blivit så gott som mumifierad och var i ett sådant skick att han lätt hade kunnat ställas ut på museum.

"Jag har självklart pratat med banken, vad tror du?" Än en gång höjde han rösten och fick tvinga sig själv att prata i en lugnare ton. Familjens advokat talade ofta till honom som om han fortfarande var en pojkvasker. Han verkade glömma att det faktiskt var Percy som var greven nu. "De meddelade med all önskvärd tydlighet att de inte ville hjälpa till mer."

Buhrman såg förvirrad ut. "Vi som alltid har haft så god kontakt med Svenska Banken. Din far och gamle direktören gick ju på Lundsberg.

Pratade du verkligen med rätt person? Ska jag se om jag kan ringa några samtal, nog borde …"

"Det är längesedan gamle direktören lämnade banken", avbröt Percy. Han orkade snart inte försöka vara hövlig mot gamlingen längre. "Det är för övrigt så längesedan han lämnade jordelivet att det nog bara är benen som finns kvar av honom. Det är nya tider nu. På banken finns bara räknenissar och spolingar från Handelshögskolan som inte ens vet hur man för sig i den här världen. Banken styrs numera av folk som tar av sig skorna inomhus, förstår inte advokat Buhrman det?" Han skrev ilsket under det sista dokumentet och sköt fram det mot den gamle mannen som såg helt perplex ut.

"Ja, jag tycker då det är märkligt", sa han och skakade på huvudet. "Vad ska komma härnäst? Att man avskaffar fideikommissen och låter gamla herresäten delas upp hursomhelst? Apropå det: Du kan inte tala med dina syskon i stället? Mary har ju gift sig rikt och Charles tjänar bra med pengar på sina krogar, vad jag förstår? De kanske kan vara behjälpliga? Ni är ju ändå släkt."

Percy stirrade på honom. Gubben var inte vid sina sinnens fulla bruk. Hade han glömt alla år av bråk och rättstvister som följde efter faderns död femton år tidigare? Percys syskon hade varit dumdristiga nog att försöka bestrida fideikommisset som gav honom, i egenskap av äldste son, rätt att ärva allt obestyckat. Men lagen var tack och lov tydlig. Fygelsta var hans födslorätt och enbart hans. Sedan hörde det till god ton att man om möjligt delade med sig till eventuella syskon, men efter deras envetna försök att ta ifrån honom det som enligt lag och hävd var hans hade han inte känt sig särskilt givmild. Så de hade fått gå tomhänta från dödsboet och dessutom fått stå för hans rättegångskostnader. Som Buhrman sa gick det ingen nöd på dem, och han brukade trösta sig med det när det dåliga samvetet gnagde. Men han skulle inte ha något för att gå till dem med mössan i hand.

"Det här är min enda möjlighet", sa han och nickade mot papperen. "Jag har tur som har goda vänner som ställer upp, och jag kommer att betala tillbaka så fort jag har rett ut den här olycksaliga situationen med skattemyndigheterna."

"Ja, du gör som du vill, men det är mycket du sätter på spel."

"Jag litar på Sebastian", sa Percy. Han önskade att han kände sig lika säker som han lät.

Kjell slängde telefonen så häftigt i skrivbordet att stöten fortplantade sig upp i armen. Smärtan ökade bara ilskan och han svor medan han masserade armbågen.

"Fan!" sa han och fick knyta händerna för att hindra sig själv att kasta något hårt i väggen.

"Vad händer?" Hans bästa vän och kollega Rolf stack in huvudet genom dörröppningen.

"Ja, vad tror du?" Kjell drog handen genom det mörka håret som redan för några år sedan hade börjat få stänk av silver i sig.

"Beata?" Rolf klev in i rummet.

"Självklart! Du hörde väl att jag plötsligt inte fick ha barnen i helgen fast det var min helg. Och nu ringde hon och skrek och gapade om att de inte kan följa med till Mallorca. Tydligen kan de inte vara borta så länge som en hel vecka."

"Men hon var ju två veckor på Kanarieöarna med dem i juni? Och den resan bokade hon väl utan att ens kolla med dig? Varför skulle de inte kunna åka bort en vecka med sin pappa då?"

"Därför att det är 'hennes' barn. Det säger hon jämt. 'Mina' barn. Jag får uppenbarligen bara låna dem."

Kjell försökte tvinga sig själv att andas lugnare. Han avskydde att hon gjorde honom så här upprörd. Att hon inte såg till barnens bästa utan bara ville göra livet så surt som möjligt för honom.

"Ni har väl delad vårdnad vad jag vet?" sa Rolf. "Du skulle till och med kunna få igenom att ha barnen mer än du har nu, om det var så."

"Ja, jag vet. Samtidigt vill jag att de ska ha en fast punkt. Men det förutsätter att jag inte motarbetas varenda gång jag ska ha barnen. En enda semestervecka med dem, är det för mycket begärt? Jag är deras pappa, jag har lika mycket rätt att vara med dem som Beata har."

"De blir större, Kjell. De kommer att fatta så småningom. Försök att vara en bättre människa, en bättre förälder. De behöver lugn och ro. Ge dem det hos dig så ska du se att det löser sig. Men sluta för fan inte att kämpa för att få träffa dem."

"Jag kommer inte ge upp", sa Kjell bistert.

"Det är bra", sa Rolf. Han viftade med dagens tidning som han höll i handen. "Vilken fantastisk artikel du har skrivit förresten. Du satte honom verkligen på pottkanten flera gånger. Jag tror att det är den första intervju jag har läst där någon faktiskt ifrågasätter honom och partiet på det här sättet." Han slog sig ner på en besöksstol.

"Ja, jag fattar inte vad journalistkåren håller på med." Kjell skakade på huvudet. "Det finns ju sådana uppenbara luckor i Sveriges Vänners retorik. Det borde inte vara så svårt."

"Man får hoppas att det här sprider sig", sa Rolf och pekade på den uppslagna tidningssidan. "Det behövs att man visar vilka de här människorna verkligen är."

"Det värsta är att folk köper deras billiga propaganda. De klär upp sig i finkostymen, sparkar demonstrativt ut några medlemmar som utmärkt sig på fel sätt och försöker prata om budgetnedskärningar och rationalisering. Men bakom alltihop döljer sig fortfarande samma gamla nassar. Om de gör nazisthälsning och viftar med hakkorsflaggor gör de det i skydd av mörkret. Sedan sitter de i tv och klagar över att de utsätts för påhopp och blir orättvist attackerade."

"Du behöver inte predika för mig. Vi står redan på samma sida", skrattade Rolf och höll upp händerna framför sig.

"Jag tror att det döljer sig något där", sa Kjell och masserade näsroten.

"Döljer sig något var då?"

"John. Han är för smidig, för polerad. Allt är för perfekt. Han har ju inte ens försökt hemlighålla sin bakgrund i skinnskallerörelsen, utan gjort avbön och suttit och bölat i morgonsofforna. Så det är ingen nyhet för väljarna. Nej, jag måste gräva djupare än så. Han kan inte ha gjort sig av med allt."

"Jag tror att du har rätt. Men det kommer inte bli lätt att hitta något. John Holm har lagt stor möda på sin fina fasad." Rolf slängde ifrån sig tidningen.

"Jag ska i alla fall …" Kjell avbröts av att det ringde. "Om det är Beata igen så …" Han tvekade en sekund och sedan röt han in i telefonen: "Ja?"

När han hörde vem det var ändrade han hastigt tonläge. Han såg hur Rolf roat iakttog honom.

"Nej, men hej Erica … Nä, ingen fara … Jo, visst … Vad fan säger du? Du skojar?"

Han tittade snabbt på Rolf igen och log brett. Efter ytterligare några minuter avslutade han samtalet. Han hade gjort några hastiga anteckningar och nu slängde han ifrån sig pennan, lutade sig tillbaka och knäppte händerna bakom huvudet.

"Ja, det börjar röra på sig."

"Vad då? Vem var det som ringde?"

"Det var Erica Falck. Jag är tydligen inte den enda som är intresserad av John Holm. Hon berömde mig för artikeln och undrade om jag hade något bakgrundsmaterial som hon kunde få titta på."

"Varför är hon intresserad av honom?" undrade Rolf. Sedan spärrade han upp ögonen: "Är det för att han var med på Valö? Ska Erica skriva om försvinnandet?"

Kjell nickade. "Ja, som jag förstod det. Men det var inte det bästa. Håll i dig nu, du kommer inte att tro det här."

"För fan, Kjell. Håll mig inte på sträckbänken."

Kjell flinade. Han älskade det här och han visste att Rolf också skulle älska det han hade att berätta.

Stockholm 1925

Kvinnan som öppnade dörren såg inte ut som Dagmar hade tänkt sig. Hon var varken vacker eller förförisk utan trött och tärd. Dessutom verkade hon äldre än Hermann och hela hennes person utstrålade ett slags alldaglighet.

Dagmar blev stående tyst. Kanske hade hon kommit fel? Men det stod Göring på dörren, så hon bestämde sig för att det här måste vara parets hushållerska. Hon tog ett stadigt grepp om Lauras hand.

"Jag söker Hermann."

"Hermann är inte hemma." Kvinnan synade henne uppifrån och ner.

"Då väntar jag tills han kommer hem."

Laura hade gömt sig bakom Dagmars rygg, och kvinnan log vänligt mot flickan innan hon sa:

"Jag är fru Göring. Kan jag hjälpa er på något vis?"

Så det här var kvinnan hon hatade och som hade funnits i hennes tankar ända sedan hon läst hennes namn i tidningen. Dagmar betraktade häpet Carin Göring: de praktiska och rejäla skorna, kjolen som var välskräddad och ankellång, blusen som var prudentligt knäppt högt upp i halsen och håret som var uppsatt i knut. Kring ögonen syntes tunna linjer och hyn var sjukligt blek. Plötsligt föll allt på plats. Givetvis var det här kvinnan som hade lurat hennes Hermann. En sådan gammal nucka kunde aldrig få en man som Hermann utan elaka knep.

"Ja, vi har lite att tala om, även ni och jag." Hon ryckte tag i Laura och klev in genom dörren.

Carin flyttade sig åt sidan och gjorde ingenting för att hejda henne. Hon nickade bara avvaktande. "Ska jag ta er kappa?"

Dagmar tittade misstänksamt på henne. Sedan gick hon in i rummet närmast hallen utan att vänta på att bli inbjuden. Inne i den stora salongen tvärstannade hon. Våningen var lika vacker som hon förväntat sig att Hermanns hem skulle vara – rymlig, med höga fönster, högt i tak och blänkande parkettgolv – men den var nästan helt tom.

"Varför har de inga möbler här, mamma?" sa Laura och tittade sig storögt omkring.

Dagmar vände sig mot Carin. "Ja, varför har ni inga möbler? Varför bor Hermann så här?"

Carin rynkade pannan ett ögonblick, som ett tecken på att hon fann frågan opassande, men svarade vänligt:

"Vi har haft det lite svårt på sista tiden. Men nu måste ni tala om vem ni är."

Dagmar låtsades inte om hennes fråga utan kastade en irriterad blick på fru Göring. "Svåra tider? Men Hermann är ju rik. Så här kan han ju inte bo."

"Hörde ni vad jag sa? Om ni inte talar om vem ni är och vad ni gör här kommer jag snart att bli tvungen att ringa polisen. Med tanke på den lilla skulle jag helst vilja undvika det." Carin nickade mot Laura, som nu åter gömde sig bakom sin mor.

Dagmar slet tag i henne och föste fram henne mot Carin.

"Det här är min och Hermanns dotter. Från och med nu kommer han att vara med oss. Ni har haft honom länge nog och han vill inte ha er. Förstår ni inte det?"

Det ryckte i Carin Görings ansikte, men hon behöll lugnet medan hon under en minuts tystnad studerade Dagmar och Laura.

"Jag har ingen aning om vad ni pratar om. Hermann är min man, jag är fru Göring."

"Det är mig han älskar. Jag är hans stora kärlek", sa Dagmar och stampade med foten i golvet. "Laura är hans dotter men ni tog honom innan jag hann berätta det. Om han hade vetat det skulle han aldrig ha gift sig med er, vad du än gjorde för att tvinga honom." Det snurrade i huvudet på henne av ilska. Laura hade krupit ihop bakom henne igen.

"Jag tycker att ni ska gå nu innan jag ringer polisen." Carins röst var fortfarande lugn, men Dagmar såg rädslan i hennes ögon.

"Var är Hermann?" insisterade hon.

Carin pekade mot ytterdörren. "Ut med er!" Sammanbitet gick hon mot telefonen medan hon fortsatte peka. Klappret av hennes klackar ekade i den ödsliga lägenheten.

Dagmar lugnade sig lite och tänkte efter. Hon insåg att fru Göring aldrig skulle berätta var hennes man befann sig, men hon hade äntligen fått veta sanningen och tillfredsställelsen fyllde hennes kropp. Nu skulle hon bara hitta Hermann. Om hon så var tvungen att sova utanför porten skulle hon vänta

tills han kom. Sedan skulle de vara tillsammans igen för all evighet. Med ett
fast grepp om Lauras krage drog hon henne med sig mot ytterdörren. Innan
hon stängde den efter sig gav hon Carin Göring ett sista segervisst ögonkast.

"Tack snälla Anna." Erica pussade sin syster på kinden och skyndade ut till bilen efter att ha vinkat ett snabbt hej då till barnen. Hon kände ett styng av dåligt samvete för att hon lämnade dem igen, men att döma av de glada tjuten när moster Anna kom gick det ingen nöd på dem.

Hon körde mot Hamburgsund med huvudet fullt av funderingar. Det irriterade henne att hon inte hade kommit längre i sitt sökande efter vad som hänt familjen Elvander. Hela tiden hade hon kört fast och hon kunde lika lite som polisen hitta någon förklaring till försvinnandet. Ändå hade hon inte gett upp. Släktens historia var så fascinerande och ju mer hon grävde i arkiven, desto intressantare blev det. Kvinnorna i Ebbas släkt verkade ha en förbannelse vilande över sig.

Erica slog bort tankarna på det förflutna. Tack vare Gösta hade hon äntligen fått upp ett spår. Han hade nämnt ett namn och vidare efterforskningar hade lett till att hon nu satt i bilen på väg till en av de personer som möjligtvis satt inne med betydelsefull information. Att göra research om gamla fall var ofta som att lägga ett gigantiskt pussel där vissa viktiga bitar saknades redan från början. Hennes erfarenhet var ändå att om man struntade i de borttappade bitarna och lyckades lägga pusslet med dem som fanns kvar, brukade man till slut se motivet tillräckligt tydligt. Hittills hade det inte gällt det här fallet, men hon hoppades att pusslet snart skulle få fler bitar så att det gick att se vad det föreställde. Annars skulle allt jobb vara förgäves.

När hon kom till Hanssons mack svängde hon in för att fråga om vägen. Hon visste på ett ungefär vart hon skulle men det var dumt att köra vilse i onödan. Bakom disken stod Magnus, som tillsammans med sin fru Anna ägde macken. Förutom hans bror Frank och svägerskan Anette, som drev korvkiosken nere vid torget, fanns det ingen som visste mer om de boende i Hamburgsund med omnejd.

Han gav henne en lite underlig blick men sa ingenting utan skrev bara ner en detaljerad vägbeskrivning på en lapp. Hon fortsatte köra med ett öga på vägen och ett öga på lappen och kom slutligen fram till det som måste vara rätt hus. Först då insåg hon att det kanske inte var någon hemma en sådan här fin dag. De flesta människor som var lediga befann sig ute på någon ö i skärgården eller på en strand. Men eftersom hon ändå var här kunde hon lika gärna ringa på, och när hon klev ur bilen och hörde musik tändes hoppet.

Medan hon väntade på att någon skulle komma och öppna nynnade hon med i melodin: "Non, je ne regrette rien" med Édith Piaf. Hon kunde bara refrängen på låtsasfranska, men hon drogs in i musiken och märkte knappt att dörren öppnades.

"Åh, jag anar en Piafbeundrare!" sa en liten man iförd mörklila siden-rock med gulddetaljer. Hans ansikte var konstfullt sminkat.

Erica kunde inte dölja sin förvåning.

Mannen log. "Seså, lilla hjärtat. Vill du sälja något eller har du något annat ärende? Om du är försäljare har jag redan allt jag kan önska, men annars får du gärna stiga på och göra mig sällskap på verandan. Walter gillar inte solen så jag sitter där i min ensamhet. Och det finns inget sorgligare än att dricka gott rosévin alldeles ensam."

"Jo, ja ... jag har ett ärende", fick Erica fram.

"Då så!" Mannen slog nöjt ihop händerna och backade för att släppa in henne.

Erica såg sig omkring i hallen. Överallt var det guld, tofsar och sam-met. Överdåd var bara förnamnet.

"Den här våningen har jag inrett och där uppe har Walter fått be-stämma. Om man vill att ett äktenskap ska hålla så länge som vårt måste man kompromissa. Snart har vi varit gifta i femton år och dessförinnan levde vi i synd i tio." Han vände sig mot trappan till övervåningen och ropade: "Älskling, vi har besök! Kom ner och drick ett glas med oss i solen i stället för att sitta där uppe och sura!"

Han svepte vidare genom hallen och gjorde en gest uppåt.

"Du skulle se hur det ser ut där uppe. Som ett sjukhus. Fullkomligt sterilt. Walter säger att det är stilrent. Han är så förtjust i den så kallade nordiska stilen och den är ju inte direkt hemtrevlig. Inte särskilt svår att åstadkomma heller. Man målar helt enkelt allt vitt, ställer dit sådana där avskyvärda Ikeamöbler i björkfaner och vips har man ett hem."

Han rundade en enorm fåtölj i rött brokadtyg och styrde mot den öppna dörren ut mot altanen. En flaska rosé stod i en kylhink på bordet med ett halvt urdrucket glas bredvid.

"Får det vara lite vin?" Han var redan på väg mot flaskan. Sidenrocken flaxade kring de tunna, vita benen.

"Det låter fantastiskt, men jag kör", sa Erica och tänkte hur otroligt gott det hade varit med ett glas vin på den här ljuvliga verandan med utsikt över sundet och Hamburgö.

"Så trist det låter. Kan jag verkligen inte locka dig att ta några droppar?" Han vickade frestande på flaskan som han hade lyft upp ur kylhinken.

Erica kunde inte låta bli att skratta. "Min man är polis så jag vågar tyvärr inte, hur gärna jag än hade velat."

"Han är säkert hemskt stilig! Jag har alltid älskat män i uniform."

"Jag med", sa Erica och satte sig i en av solstolarna.

Mannen vände sig om och sänkte volymen en aning på cd-spelaren. Han hällde upp ett glas vatten till Erica och räckte det till henne med ett leende.

"Jaha, och hur kommer det sig att en sådan här vacker flicka kommer hit på besök?"

"Jo, jag heter Erica Falck och är författare. Just nu håller jag på med research inför en kommande bok. Visst är det du som är Ove Linder? Som var lärare på Rune Elvanders internatskola för pojkar i början på sjuttiotalet?"

Leendet slocknade. "Ove. Det var längesedan ..."

"Har jag kommit fel?" sa Erica och insåg att hon kanske hade missat något i Magnus noggranna beskrivning.

"Nej då, men det var ett tag sedan jag var Ove Linder." Han snurrade glaset eftertänksamt mellan händerna. "Jag har inte gjort något officiellt namnbyte, i så fall hade du väl inte hittat mig, men numera kallas jag Liza. Ingen säger Ove, utom Walter ibland när han är arg på mig. Liza är så klart efter Minnelli, även om jag blott är en blek kopia." Han lade huvudet på sned och tycktes vänta på att Erica skulle säga emot.

"Sluta fiska efter komplimanger, Liza."

Erica vred på huvudet. Hon antog att figuren som avtecknade sig i dörröppningen var Walter, den äkta maken.

"Där är du ju. Du måste komma och hälsa på Erica", sa Liza.

Walter kom ut, ställde sig bakom Liza och lade ömt händerna på hans axlar. Liza lade sin lediga hand ovanpå sin mans och kramade den. Erica kom på sig själv med att hoppas att hon och Patrik skulle vara lika kär-leksfulla mot varandra när de hade varit tillsammans i tjugofem år.

"Vad rör det sig om?" sa Walter och slog sig ner hos dem. Till skillnad från sin partner såg han högst anonym ut: av medellängd och normal-byggd, med vikande hårfäste och diskret klädsel. Han skulle ha varit helt omöjlig att minnas vid en vittneskonfrontation, tänkte Erica. Men hans ögon var intelligenta och snälla och på något underligt vis kändes det som om det udda paret passade perfekt ihop.

Hon harklade sig. "Jag försöker som sagt ta reda på mer om internat-skolan på Valö. Du var lärare där, inte sant?"

"Ja, usch", sa Liza med en djup suck. "Det var en förfärlig tid. Jag hade inte kommit ut ur garderoben än och då var det ju inte lika accepterat att vara bög som det är i dag. Rune Elvander hade dessutom förfärliga fördomar som han gärna luftade. Innan jag kunde leva ut mitt rätta jag kämpade jag hårt för att passa in i mallen. Jag har väl aldrig varit skogs-huggartypen, men jag gav nog sken av att vara heterosexuell och så kallat normal. Under min uppväxt hade jag övat mycket på det."

Han tittade ner i bordet och Walter strök tröstande hans arm.

"Jag tror att jag lyckades lura Rune. Däremot fick jag utstå en del gliringar från eleverna. Skolan var full av odågor som roade sig med att söka efter andra människors ömma punkter. Jag var bara där ett drygt halvår och mer hade jag nog inte stått ut med. Faktiskt hade jag inte tänkt komma tillbaka efter påsklovet, men jag slapp ju besväret med att säga upp mig."

"Hur reagerade du på det som hände? Har du någon teori?" frågade Erica.

"Det var självklart förskräckligt, vad jag än tyckte om familjen. Ja, jag utgår från att något otäckt hände dem."

"Men du har ingen aning om vad?"

Liza skakade på huvudet. "Nej, det är ett lika stort mysterium för mig som för alla andra."

"Hur var stämningen på skolan? Var det några som var oense?"

"Minst sagt. Hela stället var som en tryckkokare."

"Hur menar du?" Erica kände pulsen öka. För första gången hade hon chansen att få veta vad som pågått bakom kulisserna. Varför hade hon inte tänkt på det här tidigare?

"Enligt läraren jag efterträdde var eleverna i luven på varandra från början. De var vana att få som de ville och hade samtidigt hårda krav på sig hemifrån att de skulle lyckas. Det kunde inte resultera i annat än tuppfäktning. Då jag började på skolan hade Rune låtit piskan vina och de hade rättat in sig i ledet, men jag kunde ju känna spänningarna under ytan."

"Hur var deras relation till Rune?"

"De hatade honom. Han var en sadistisk psykopat." Lizas röst var kallt konstaterande.

"Det är ingen vacker bild du ger av Rune Elvander." Erica ångrade att hon inte hade tagit med sig sin bandspelare. Hon fick helt enkelt försöka komma ihåg så mycket som möjligt av samtalet.

Liza rös till som om han plötsligt började frysa. "Rune Elvander är den i särklass obehagligaste människa jag någonsin har träffat. Och tro mig", han sneglade på sin man, "lever man som vi utsätts man för en hel del otrevliga typer."

"Hur var hans förhållande till sin familj?"

"Det beror antagligen på vem i familjen du frågar. Inez verkade inte ha det så roligt, och frågan är varför hon överhuvudtaget hade gift sig med Rune. Ung och söt var hon. Jag misstänkte att det var hennes mamma som hade tvingat henne. Käringen dog strax efter att jag började på skolan, och det var nog en lättnad för Inez så elak som den skatan verkade."

"Runes barn då?" fortsatte Erica. "Hur såg de på sin far och styvmor? Det kan ju inte ha varit helt okomplicerat för Inez att komma in i familjen. Hon var väl inte många år äldre än sitt äldsta styvbarn?"

"Det var en otäck pojk, mycket lik sin far."

"Vem då? Den äldste sonen?"

"Ja. Claes."

Det blev en lång tystnad och Erica väntade tålmodigt.

"Han är den jag minns klarast. Jag får kalla kårar längs ryggraden bara jag tänker på honom. Egentligen kan jag inte säga varför. Han var alltid artig mot mig, men något i hans uppsyn gjorde att jag ogärna vände ryggen till när han var i närheten."

"Gick han och Rune bra ihop?"

"Det är svårt att säga. De kretsade kring varandra som planeter. Utan att någonsin korsa varandras banor." Liza skrattade generat. "Jag låter som en new age-tant eller en dålig poet …"

"Nej då, fortsätt", sa Erica och lutade sig fram. "Jag förstår vad du menar. Det var alltså aldrig några konflikter mellan Rune och Claes?"

"Nej, de höll sig liksom på var sin kant. Claes verkade lyda Runes minsta vink, men vad han egentligen tyckte om sin far var det nog ingen som visste. En sak hade de i alla fall gemensamt. De dyrkade Carla – Runes döda hustru och Claes mor – och de tycktes båda avsky Inez. I Claes fall kanske man kan förstå det, hon skulle ta hans mors plats, men Rune hade ju faktiskt gift sig med henne."

"Så Rune behandlade Inez illa?"

"Ja, inte var det något kärleksfullt förhållande i alla fall. Han gapade order åt henne jämt och ständigt, som om hon var hans undersåte snarare än hans fru. Claes å sin sida var öppet elak och oförskämd mot sin styvmor och verkade inte ha något till övers för Ebba heller. Hans syster Annelie var inte mycket bättre."

"Vad tyckte Rune om sina barns uppförande? Uppmuntrade han det?" Erica tog en klunk vatten. Det var hett på verandan även under det stora parasollet.

"I Runes ögon var de felfria. Nog för att han behöll sin militäriska ton även mot dem, men den ende som fick skälla på hans barn var han själv. Om någon annan kom med klagomål blev det liv i luckan. Jag vet att Inez försökte någon gång, men det gjorde hon inte om i första taget. Nej, den ende som var snäll mot henne i den där familjen var Runes minsting, Johan. Han var omtänksam och rar och tydde sig till Inez." Lizas ansikte blev sorgset. "Jag undrar så vad som blev av lilla Ebba."

"Hon är tillbaka på Valö. Hon och hennes man håller på och renoverar huset. Och i förrgår …"

Erica bet sig i läppen. Hon visste inte riktigt hur mycket hon vågade säga, men samtidigt hade Liza varit så öppen mot henne. Hon tog ett djupt andetag.

"I förrgår hittade de blod när de rev upp golvet i matsalen."

Både Liza och Walter stirrade på henne. En bit bort hördes ljud från båtar och människor, men på verandan var det alldeles tyst. Till slut tog Walter till orda:

"Du har ju alltid sagt att de antagligen är döda."

Liza nickade. "Ja, det var ju det mest troliga. Dessutom …"

"Dessutom vad då?"

"Äsch, det är så fånigt." Han viftade med handen så att ärmen på sidenrocken fladdrade. "Jag nämnde det aldrig då."

"Inget är för obetydligt eller för fånigt. Berätta nu."

"Det var egentligen inget särskilt, men jag kände på mig att något var

142

på väg att gå snett. Och jag hörde …" Han skakade på huvudet. "Nej, det är så dumt."

"Fortsätt", sa Erica och motstod en impuls att luta sig fram över bordet och skaka orden ur honom.

Liza tog en stor klunk rosévin och tittade sedan rakt på henne.

"Det hördes ljud på nätterna."

"Ljud?"

"Ja. Fotsteg, dörrar som öppnades, en avlägsen röst. Men när jag gick upp och tittade fanns det aldrig någon där."

"Som om det vore spöken?" sa Erica.

"Jag tror inte på spöken", sa Liza allvarligt. "Det enda jag kan säga är att det hördes ljud och att jag fick känslan av att det snart skulle hända något förfärligt. Så jag blev inte förvånad när jag fick höra om försvinnandet."

Walter nickade. "Du har alltid haft ett sjätte sinne."

"Usch, så jag flummar", sa Liza. "Nu tycker jag att det blev alldeles för sorgesamt här kring bordet. Erica kan ju få för sig att vi är ena riktiga dystergökar." Plötsligt var glittret tillbaka i ögonen och han log brett.

"Inte alls. Stort tack för att jag fick komma hit och prata med dig. Du har gett mig mycket att tänka på, men nu måste jag nog dra mig hemåt." Erica reste sig.

"Hälsa lilla Ebba", sa Liza.

"Det ska jag göra."

De gjorde en rörelse som för att följa henne till dörren, men hon förekom dem.

"Sitt kvar ni. Jag hittar ut själv."

När hon passerade havet av guld, tofsar och sammetskuddar, hörde hon bakom sig hur Édith Piaf sjöng om sitt brustna hjärta.

"Var fan var du i morse?" sa Patrik och klev in i Göstas rum. "Jag hade tänkt att du skulle följa med mig till John Holm."

Gösta tittade upp. "Sa inte Annika det? Jag var hos tandläkaren."

"Tandläkaren?" Patrik satte sig ner och tittade forskande på honom. "Inga hål, hoppas jag?"

"Nej. Inga hål."

"Hur går det med listan?" Patrik såg på högen med papper som Gösta hade framför sig.

"Jo, här har jag de flesta aktuella adresserna till eleverna."

"Det gick snabbt."

"Personnummer", sa Gösta och pekade på den gamla elevförteckning-en. "Det gäller att använda hjärnan, vet du." Han räckte över ett papper till Patrik. "Hur gick det hos nasseledaren då?"

"Han skulle nog ha en del att invända mot den beskrivningen." Patrik började ögna igenom listan.

"Jo, men det är ju så det är. De har slutat raka skallen men de är ändå samma typer. Skötte sig Mellberg?"

"Vad tror du?" sa Patrik och lade listan i knäet. "Man kan nog säga att Tanumspolisen inte visade sig från sin bästa sida."

"Fick ni fram något nytt åtminstone?"

Patrik skakade på huvudet. "Inte mycket. John Holm vet ingenting om försvinnandet. På skolan hade det inte hänt något som kunde förklara det. Där märktes inget annat än de spänningar man kan tänka sig mellan ett gäng tonårsgrabbar och en sträng rektor. Och så vidare."

"Har du fått något besked från Torbjörn än?" frågade Gösta.

"Nej. Han lovade att skynda på det, men eftersom vi inte har något färskt lik att visa fram kan de nog inte prioritera oss. Dessutom är fallet preskriberat, om det nu skulle visa sig att familjen blev mördad."

"Men svaret på blodanalysen kan ju ge oss ledtrådar som är relevanta för vår utredning. Har du glömt att någon försökte bränna inne Ebba och Mårten häromnatten? Det är ju du som mest av alla har hävdat att branden måste höra ihop med försvinnandet. Och har du tänkt på Ebba? Har inte hon rätt att få veta vad som hände med hennes familj?"

Patrik höll avvärjande upp händerna. "Jag vet, jag vet. Men än så länge har jag inte hittat något intressant i den gamla utredningen och det känns lite hopplöst."

"Fanns det inget att gå på i Torbjörns rapport om branden?"

"Nej. Det var vanlig bensin som hade antänts med en vanlig tänd-sticka. Inget mer konkret än så."

"Då får vi börja nysta i en annan ände." Gösta vände sig om och nickade mot ett foto som satt på väggen. "Jag tror att vi ska pressa grab-barna. De vet mer än de sa då."

Patrik reste sig och gick fram och studerade bilden på de fem poj-karna.

"Du har säkert rätt. Jag såg på listan att du tyckte att vi skulle börja med att förhöra Leon Kreutz, så varför inte åka och snacka med honom på en gång?"

"Tyvärr vet jag inte var han befinner sig. Mobilen är avstängd, och på hotellet säger de att han och frun har flyttat ut. Antagligen håller de på och installerar sig i sitt nya hus. Ska vi vänta till i morgon, då de är på plats och vi kan prata i lugn och ro?"

"Okej, vi gör så. Då kanske vi ska försöka med Sebastian Månsson och Josef Meyer nu i stället? De bor ju kvar här."

"Visst. Jag ska bara plocka ihop lite först."

"Och så får vi inte glömma bort att kolla upp den där 'G'."

"G?"

"Ja, personen som har skickat kort till Ebba på hennes födelsedag."

"Tror du verkligen att det kan vara något?" Gösta började plocka med papperen.

"Man kan aldrig veta. Som du sa nyss: vi får hitta en tråd och börja nysta."

"Om man drar i för många trådändar samtidigt kan allt trassla ihop sig", muttrade Gösta. "Låter som onödigt jobb."

"Nejdå", sa Patrik och klappade honom på axeln. "Jag föreslår …"

Hans mobil surrade till och han tittade på displayen.

"Jag ska bara ta det här samtalet", sa han och lämnade kvar Gösta vid skrivbordet.

Några minuter senare kom han tillbaka med ett triumferande uttryck i ansiktet.

"Nu kanske vi har fått den ledtråd vi behöver. Det var Torbjörn som ringde. Det fanns inte något mer blod under matsalsgolvet, men de har hittat något mycket bättre."

"Vad då?"

"Inkilad under golvlisten satt en kula. Med andra ord har ett skott avlossats i just den matsal där familjen befann sig innan de försvann."

Patrik och Gösta såg allvarligt på varandra. Nyss hade de känt sig uppgivna, men nu fick utredningen liv igen.

Hon hade tänkt köra direkt hem och lösa av Anna, men nyfikenheten tog överhanden och hon fortsatte genom Fjällbacka, bort mot Mörhult. Efter att ha tvekat om hon skulle svänga vänster vid minigolfbanan och åka ner till sjöbodarna, valde hon att chansa på att de var hemma i huset. Det började bli sen eftermiddag.

Dörren stod uppställd med en blommig träsko och hon stack in huvudet i hallen. "Hallå?" ropade hon.

Inifrån huset hördes ljud och strax dök John Holm upp med en köks-handduk i händerna.

"Förlåt, stör jag mitt i middagen?" sa hon.

Han tittade på handduken. "Nej, inte alls. Jag har precis tvättat händerna bara. Kan jag hjälpa dig med något?"

"Jag heter Erica Falck och jag håller just nu på att arbeta med en bok ..."

"Aha, är det du som är Fjällbackas berömda författarinna? Följ med in i köket så kan jag bjuda på en kopp kaffe", sa han och log varmt mot henne. "Vad har du för ärende hit då?"

De slog sig ner vid köksbordet.

"Jag tänker skriva en bok om händelserna på Valö." Hon tyckte sig se en glimt av oro i hans blå ögon, men den försvann så snabbt att hon lika gärna kunde ha inbillat sig det.

"Det var värst vad alla är intresserade av Valö plötsligt. Om jag har tolkat det lokala skvallret rätt, var det din man som jag pratade med tidigare i dag."

"Ja, jag är gift med en polis. Patrik Hedström."

"Han hade med sig en annan figur som var rätt ... intressant."

Det krävdes ingen större tankeförmåga för att inse vem han pratade om.

"Du fick alltså äran att träffa Bertil Mellberg. Mannen, myten, legenden?"

John skrattade och Erica kände hur hon påverkades av hans charm. Det irriterade henne. Hon avskydde allt som han och hans parti stod för, men så här verkade han snarare trevlig och oförarglig. Tilldragande.

"Jag har mött sådana som han förr. Din man tycks däremot vara duktig på det han gör."

"Jag är ju partisk, men han är en bra polis. Han gräver tills han får reda på det han vill veta. Precis som jag."

"Ni måste vara livsfarliga tillsammans." John log igen och visade upp två perfekta smilgropar.

"Jo, kanske det. Men ibland kör man ju fast. Jag har gjort research om försvinnandet av och till under åren och nu har jag tagit upp det igen."

"Och det ska alltså bli bok av det?" Åter syntes den där lilla glimten av oro i Johns blick.

"Jag tänkte det. Har du något emot att jag ställer några frågor?" Hon tog fram penna och papper.

För ett ögonblick såg John ut att tveka. "Det går bra", sa han sedan. "Men som jag förklarade för din man och hans kollega har jag nog inte mycket att bidra med."

"Jag har förstått att det fanns konflikter inom familjen Elvander?"

"Konflikter?"

"Ja, Runes barn lär inte ha tyckt om sin styvmor?"

"Vi elever var inte inblandade i deras familjeförehavanden."

"Men skolan var liten. Ni kan omöjligt ha undgått att lägga märke till hur familjen hade det."

"Vi var inte intresserade. Vi ville inte ha med dem att göra. Det var illa nog att behöva tampas med Rune." John såg ut att ångra att han hade sagt ja till att besvara hennes frågor. Han drog upp axlarna och skruvade på sig, vilket gjorde Erica ännu mer motiverad att fortsätta. Uppenbarligen var det något med det här som gjorde John illa till mods.

"Annelie då? En sextonårig flicka och ett gäng killar i tonåren. Hur gick det ihop?"

John fnös. "Annelie var killtokig så att det räckte och blev över, men det var inte besvarat. Vissa tjejer ska man hålla sig ifrån och Annelie var en sådan. Dessutom skulle Rune ha slagit ihjäl oss om vi så mycket som nuddade hans dotter."

"Vad menar du med att hon var en sådan tjej man ska hålla sig ifrån?"

"Hon rände efter oss och gjorde sig till, och jag tror att hon gärna ville sätta oss i klistret. En gång lade hon sig och solade topless precis utanför vårt fönster, men den ende som kikade var Leon. Han var dödsföraktande redan då."

"Vad hände? Kom inte hennes pappa på henne?" Erica kände hur hon drogs in i en annan värld.

"Claes brukade skydda henne. Den där gången fick han syn på henne och släpade iväg henne så bryskt att jag trodde att han skulle slita armen av henne."

"Var det någon av er som hon var extra förtjust i?"

"Ja, vem tror du?" sa John men verkade sedan inse att Erica inte alls förstod vem han menade. "Leon, så klart. Han var den perfekte killen. Hans familj var snuskigt rik, han såg oförskämt bra ut och han var självsäker på ett sätt som ingen av oss andra ens kom i närheten av."

"Men han var inte intresserad av henne?"

"Som jag sa, Annelie var en tjej som ställde till besvär och Leon var för smart för att ge sig i lag med henne." En mobiltelefon ringde ute i vardagsrummet och han reste sig bryskt. "Ursäktar du mig om jag tar det där?"

Utan att vänta på svar gick han sin väg och hon hörde honom börja prata lågmält. Ingen annan tycktes vara hemma och hon såg sig omkring medan hon väntade. En hög med papper på en av köksstolarna fångade hennes intresse och hon kastade en blick över axeln innan hon försiktigt började bläddra. Det mesta verkade vara riksdagsprotokoll och möteshandlingar men så hejdade hon sig. Mellan utskrifterna låg en handskriven lapp som var full med klotter som hon inte kunde tyda. Utifrån vardagsrummet hörde hon hur John sa hej då och snabbt ryckte hon lappen ur högen och smög ner den i sin väska. När han kom in i köket log hon oskyldigt mot honom.

"Är allt som det ska?"

Han nickade och slog sig ner igen.

"Det är nackdelen med mitt arbete. Man är aldrig ledig, inte ens på semestern."

Erica hummade instämmande. Hon ville inte ge sig in i en diskussion om Johns politiska arbete. Hennes åsikter skulle lysa igenom och risken var att de kom på kant med varandra så att hon inte fick veta något mer.

Hon fattade pennan igen. "Hur var Inez mot eleverna?"

"Inez?" John undvek hennes blick. "Vi såg inte så mycket av henne. Hon hade fullt upp med att sköta hushållet och sin lilla dotter."

"Något slags relation till henne måste ni ändå ha haft? Jag känner väl till huset och det är som sagt inte större än att ni måste ha sprungit på varandra rätt ofta."

"Det är klart att vi såg Inez. Men hon var tystlåten och hunsad. Hon brydde sig inte om oss och vi brydde oss inte om henne."

"Hennes man brydde sig väl inte heller särskilt mycket om henne?"

"Nej, det var obegripligt att en man som han hade lyckats avla fyra barn. Vi spekulerade i jungfrufödslar." John log ett snett leende.

"Vad tyckte du om de två lärarna på skolan?"

"De var ett par original. Säkert duktiga lärare, men Per-Arne var gammal militär och om möjligt ännu rigidare än Rune."

"Och den andra?"

"Ove, ja … Det var något skumt med honom. Smygbög var nog den gällande teorin. Undrar om han någonsin kom ut."

Erica blev full i skratt. Hon såg Liza framför sig, med lösögonfransar och vacker sidenrock.

"Kanske det", sa hon och log.

John tittade frågande på henne, men hon lät honom undra. Det var inte upp till henne att upplysa John om Lizas liv, och dessutom visste hon vad Sveriges Vänner hade för syn på homosexuella.

"Men du minns inget särskilt om dem?"

"Nej, ingenting. Det var väldigt tydliga gränser mellan elever, lärare och familjen. Man skulle hålla sig på sin plats. Varje grupp för sig."

Lite som i er politik, tänkte Erica och var tvungen att bita sig i tungan för att inte säga något. Hon kände att John började bli otålig så hon ställde en sista fråga:

"Enligt en person som jag har pratat med hördes det konstiga ljud i huset på nätterna. Kommer du ihåg något sådant?"

John ryckte till. "Vem har sagt det?"

"Det spelar ingen roll."

"Trams", sa John och reste sig.

"Så det är inget du känner till?" Hon synade honom.

"Absolut inte. Och nu måste jag tyvärr ringa ett par samtal."

Erica insåg att hon inte skulle komma längre, inte just nu i alla fall.

"Tack för att du tog dig tid", sa hon och samlade ihop sina saker.

"Det var så lite." Charmen var påkopplad igen, men han nästan föste ut henne genom dörren.

Ia drog upp Leons kalsonger och byxor och hjälpte honom över till rullstolen från toaletten.

"Se så, sluta grimasera."

"Jag förstår inte varför vi inte kan skaffa en sköterska som gör det här", sa Leon.

"Jag vill själv ta hand om dig."

"Ditt hjärta svämmar över av godhet." Leon fnös. "Du kommer att förstöra ryggen om du fortsätter så här. Vi behöver någon som kommer och assisterar dig."

"Det är rart av dig att du bekymrar dig för min rygg, men jag är stark och jag vill inte att någon annan ska komma in här och ja ... tränga sig på. Det är du och jag. Tills döden skiljer oss åt." Ia smekte den friska sidan av hans ansikte, men han vred på huvudet och hon drog åt sig handen.

Han rullade iväg med stolen och hon gick och satte sig i soffan. De hade köpt huset möblerat och i dag hade de äntligen fått tillträde efter att banken i Monaco godkänt deras uttag. De hade lagt hela summan kontant. Utanför fönstret bredde Fjällbacka ut sig och hon njöt mer än hon hade trott av den fantastiska utsikten. Från köket hörde hon Leon svära. Ingenting var handikappanpassat så han hade svårt att nå och slog i hörn och skåp hela tiden.

"Jag kommer", ropade hon men reste sig inte genast. Ibland var det bra att han fick vänta lite. Så han inte tog hjälpen för given. På samma sätt som han hade tagit hennes kärlek för given.

Ia tittade ner på sina händer. De var lika ärrade som Leons. Ute bland folk bar hon alltid handskar för att dölja händerna, men här hemma lät hon honom gärna se skadorna hon fått när hon drog ut honom ur den brinnande bilen. Tacksamhet – det var allt hon begärde. Kärlek hade hon gett upp hoppet om. Hon visste inte längre om Leon ens var i stånd att älska en annan människa. För längesedan hade hon trott det. För längesedan hade hans kärlek varit allt som räknades. När övergick den kärleken i hat? Det visste hon inte. Under så många år hade hon försökt hitta felet hos sig själv, ansträngt sig för att rätta till det som han kritiserade, gjort allt för att ge honom det han verkade vilja ha. Ändå hade han fortsatt att plåga henne som om han medvetet ville såra henne. Berg, hav, öknar, kvinnor. Det hade ingen betydelse. De var alla hans älskarinnor. Och hennes väntan hade alltid varit olidlig innan han kom hem igen.

Hon förde handen till ansiktet. Det var slätt, uttryckslöst. Hon mindes med ens smärtan efter operationerna. Aldrig hade han funnits där för att hålla hennes hand när hon vaknade upp. Aldrig hade han funnits där när hon kom hem. Läkningen gick så oändligt sakta. Nu kände hon inte igen sig själv när hon såg sig i spegeln. Hon hade en främmande kvinnas ansikte. Men nu behövde hon inte anstränga sig mer. Det fanns inga berg Leon kunde bestiga, inga öknar han kunde köra igenom, inga kvinnor han kunde lämna henne för. Han var hennes, bara hennes.

Mårten sträckte på sig med en grimas. Hans kropp värkte av det ändlösa arbetet och han hade nästan glömt hur det kändes att inte ha ont någonstans. Han visste att det var likadant för Ebba. Ofta när hon trodde att han inte såg, masserade hon axlar och leder och grimaserade lika illa som han själv.

Men värken i hjärtat var värre. De levde med den dag som natt, och saknaden var så stor att det inte gick att se var den började och slutade.

Men han saknade inte bara Vincent, han saknade Ebba också. Och allt blev värre av att saknaden blandades med den ilska och skuld som han inte kunde göra sig fri från.

Han satt på trappan med en mugg te i handen och tittade ut över vattnet mot Fjällbacka. Utsikten var som vackrast i det guldgula ljuset från kvällssolen. På något sätt hade han alltid vetat att de skulle återvända hit. Även om han litade på Ebba när hon sa att hon haft en bra uppväxt, hade han ibland anat att hon bar på en undran som inte skulle försvinna förrän hon åtminstone försökt hitta svaren. Om han hade sagt det då, innan allting hände, skulle hon nog ha förnekat det. Men själv hade Mårten aldrig tvivlat på att de en dag skulle komma hit, där allting började.

När omständigheterna till slut tvingade dem att fly, till något som var både känt och okänt, till ett liv där Vincent aldrig funnits, hade han haft sådana förhoppningar. Han hade hoppats att de skulle hitta tillbaka till varandra och lägga vreden och skulden bakom sig. Men Ebba stängde honom ute och avvisade alla hans försök att närma sig. Hade hon egentligen rätt till det? Smärtan och sorgen var inte bara hennes, den var också hans, och han förtjänade att även hon försökte.

Mårten kramade koppen hårdare och hårdare medan han blickade ut mot horisonten. Han såg Vincent framför sig. Sonen hade varit så oerhört lik honom. De hade skrattat åt det redan på BB. Nyfödd och inlindad i en filt hade Vincent legat i sin vagn som en liten karikatyr av honom själv. Likheten hade bara blivit större och Vincent hade dyrkat sin pappa. Vid tre års ålder följde han Mårten i hälarna som en liten hund och det var alltid pappa han ropade på först. Ebba hade beklagat sig ibland, sagt att det var otacksamt av Vincent efter att hon burit honom i nio månader och genomlidit en smärtsam förlossning. Men hon hade aldrig menat allvar. Hon hade glatt sig åt att Vincent och Mårten stod varandra så nära och varit fullt nöjd med att komma som god tvåa.

Tårarna stack i ögonen och han torkade bort dem med baksidan av handen. Han orkade inte gråta mer och det tjänade ingenting till. Det enda han ville var att Ebba skulle närma sig honom igen. Han skulle aldrig ge sig. Han skulle försöka ända tills hon förstod att de behövde varandra.

Mårten reste sig och gick in. Han gick uppför trappan och lyssnade för att höra var hon var. Egentligen visste han det redan. Som alltid när de inte jobbade på huset satt hon vid sitt arbetsbord, djupt koncentrerad på ett nytt halsband som någon kund beställt. Han steg in i rummet och ställde sig bakom henne.

"Har du fått en beställning?"

Hon hoppade till på stolen. "Ja", sa hon och fortsatte arbeta med silvret.

"Vad är det för kund?" Ilskan över hennes likgiltighet vällde upp inom honom och han fick lägga band på sig för att inte brusa upp.

"Hon heter Linda. Hennes son dog i plötslig spädbarnsdöd när han var fyra månader gammal. Det var hennes första barn."

"Jaha", sa han och tittade bort. Han förstod inte hur hon orkade ta emot alla dessa berättelser, alla okända föräldrars sorg. Räckte det inte med hennes egen? Utan att se efter visste han att hon hade sitt eget änglahalsband om halsen. Det var det första hon hade gjort och hon bar det jämt. Vincents namn var ingraverat på baksidan och det fanns stunder då han ville slita av henne halsbandet, då han inte tyckte hon var värd att bära deras sons namn om sin hals. Men det fanns också stunder då han inte ville något hellre än att hon skulle ha Vincent nära sitt hjärta. Varför måste det vara så svårt? Vad skulle hända om han släppte taget om allt, försonades med det som hänt och erkände att skulden var bådas?

Mårten ställde ifrån sig temuggen på en hylla och tog ett steg fram mot Ebba. Först tvekade han men sedan sänkte han händerna och lade dem på hennes axlar. Hon stelnade till. Mjukt började han massera henne och han kände att hon var lika spänd som han. Hon sa inget utan stirrade bara rakt fram. Händerna som hade arbetat med silverängeln vilade mot bordet och det enda som hördes var ljudet av deras andetag. Hoppet vaknade i honom. Han rörde vid henne, kände hennes kropp under sina händer, och kanske fanns det en väg framåt.

Då reste sig Ebba plötsligt. Utan att säga något gick hon därifrån och hans händer blev hängande kvar i luften. Han stod en stund och såg på hennes arbetsbord som var belamrat med saker. Sedan, som av sig själva, gjorde hans armar en vid bågrörelse och sopade med ett brak ner allt på golvet. I tystnaden som följde insåg han att det bara fanns en väg att gå. Han måste satsa allt.

Stockholm 1925

"Jag fryser, mamma." Laura gnydde olyckligt men Dagmar brydde sig inte om henne. De skulle vänta här tills Hermann kom hem. Förr eller senare måste han komma och han skulle bli så glad när han upptäckte henne. Hon längtade efter att se ljuset tändas i hans ögon, se den åtrå och kärlek som skulle vara ännu starkare efter alla år av väntan.

"Mamma ..." Laura skakade så att hennes tänder skallrade.

"Tyst!" fräste Dagmar. Ungen skulle alltid förstöra allt. Ville hon inte att de skulle bli lyckliga? Raseriet inom henne gick inte att behärska och hon höjde handen för att slå.

"Jag skulle inte göra så där om jag var ni." En stark hand fattade tag om hennes handled och Dagmar vände sig förskräckt om. Bakom henne stod en välklädd herre i mörk rock, mörka byxor och hatt.

Hon knyckte på nacken. "Herrn ska inte lägga sig i hur jag uppfostrar mitt barn."

"Om ni slår henne kommer jag att slå er lika hårt. Då får ni se hur det känns", sa han lugnt med en röst som inte tålde några motsägelser.

Dagmar övervägde att tala om för honom vad hon tyckte om människor som lade sig i sådant de inte hade med att göra, men hon insåg att det inte skulle gagna henne.

"Jag ber om ursäkt", sa hon. "Flickan har varit omöjlig hela dagen. Det är inte lätt att vara mor och ibland så ..." Hon ryckte urskuldande på axlarna och tittade ner i marken så att han inte skulle se ursinnet i hennes blick.

Sakta släppte han greppet om hennes handled och tog ett steg tillbaka.

"Vad gör ni här, utanför min port?"

"Vi väntar på min pappa", sa Laura och såg bedjande på främlingen. Hon var inte bortskämd med att någon vågade sätta sig upp mot hennes mor.

"Jaså, bor din pappa här?" Mannen granskade Dagmar.

"Vi väntar på kapten Göring", sa hon och drog Laura intill sig.

"Ja, då får ni vänta", sa han men fortsatte att nyfiket studera dem.

Dagmar kände hur hjärtat började bulta i bröstet. Hade det hänt Hermann något? Varför hade den eländiga människan där uppe inte sagt något?

"Hurså?" sa hon.

Mannen korsade armarna över bröstet. "De kom och hämtade honom med ambulans. De förde bort honom i tvångströja."

"Jag förstår inte?"

"Han sitter på Långbro sjukhus." Mannen i den fina rocken drog sig mot porten och verkade nu raskt vilja avsluta samtalet med Dagmar. Hon tog tag i hans arm, men han ryckte äcklat till sig den.

"Snälla herrn, var ligger sjukhuset? Jag måste hitta Hermann!"

Olusten stod skriven i hela hans ansikte och han öppnade porten och steg in utan att svara. När den tunga dörren slog igen efter honom sjönk Dagmar ihop på marken. Vad skulle hon nu ta sig till?

Laura grät hjärtskärande, ryckte i henne och försökte få upp henne på fötter. Dagmar skakade bort hennes händer. Kunde ungen inte bara låta henne vara i fred och försvinna härifrån? Vad skulle hon med henne till om hon inte fick Hermann? Laura var inte hennes barn. Hon var deras.

Patrik skyndade in på stationen men tvärstannade framför receptions-luckan. Annika satt djupt försjunken i något och tittade upp först efter en stund. När hon såg att det var Patrik log hon och tittade sedan ner igen.

"Är Martin fortfarande sjuk?" frågade Patrik.

"Ja", sa Annika med blicken på dataskärmen.

Patrik gav henne ett undrande ögonkast och vände sedan på klacken. Det fanns bara en sak att göra.

"Jag åker och gör ett ärende", sa han och gick ut igen. Han hann se hur Annika öppnade munnen men hörde inte om hon sa något.

Patrik tittade på klockan. Hon var strax före nio på morgonen. Det var möjligen lite tidigt för att ringa på hemma hos någon, men nu var han så orolig att han struntade i om han väckte dem.

Det tog honom bara några minuter att köra hem till lägenheten där Martin bodde med sin familj. Utanför dörren tvekade han. Kanske var det ingenting som var fel, kanske var Martin sjuk och låg nedbäddad och skulle bli väckt i onödan. Han kanske till och med skulle bli förolämpad och tro att Patrik kom och kontrollerade honom. Men magkänslan sa något annat. Martin skulle ha hört av sig även om han var sjuk. Patrik satte fingret på dörrklockan.

Han väntade en lång stund och övervägde om han skulle ringa på igen, men han visste att lägenheten inte var större än att signalen måste ha hörts ordentligt. Slutligen hörde han steg som närmade sig.

När dörren öppnades fick Patrik en chock. Martin såg utan tvivel sjuk ut. Han var orakad, håret var rufsigt och han luktade svagt av svett, men det var framför allt hans döda blick som gjorde att Patrik knappt kände igen honom.

"Jaha, är det du", sa han.

"Får jag komma in?"

Martin ryckte på axlarna, vände sig om och hasade in i lägenheten.

"Jobbar Pia?" sa Patrik och tittade sig omkring.

"Nej." Martin hade stannat vid balkongdörren i vardagsrummet och stod och glodde ut genom rutan.

Patrik rynkade ögonbrynen. "Är du sjuk?"

"Jag har ju sjukanmält mig. Har inte Annika sagt det?" Tonen var vresig och han vände sig om. "Men du kanske vill ha sjukintyg på det? Är du här och kollar så att jag inte ljuger och egentligen ligger och solbadar på någon klippa?"

Vanligtvis var Martin den lugnaste och godmodigaste person Patrik visste. Något som liknade det här utbrottet hade han aldrig sett och han kände hur oron steg. Något stod onekligen inte rätt till.

"Kom så sätter vi oss", sa han och nickade mot köket.

Martins ilska dämpades lika snabbt som den hade blossat upp och han återfick sin döda blick. Han nickade slött och följde efter Patrik. De slog sig ner vid köksbordet och Patrik såg bekymrat på Martin.

"Vad är det som har hänt?"

Det blev tyst i någon minut.

"Pia kommer att dö", sa Martin sedan och tittade ner i bordet.

Orden var obegripliga och Patrik ville inte tro att han hört rätt.

"Vad menar du?"

"Hon togs in för behandling i förrgår. Hon hade tydligen tur som kunde få en plats så snabbt."

"Behandling? För vad?" Patrik ruskade på huvudet. Han hade ju sprungit på Pia och Martin i helgen och då verkade allt som det skulle.

"Om det inte sker ett mirakel säger läkarna att det kanske bara är sex månader kvar."

"Sex månader kvar på behandlingen?"

Sakta lyfte Martin på huvudet och tittade honom rakt i ögonen. Den nakna smärtan i hans blick fick Patrik att nästan rygga tillbaka.

"Sex månader kvar tills hon dör. Sedan har Tuva ingen mamma längre."

"Vad … Hur … När fick ni …?" Patrik hörde hur han stammade men kunde helt enkelt inte formulera något vettigt efter det han fått höra.

Han fick heller inget svar. I stället föll Martin ihop över bordet och grät så att han skakade. Patrik reste sig och gick fram och lade armarna om honom. Han visste inte hur lång tid som gick, men till slut avtog Martins gråt och kroppen slappnade av.

"Var är Tuva?" frågade Patrik med armarna fortfarande om Martin.

"Hos Pias mamma. Jag orkar inte … inte just nu." Han började gråta igen, men nu rann tårarna mer stillsamt nedför kinderna.

Patrik strök honom över ryggen. "Såja, ut med det bara."

Det var en klyscha och han kände sig lite fånig, men vad sa man i ett sådant här läge? Fanns det något som var rätt eller fel? Frågan var om hans ord egentligen spelade någon roll, om Martin ens hörde vad han sa.

"Har du ätit något?"

Martin snörvlade till, torkade näsan på morgonrockens ärm och skakade på huvudet. "Jag är inte hungrig."

"Det struntar jag i. Du måste äta." Patrik gick för att inventera kylen. Det fanns gott om mat, men han gissade att det inte var någon större idé att laga till en ordentlig måltid, så han nöjde sig med att plocka fram smör och ost. Sedan rostade han ett par skivor formfranska som han hittade i frysen och gjorde i ordning två smörgåsar. Mer än så trodde han inte att Martin skulle få i sig. Efter en stunds övervägande gjorde han en macka till sig själv också. Det var alltid lättare att äta om man fick sällskap.

"Berätta nu hur det ligger till", sa han när Martin fått i sig den första mackan och började få lite mer färg i ansiktet.

Stötvis och hackigt berättade Martin allt han visste om Pias cancer och om chocken att ena dagen tro att allt var bra för att ett par dagar senare få veta att hon måste läggas in på sjukhus för en tuff behandling som troligtvis ändå inte skulle kunna hjälpa henne.

"När får hon komma hem?"

"Nästa vecka, tror jag. Jag vet inte riktigt, jag har inte …" Martins hand darrade när han lyfte mackan och hans blick var skamsen.

"Du har inte pratat med dem? Har du varit hos Pia sedan hon lades in?" Patrik gjorde sitt bästa för att inte låta förebrående. Det var det sista Martin behövde nu, och på något märkligt sätt kunde han förstå hans reaktion. Han hade sett tillräckligt många människor i chock för att känna igen den tomma blicken och de stela rörelserna.

"Jag gör lite te", sa han innan Martin hann svara. "Eller vill du hellre ha kaffe?"

"Kaffe", sa Martin. Han tuggade och tuggade och såg ut att ha svårt att svälja.

Patrik tog ett glas och fyllde det med vatten. "Skölj ner med det här. Kaffet kommer strax."

"Jag har inte varit hos henne", sa Martin och slutade tugga.

"Det är inte så konstigt. Du är i chock", sa Patrik medan han mätte upp kaffe i filtret.

"Jag sviker henne. När hon behöver mig som mest sviker jag henne. Och Tuva. Jag kunde inte få iväg henne till Pias mamma fort nog. Som om inte hon också har det svårt nu. Pia är ju hennes dotter." Han verkade nära att börja gråta igen men tog ett djupt andetag och andades långsamt ut. "Jag fattar inte var Pia får sin styrka ifrån. Hon har ringt mig flera gånger och varit orolig för mig. Hur galet är inte det? Hon får strålning och cellgifter och fan vet allt. Hon är säkert skiträdd och mår dåligt. Ändå är hon orolig för mig!"

"Det är inte heller så konstigt", sa Patrik. "Du, vi gör så här. Du går in och duschar och rakar dig, och lagom tills du är färdig är kaffet klart."

"Nej, jag …", började Martin men Patrik höll upp en hand.

"Antingen går du in och duschar och sköter det hela själv, eller så släpar jag in dig i duschen och skrubbar av dig. Jag slipper helst den upplevelsen och det hoppas jag att du också gör."

Martin kunde inte låta bli att skratta. "Du kommer inte i närheten av mig med en tvål. Jag gör det själv."

"Bra", sa Patrik och vände sig om för att leta efter muggar i skåpen. Han hörde hur Martin reste sig och gick mot badrummet.

Tio minuter senare var det en ny man som klev in i köket.

"Nu känner jag igen dig", sa Patrik och hällde upp rykande hett kaffe i var sin mugg.

"Jag känner mig lite bättre nu. Tack", sa Martin och slog sig ner. Ansiktet var fortfarande härjat och glåmigt, men det fanns mer liv i de gröna ögonen. Det röda, fuktiga håret stod rakt upp. Han såg ut som en något överårig Kalle Blomkvist.

"Jag har ett förslag", sa Patrik som funderat medan Martin var i badrummet. "Du måste lägga all tid du kan på att stötta Pia. Dessutom kommer du att behöva ta mycket ansvar för Tuva. Ta semester från och med nu, så ser vi vad som händer och hur länge den behöver förlängas."

"Jag har bara tre veckors semester kvar."

"Det löser sig", sa Patrik. "Tänk inte på det praktiska nu."

Martin tittade tomt på honom och nickade. Patrik fick upp en bild i huvudet av Erica och bilolyckan. Det kunde ha varit han som satt där. Det hade varit så nära att han hade förlorat allt.

Hon hade legat och funderat hela natten. Efter att Patrik åkt till jobbet hade hon satt sig på verandan för att i lugn och ro försöka samla tankarna medan barnen för tillfället lekte på egen hand. Hon älskade utsikten över Fjällbacka skärgård och var oändligt tacksam över att hon till slut hade lyckats rädda sitt och Annas föräldrahem så att barnen kunde få växa upp här. Det var inte ett helt lätt hus att ta hand om. Vinden och saltvattnet slet hårt på träet och det krävdes ständiga reparationer och förbättringar.

Numera var det inga större problem ekonomiskt sett. Det hade tagit många år av slit, men nu tjänade hon riktigt bra på sina böcker. Hon hade inte förändrat sina vanor särskilt mycket, men det var en trygghet att inte behöva oroa sig för att hushållsbudgeten skulle spräckas om pannan gick sönder eller om de behövde göra en fasadrenovering.

Många människor hade inte den tryggheten, vilket hon var väl medveten om, och när pengarna aldrig räckte till och jobben plötsligt försvann var det lätt att söka efter en syndabock. Däri låg säkert en del av förklaringen till Sveriges Vänners framgång. Sedan mötet med John hade hon inte kunnat sluta tänka på honom och på det han stod för. Hon hade hoppats att möta en osympatisk man, som öppet stod för sina åsikter. I stället hade hon funnit något mycket farligare. En vältalig person som på ett förtroendeingivande sätt kunde ge de enkla svaren. Som kunde hjälpa väljarna att identifiera syndabocken och sedan lova att han skulle se till att den försvann.

Erica rös till där hon satt. Hon var övertygad om att John Holm dolde något. Kanske hängde det ihop med händelserna på Valö, kanske inte. Det återstod att ta reda på och hon visste vem hon skulle prata med.

"Ungar, vi ska ut och åka lite bil!" ropade hon in i vardagsrummet. Hon möttes genast av jubel. Alla tre hade alltid älskat att åka bil.

"Mamma ska bara ringa ett samtal. Ta på dig skorna så länge, Maja, så kommer jag strax och hjälper Anton och Noel."

"Jag kan hjälpa dem", sa Maja och tog en bror i vardera handen och släpade dem mot hallen. Erica log. Maja blev mer lik en liten extramamma för var dag som gick.

En kvart senare satt de i bilen på väg mot Uddevalla. Hon hade ringt för att försäkra sig om att Kjell var på plats, så att hon inte släpade med sig barnen fram och tillbaka i onödan. Först hade hon övervägt att förklara allt på telefon men sedan insett att han borde se lappen med egna ögon.

Hela vägen till Uddevalla sjöng de olika barnvisor, så det var med hes röst Erica anmälde deras ankomst i receptionen. Efter en kort stund kom Kjell ut och mötte dem.

"Oj, kommer ni hela gänget?" sa han och såg på de tre barnen som blygt tittade tillbaka.

Han kramade henne och hans skägg rev lätt mot hennes kind. Erica log. Hon var glad att träffa honom. De hade lärt känna varandra några år tidigare när en mordutredning hade visat att hennes avlidna mor Elsy och Kjells far hade umgåtts under andra världskriget. Både hon och Patrik tyckte mycket om honom och hon hade stor respekt för honom som journalist.

"Ingen barnvakt i dag."

"Det gör inget. Det är bara kul att träffa er", sa Kjell och såg vänligt på barnen. "Jag tror att jag har några leksaker i en korg som ni kan få leka med medan mamma och jag pratar."

"Leksaker?" Blygheten var plötsligt som bortblåst och Maja tågade raskt efter Kjell på jakt efter den utlovade korgen.

"Här är den, men det var visst mest papper och kritor", sa Kjell och hällde ut allt på golvet.

"Jag kan inte garantera att det inte blir några fläckar på mattan", sa Erica. "De är inte så bra på att hålla sig på papperet än."

"Ser det ut som om några fläckar hit eller dit skulle göra någon större skillnad på den här mattan?" sa Kjell och satte sig vid sitt skrivbord.

Erica tittade ner på den solkiga mattan och insåg att han hade rätt.

"Jag träffade John Holm i går", sa hon och slog sig ner på besöksstolen.

Kjell tittade forskande på henne.

"Vad var ditt intryck?"

"Charmerande. Men livsfarlig."

"Det är nog rätt tolkning. I sin ungdom tillhörde John en av de värsta grupperna inom skinnskallerörelsen. Det var där han träffade sin fru också."

"Lite svårt att se honom framför sig med rakad skalle." Erica vände sig om för att titta till barnen, men hittills uppförde de sig exemplariskt.

"Ja, han har bättrat på sin image rejält. Men enligt min uppfattning ändrar de här killarna inte åsikter. De blir bara smartare med åren och lär sig hur man bör uppföra sig."

"Finns han med i brottsregistret?"

"Nej, han har aldrig tagits för något även om det ska ha varit nära några gånger i ungdomen. Samtidigt tror jag inte ett ögonblick på att Johns inställning har ändrats sedan åren då han gick med i Karl XII-marscherna. Däremot vågar jag påstå att det till hundra procent är hans förtjänst att partiet sitter i riksdagen."

"På vilket sätt?"

"Hans första genidrag var att utnyttja splittringen som uppstod bland de olika nationalsocialistiska grupperna efter skolbranden i Uppsala."

"Den när tre nazister dömdes för dådet?" sa Erica och mindes de svarta rubrikerna från många år tidigare.

"Ja, precis. Förutom splittringen inom och mellan de olika grupperna, blev det mediala intresset plötsligt enormt och polisen höll ögonen på dem. Då klev John in. Han samlade de smartare hjärnorna från de olika grupperna och föreslog ett samarbete, vilket ledde till att Sveriges Vänner blev det ledande partiet. Sedan har han ägnat många år åt att åtminstone på ytan rensa upp bland medlemmarna och han har trummat in budskapet att deras politik är gräsrötternas politik. De har positionerat sig som ett arbetarparti, den lille mannens röst."

"Borde det inte vara svårt att hålla ihop ett sådant parti? Det finns väl en hel del extremister?"

Kjell nickade. "Jo, en del har hoppat av. De har tyckt att John har haft en för mjäkig inställning och att han svikit de gamla idealen. Tydligen finns det en outtalad regel att man inte pratar öppet om invandringspolitiken. Det finns för många olika åsikter och risken är att det skulle splittra partiet. Där finns alltifrån dem som tycker att man ska sätta alla invandrare på första bästa plan till deras ursprungsländer, till dem som tycker att man ska ställa hårdare krav på var och en som kommer hit."

"Vilken kategori tillhör John?" frågade Erica och vände sig om för att hyssja på tvillingarna som hade börjat stoja.

"Officiellt den senare, men inofficiellt …? Om jag säger så här: jag skulle inte bli förvånad om han har en nasseuniform hängande hemma i garderoben."

"Hur hamnade han i de här kretsarna?"

"Jag har kollat upp hans bakgrund lite mer sedan du ringde i går. Det som jag redan visste var att John växte upp i en ytterst förmögen familj. Hans far grundade ett exportföretag under 1940-talet och efter kriget fortsatte han att bygga upp företaget och affärerna gick strålande. Men 1976 …" Kjell gjorde en konstpaus och Erica satte sig rakare upp på stolen.

"Ja?" sa hon.

"Då skedde en skandal i Stockholms finare kretsar. Johns mamma Greta lämnade hans pappa Otto för en libanesisk affärsman som pappan hade gjort affärer med. Det visade sig också att Ibrahim Jaber, som han hette, hade lurat av Otto huvuddelen av hans förmögenhet. Så utblottad och övergiven sköt Otto sig vid sitt skrivbord i slutet av juli 1976."

"Vad hände med Greta och John?"

"Ottos död var inte slutet på tragedin. Det visade sig att Jaber redan hade fru och barn. Han hade aldrig tänkt gifta sig med Greta utan tog pengarna och lämnade henne. Några månader senare återfinns Johns namn för första gången i nationalsocialistiska sammanhang."

"Och hatet har bestått", sa Erica. Hon sträckte sig efter sin handväska, tog fram lappen och gav den till Kjell.

"Den här hittade jag hemma hos John i går. Jag vet inte hur man ska tyda det som står, men kanske kan det vara något?"

Han skrattade till. "Definiera 'hittade'?"

"Nu låter du som Patrik", sa Erica och log. "Den låg bara där. Det är säkert en kladdlapp som ingen kommer att sakna."

"Få se." Kjell sköt ner glasögonen som han hade haft i pannan. "Gimle", läste han högt och rynkade ögonbrynen.

"Ja, vad betyder det? Jag har aldrig hört ordet förut. Är det en förkortning?"

Kjell skakade på huvudet. "Gimle är det som kommer efter Ragnarök i den nordiska mytologin. Ett slags himmel eller paradis. Begreppet är väl känt och använt inom nynazistiska kretsar. Det är också namnet på en kulturförening. De hävdar att de är partipolitiskt obundna, men hur det är med den saken vet jag inte. I alla fall är de populära hos både Sveriges Vänner och Dansk Folkeparti."

"Vad gör de?"

"De verkar för att, som de själva säger, återskapa nationalkänsla och gemensam identitet. De intresserar sig för gamla svenska traditioner, folkdans, gammalsvensk poesi, fornminnen och liknande, vilket går bra ihop med Sveriges Vänners idé om de svenska traditionernas bevarande."

"Skulle Gimle alltså kunna syfta på den föreningen?" Hon pekade på lappen.

"Det är omöjligt att gissa. Han kan ju mena vadsomhelst. Det är svårt att veta vad de här siffrorna betyder också. 1920211851612114. Och sedan står det 5 08 1400."

Erica ryckte på axlarna. "Ja, jag har ingen aning. Det kan ju vara helt obetydligt telefonklotter också. Det ser ut att vara hastigt nedtecknat."

"Kanske det", sa Kjell. Han viftade med lappen. "Kan jag få behålla den?"

"Ja, absolut. Jag ska fota den med mobilen bara. Man vet aldrig om jag får någon snilleblixt och knäcker koden."

"Bra idé." Han sköt fram lappen mot henne och hon tog en bild. Sedan ställde hon sig på knä på mattan och började städa upp efter barnen.

"Har du någon tanke om vad du kan göra med den?"

"Nej, inte än. Men jag har lite idéer om olika arkiv där jag kan söka mer information."

"Är du säker på att det inte bara är klotter då?" sa hon.

"Nej, men det är värt chansningen."

"Hör gärna av dig om du får reda på något, så hör jag av mig så fort jag får fram något nytt." Hon började fösa barnen mot korridoren.

"Självklart, vi hörs", sa han och sträckte sig efter telefonen.

Det var så typiskt. Om Gösta kom sent blev det ett herrans liv, men själv kunde Patrik vara borta halva förmiddagen utan att någon höjde på ögonbrynen. Erica hade ringt i går kväll och berättat om sina besök hos Ove Linder och John Holm, och Gösta var angelägen att han och Patrik nu skulle komma iväg till Leon. Han suckade över livets orättvisor och återgick till listan framför sig.

Sekunden efter ringde telefonen och han kastade sig på luren.

"Ja, hallå, det var Flygare här."

"Gösta", sa Annika. "Det är Torbjörn som ringer. Resultatet av den första blodanalysen har kommit in. Han söker Patrik men du kanske kan ta det?"

"Självklart."

Gösta lyssnade noga och antecknade allt, trots att han visste att Torbjörn även skulle faxa en kopia av sin rapport. Rapporterna brukade vara skrivna på ett så krångligt språk och det var lättare att förstå när Torbjörn beskrev det muntligt.

I samma stund som han lade på knackade det på den öppna dörren.

"Annika sa att Torbjörn precis ringde. Vad sa han?" Patrik lät ivrig på rösten, men blicken var sorgsen.

"Har det hänt något?" sa Gösta utan att svara på frågan.

Patrik satte sig tungt ner. "Jag har varit och kollat till Martin."

"Hur var det med honom?"

"Martin kommer att vara ledig ett tag framöver. Tre veckor till att börja med. Sedan får vi se."

"Varför då?" Gösta kände oron stiga. Nog för att han brukade köra med pojken ibland, men han gillade Martin Molin. Det fanns ingen som inte gillade Martin.

När Patrik berättade det han visste om Pias tillstånd svalde Gösta hårt. Stackars grabb. Och deras lilla tjej som bara var några år gammal och som skulle förlora sin mamma alltför tidigt. Han svalde igen, vände sig bort och blinkade febrilt. Han kunde inte sitta här på jobbet och lipa.

"Vi får fortsätta jobba på utan Martin", avslutade Patrik. "Vad sa Torbjörn då?"

Gösta torkade sig diskret i ögonen och harklade sig innan han vände sig om med anteckningarna i handen.

"SKL bekräftar att det är människoblod. Men det är så gammalt att man inte har lyckats få fram något dna-resultat som kan jämföras med Ebbas blod, och det är osäkert om det kommer från en eller flera personer."

"Okej. Det var väl ungefär som jag trodde. Kulan då?"

"Torbjörn fick iväg den i går till en kille han känner där som är specialist på vapen. Han har gjort en snabbanalys, men tyvärr matchar den inte någon kula från andra ouppklarade brott."

"Hoppas kunde man ju alltid", sa Patrik.

"Jo. Den har hursomhelst en diameter på nio millimeter."

"Nio millimeter? Det begränsar ju inte urvalet av vapen direkt." Patrik sjönk ihop på stolen.

"Nej, men Torbjörn sa att det fanns tydliga räfflor i den, så killen ska undersöka kulan närmare och se om han kan avgöra vilken typ av vapen som har använts. Och om vi hittar vapnet kan kulan matchas mot det."

"Då återstår bara den lilla detaljen att hitta vapnet." Han såg fundersamt på Gösta. "Hur noggrant genomsökte ni huset och omgivningarna?"

"Du menar 1974?"

Patrik nickade.

"Vi gjorde så gott vi kunde", sa Gösta. "Vi hade begränsat med folk men nog finkammade vi ön. Om det fanns ett vapen slängt någonstans borde vi ha hittat det."

"Det ligger troligen på havets botten", sa Patrik.

"Du har säkert rätt. Jag har förresten börjat ringa runt till eleverna som gick på skolan, men det har inte gett något hittills. Det är flera som inte svarar, men det är inte så konstigt, det är ju semestertider och de är väl bortresta."

"Bra att du har kommit igång i alla fall", sa Patrik och förde handen genom håret. "Du kan väl notera om det är någon som känns extra intressant att prata med, så får vi se om vi har möjlighet att åka och träffa dem."

"De är spridda över i princip hela Sverige", sa Gösta. "Det kommer att bli ett himla resande om vi ska försöka prata med dem öga mot öga."

"Vi får ta den diskussionen när vi ser hur många det kan bli tal om." Patrik reste sig och rörde sig mot dörren. "Ska vi åka hem till Leon Kreutz efter lunch då? Honom har vi ju som tur är på närmare håll."

"Det blir bra. Förhoppningsvis kommer det att ge mer än förhören i går. Josef var precis lika tillknäppt som jag mindes honom."

"Ja, honom fick man dra orden ur. Och den där Sebastian är ju en hal typ", sa Patrik och gick sin väg.

Gösta vände ryggen till och laddade för att slå ett nytt nummer. Av någon anledning avskydde han att prata i telefon och om det inte hade varit för Ebba skulle han ha gjort allt för att slippa undan. Han var glad att Erica skulle ta några av samtalen.

"Gösta? Kom ett slag", ropade Patrik.

Ute i korridoren stod Mårten Stark. Han såg sammanbiten ut och i handen höll han en plastpåse som innehöll något som verkade vara ett vykort.

"Mårten har en sak att visa oss", sa Patrik.

"Jag lade det i en påse så fort jag kunde", sa Mårten. "Men jag tog ju i det först, så kanske har jag ändå förstört några spår."

"Det var bra tänkt", sa Patrik lugnande.

Gösta tittade på kortet genom plasten. Det var ett standardvykort med en gullig kattunge på framsidan. Han vände på det och läste de korta raderna.

"Vad i helvete?" utbrast han.

"Det verkar som om 'G' börjar visa sin rätta sida", sa Patrik. "Det här är ju utan tvivel ett dödshot."

Långbro sjukhus 1925

Det måste ha blivit något missförstånd eller så var det den där hemska kvinnans fel. Men Dagmar kunde hjälpa honom. Vad som än hade hänt skulle det ordna sig så snart de var tillsammans igen.

Hon hade lämnat flickan på ett konditori i stan. Det skulle inte gå någon nöd på henne. Om någon frågade varför hon satt där ensam, skulle hon säga att mor bara hade gått på toaletten.

Dagmar studerade byggnaden. Det hade inte varit svårt att hitta hit. Efter att ha hejdat några personer och frågat om vägen mötte hon till slut en kvinna som kunde beskriva exakt hur hon skulle ta sig till Långbro sjukhus. Nu var det stora bekymret hur hon skulle ta sig in. På framsidan vid huvudentrén fanns gott om personal och hon kunde lätt bli upptäckt. Hon hade övervägt att presentera sig som fru Göring, men om Carin redan hade varit här skulle bluffen genast avslöjas och hon skulle inte få någon mer chans.

Försiktigt, för att inte bli sedd från något av fönstren, smög hon sig runt till byggnadens baksida. Där fanns det en dörr som verkade vara en personalingång. Hon stod en god stund och bevakade den och såg kvinnor i olika åldrar gå ut och in, iklädda stärkta uniformer. En del av dem fyllde på en vagn med tvätt som var placerad till höger om dörren och med ens fick Dagmar en idé. Vaksamt gick hon fram mot tvättvagnen och höll hela tiden blicken på dörren för att hinna se om någon var på väg ut. Men dörren höll sig stängd och snabbt sökte hon igenom innehållet i vagnen. Det verkade mest vara sängkläder och dukar, men så hade hon tur. Längst ner låg en uniform, precis likadan som sjuksköterskorna hade haft på sig. Hon ryckte åt sig den och smet runt hörnet för att byta om.

När hon var klar sträckte hon på sig och petade noggrant in håret under den lilla mössan. Dräkten var lite smutsig på fållen, men i övrigt såg den inte farligt använd ut. Nu fick hon hoppas att inte alla sköterskor kände varandra och omedelbart skulle lägga märke till om det kom någon ny.

Dagmar öppnade dörren och kikade in i vad som tycktes vara ett omklädningsrum för personalen. Det var tomt och hon skyndade vidare ut i korridoren, alltmedan hon kastade förstulna blickar omkring sig. Hon fortsatte gå tätt intill väggen och passerade en lång rad stängda dörrar. Ingenstans satt det några namnskyltar och hon började långsamt inse att hon aldrig skulle hitta Hermann här. Förtvivlan steg inom henne och hon satte handen för munnen för att hindra ett gnyende läte från att slippa ut. Hon fick inte ge upp än.

Två unga sköterskor kom gående emot henne i korridoren. De pratade lågmält med varandra men när de kom närmare hörde Dagmar samtalet bättre. Hon spetsade öronen. Visst sa de Göring? Hon gick saktare, försökte lyssna till deras ord. Den ena sköterskan hade en bricka i handen och det lät som om hon beklagade sig för den andra.

"Sist jag gick in kastade han all mat på mig", sa hon och skakade på huvudet.

"Det är därför husmor har sagt att vi från och med nu ska vara två när vi går in till Göring", sa den andra. Även hon lät aningen darrig på rösten.

De stannade utanför en dörr i korridoren och såg ut att tveka. Dagmar förstod att stunden var inne. Det var nu hon måste skrida till handling, och hon harklade sig och sa med myndig stämma:

"Jag har fått besked om att jag ska ta hand om Göring, så att ni flickor slipper", sa hon och sträckte sig efter brickan.

"Har ni?" sa flickan med brickan villrådigt, men lättnaden i hennes ansikte var märkbar.

"Jag vet hur man handskas med sådana som Göring. Seså, ta och kila iväg och gör något nyttigt nu, så ordnar jag det här. Hjälp mig med dörren först bara."

"Tack", sa flickorna och neg. Den ena av dem plockade upp en stor nyckelknippa och satte vant en av nycklarna i låset. Hon höll upp dörren och så snart Dagmar stigit in i rummet gick de raskt därifrån, glada för att ha sluppit en obehaglig arbetsuppgift.

Dagmar kände hjärtat slå. Där låg han, hennes Hermann, på en enkel brits med ryggen mot henne.

"Allt ska bli bra, Hermann", sa hon och satte ifrån sig brickan på golvet. "Jag är här nu."

Han rörde sig inte. Hon betraktade hans ryggtavla och rös av välbehag över att äntligen vara så nära honom.

"Hermann", sa hon och lade handen på hans axel.

Han ryggade undan och i en enda rörelse vände han sig och satte sig upp på sängkanten. "Vad vill ni?!" vrålade han.

Dagmar ryggade tillbaka. Var det här Hermann? Den stilige flygkapten som fått hela hennes kropp att skälva. Den rakryggade och bredaxlade man vars hår glänst gyllengult i solen. Det här kunde väl inte vara han?

"Ge mig min medicin, din förbannade slyna. Jag kräver det! Vet du inte vem jag är? Jag är Hermann Göring och jag behöver min medicin." Han talade svenska med stark tysk brytning och han gjorde pauser som om han letade efter rätt ord.

Hon kände hur strupen snörptes ihop. Mannen som vrålade som besatt framför henne var fet med sjukligt blek hud. Håret var glest och låg som klistrat över hjässan. Svetten rann i ansiktet.

Dagmar tog ett djupt andetag. Hon måste försäkra sig om att hon inte hade kommit fel.

"Hermann. Det är jag, Dagmar." Hon höll sig på avstånd från honom, beredd på att han närsomhelst kunde göra ett utfall. Blodådrorna i hans panna bultade och den bleka hudtonen började ersättas av en skarp rodnad från halsen och uppåt.

"Dagmar? Jag struntar i vad ni horor heter. Jag vill ha min medicin. Det är judarna som har spärrat in mig här, och jag måste bli frisk. Hitler behöver mig. Ge mig min medicin!"

Han fortsatte skrika så att spottet stänkte i ansiktet på Dagmar. Förfärad försökte hon igen:

"Minns du inte mig? Vi möttes på en fest hos doktor Sjölin. I Fjällbacka."

Utbrottet upphörde tvärt och han rynkade pannan och tittade förbryllat på henne.

"I Fjällbacka?"

"Ja, på festen hos doktor Sjölin", upprepade hon. "Vi tillbringade natten tillsammans."

Hans blick ljusnade och hon insåg att han mindes. Äntligen. Nu skulle allt ordna sig. Hon skulle ställa allt till rätta och Hermann skulle åter bli hennes stilige kapten.

"Du är servitrisen", sa han och torkade svetten ur pannan.

"Jag heter Dagmar", sa hon med en begynnande oroskänsla i magen. Varför hade han inte redan rusat fram och tagit henne i famnen, så som hon alltid hade sett det framför sig i sina drömmar?

Plötsligt började han skratta så att den feta magen hoppade.

"Dagmar. Just det." Han skrattade igen och Dagmar knöt händerna.

"Vi har en dotter. Laura."

"En dotter?" Han synade henne med smala ögon. "Det är inte första gången jag hör det. Sådant kan man aldrig veta. Särskilt inte med en servitris."

De sista orden uttalade han med förakt i rösten och Dagmar kände åter raseriet stiga. I det vita, sterila rummet där inte en gnutta dagsljus trängde in från något fönster gick alla hennes drömmar och förhoppningar i kras. Allt det hon trott sig veta om sitt liv var en lögn, åren då hon hade längtat och trånat och stått ut med den skrikande ungen, hans dotter, som bara krävde och krävde hade varit förgäves. Hon kastade sig fram mot honom med fingrar böjda som klor. Gutturala läten kom ur hennes strupe, och hon önskade inget hellre än att göra honom lika illa som han hade gjort henne. Hennes fingrar grävde sig in och klöste hans ansikte och som på avstånd hörde hon honom skrika på tyska. Dörren öppnades och hon kände armar som slet i henne, slet henne bort från den man hon älskat så länge.

Sedan blev allt svart.

Det var hans far som lärt honom hur man gjorde en bra affär. Lars-Åke "Lovart" Månsson hade varit en legend och under hela sin uppväxt hade Sebastian beundrat honom. Smeknamnet hade fadern fått eftersom han alltid lyckades i affärer och alltid klarade sig, till och med ur de mest omöjliga knipor. "Lars-Åke kan spotta i lovart utan att få en droppe saliv i ansiktet", sa man.

Lovart menade att det egentligen var väldigt enkelt att få människor att göra som man ville. Grundprincipen var densamma som i boxning: man identifierade sin motståndares svaga punkt och sedan attackerade man den gång på gång tills man kunde höja armarna i en segergest. Eller som i hans eget fall, kamma hem storkovan. Hans sätt att göra affärer gjorde honom varken populär eller respekterad, men som han så ofta sagt: "Respekt mättar ingen hungrig."

Det hade även blivit Sebastians devis. Han visste mycket väl att han var avskydd av många och fruktad av fler, men där han satt vid poolen med en kall öl i handen tänkte han att han inte brydde sig det minsta om det. Vänner intresserade honom inte. Att ha vänner innebar att behöva kompromissa och släppa ifrån sig en del av makten.

"Pappa? Jag och grabbarna tänkte dra till Strömstad, men jag har inga pengar." Jon kom släntrande i badbyxor och såg bedjande på honom.

Sebastian skuggade ögonen med handen och betraktade sin tjugoårige son. Ibland gnällde Elisabeth över att han skämde bort honom och hans två år yngre syster Jossan, men han fnös bara åt henne. Hård uppfostran, med regler och liknande, var för vanliga Svenssons och inte för dem. Ungarna skulle lära sig vad livet hade att erbjuda, att man tog det man ville ha. Tids nog skulle han slussa in Jon i firman och lära honom allt som han själv hade lärt sig av Lovart, men än så länge tyckte han att grabben kunde få leka lite.

"Ta mitt guldkort. Det ligger i plånboken i hallen."

"Schyst. Tack farsan!" Jon sprang snabbt in i huset som om han var rädd att Sebastian skulle hinna ändra sig.

När han hade lånat guldkortet under tennisveckan i Båstad hade notan slutat på sjuttiotusen. Men det var småpengar i sammanhanget, framför allt om det hjälpte Jon att behålla sin ställning bland kamraterna han hade fått på Lundsberg. Där hade ryktet om hans fars förmögenhet snabbt gett honom vänner som i framtiden skulle bli inflytelserika män.

Det var självklart Lovart som hade lärt Sebastian vikten av att ha de rätta kontakterna. Kontakter var oerhört mycket mer värdefulla än vänner, och Lovart hade satt honom i skolan på Valö så snart han hade hört namnet på några av de pojkar som skulle gå där. Det enda som förargade honom var att judepojken, som han kallade honom, gick där. Pojken hade varken pengar eller bakgrund och hans närvaro sänkte skolans status. Men när Sebastian tänkte tillbaka på den där märkliga, avlägsna tiden, insåg han att Josef var den av eleverna som han hade tyckt mest om. Josef hade haft en drivkraft, en besatthet, som han kände igen hos sig själv.

När de nu hade återförenats genom Josefs galna idé, måste han erkänna att han beundrade Josefs vilja att göra vadsomhelst för att nå målet. Att deras mål var vitt skilda var inte relevant. Han visste att uppvaknandet skulle bli brutalt men anade att Josef innerst inne förstod att det här inte skulle sluta lyckligt för hans del. Men hoppet är det sista som dör och Josef var väl medveten om att han måste göra som Sebastian sa. Det var alla tvungna att göra.

Den senaste tidens händelser var onekligen intressanta. Skvallret om att man hade hittat något ute på ön hade snabbt spridit sig. Redan när Ebba återvände hade det förstås tagit fart. Allt som kunde aktualisera den gamla historien togs tacksamt emot. Och nu hade polisen börjat rota i det.

Sebastian snurrade tankfullt på sitt ölglas och tryckte det mot bröstet för att kyla ner sig. Han undrade vad de övriga tänkte om det som nu hände och om de också hade fått besök. Ute från uppfarten hörde han ljudet av Porschen som startade. Så den lilla skitungen hade snott hans bilnycklar som legat bredvid plånboken. Han log. Det var rätta takter. Lovart skulle ha varit stolt om han hade levt.

Ända sedan hon lämnat Valö i går hade hon funderat över olika inredningsidéer, och i morse hade hon nästan skuttat upp ur sängen. Dan hade skrattat åt hennes iver, men i hans ögon syntes hur otroligt glad han var för hennes skull.

Det var långt kvar tills hon skulle kunna sätta igång på allvar, men Anna kunde knappt bärga sig. Det var någonting med det där stället som drog henne till sig, kanske berodde det på att Mårten hade varit så öppen och entusiastisk inför hennes förslag. Han hade sett på henne med något som liknade beundran i ögonen och för första gången på länge hade hon känt sig som en intressant och duglig person. När hon ringde för att fråga om det gick bra att hon kom tillbaka för att ta mått och fotografera, hade han sagt att hon var mer än välkommen.

Anna kunde inte låta bli att sakna honom där hon stod och mätte avstånden mellan fönstren i Ebbas och Mårtens sovrum på övervåningen. Stämningen i huset var annorlunda när han inte var där. Hon kastade en blick på Ebba som höll på att måla dörrkarmen.

"Blir det inte ensamt här?"

"Nja, jag tycker att det är skönt med lite lugn och ro."

Svaret kom motvilligt och tystnaden i rummet var så tryckande att Anna kände sig tvingad att säga något mer.

"Har du kontakt med någon i din släkt? Din biologiska släkt, alltså?" Hon kunde ha bitit sig i tungan. Frågan kunde säkert uppfattas som oförskämd och göra Ebba ännu mera reserverad.

"Det finns inga kvar."

"Men har du forskat i din släkts historia? Du måste ju ändå vara nyfiken på vilka dina föräldrar var."

"Jag har inte varit det hittills." Ebba slutade måla och stod med penseln i luften. "Men sedan jag kom hit har jag så klart börjat fundera."

"Erica har en del material."

"Ja, hon sa det. Jag tänkte åka in någon dag och titta på det, jag har bara inte kommit mig för. Det känns så tryggt här ute. Jag har liksom fastnat på ön."

"Jag mötte Mårten förut. Han var på väg in till samhället."

Ebba nickade. "Ja, han får åka i skytteltrafik för att handla, hämta posten och göra alla andra ärenden. Jag ska försöka ta mig i kragen, men ..."

Anna var nära att fråga om barnet hon hört att Ebba och Mårten förlorat. Men hon förmådde inte. Hennes egen sorg var fortfarande för stor för att hon skulle orka tala med någon annan om en sådan förlust. Samtidigt undrade hon. Vad hon kunde se fanns inga spår av något barn i huset. Inga foton, inget föremål som tydde på att de en gång varit föräldrar. Bara något i deras ögon som Anna kände igen. Hon mötte den blicken i spegeln varje dag.

"Erica sa att hon skulle försöka ta reda på vart deras grejer tog vägen. Där kanske det finns en del personliga tillhörigheter", sa hon och började mäta längs golvet.

"Jo, jag håller med henne om att det är lite konstigt att allt bara försvann. Om de bodde här måste de ju ha haft alla möjliga saker. Jag skulle tycka att det var roligt att hitta saker från när jag var liten, till exempel. Kläder och leksaker. Sådant som jag har sparat efter ..." Hon hejdade sig och började måla igen och rummet fylldes av det svischande ljudet av penseln. Med jämna mellanrum böjde hon sig ner och doppade den i en bytta där den vita färgen började ta slut.

När Mårtens röst hördes från undervåningen stelnade hon till.

"Ebba?"

"Jag är här uppe!"

"Behöver du något från källaren?"

Ebba gick fram till trappavsatsen för att svara. "En burk vit färg, tack. Anna är här."

"Jag såg båten", ropade Mårten tillbaka. "Jag hämtar färg, så kan väl du sätta på en kopp kaffe?"

"Okej." Ebba vände sig mot Anna. "Du vill väl också ha lite fika?"

"Gärna", sa Anna och började vika ihop tumstocken.

"Nej, fortsätt en stund till, om du vill. Jag ropar när kaffet är klart."

"Tack, då gör jag så." Anna vek upp tumstocken igen och fortsatte mäta. Måtten skrev hon noggrant in på en skiss. Det skulle göra arbetet med inredningen mycket lättare.

Hon arbetade koncentrerat en stund och hörde hur Ebba stökade i köket där nere. Det skulle verkligen bli gott med en kopp kaffe nu. Helst någonstans i skuggan. Hettan på övervåningen började bli smått olidlig och hennes linne hade för längesedan klibbat fast mot ryggen.

Plötsligt hördes en hög knall följd av ett gällt skrik. Anna hoppade till av det oväntade ljudet och tumstocken föll i golvet. Ännu en knall hördes och utan att tänka rusade hon mot trappan och sprang ner så snabbt att hon höll på att halka på de slitna trappstegen.

"Ebba?" ropade hon och sprang mot köket.

I dörröppningen tvärstannade hon. Rutan som vette mot baksidan av huset hade splittrats och nedanför fönstret låg en stor hög med glas.

Skärvor hade spridits över hela rummet. På golvet framför spisen hukade sig Ebba med armarna över huvudet. Hon hade slutat skrika men andades ryckigt.

Anna rusade in i köket och kände glassplittret krossas under skorna. Hon lade armarna om Ebba och försökte se om hon var skadad men kunde inte se något blod. Snabbt tittade hon sig omkring för att upptäcka vad som kunde ha orsakat den splittrade rutan. När hennes blick föll på kökets bakre vägg drog hon häftigt efter andan. Två kulhål syntes tydligt i väggen.

"Ebba? Vad fan var det?" Mårten kom rusande uppför källartrappan och in i köket. "Vad är det som har hänt?"

Hans blick for mellan Ebba och glasrutan och ögonblicket efter var han framme vid sin fru.

"Är hon skadad? Hon är väl inte skadad?" Han omfamnade Ebba och vaggade henne i famnen.

"Jag tror inte det, men det verkar som om någon försökte skjuta henne."

Annas hjärta rusade och med ens insåg hon att de kunde vara i fara. Kanske var skytten fortfarande där utanför?

"Vi måste ta oss härifrån", sa hon med en gest mot fönstret.

Mårten förstod omedelbart vad hon försökte säga.

"Ställ dig inte upp, Ebba. Vi måste hålla oss borta från fönstret." Han pratade tydligt, som till ett barn.

Ebba nickade och gjorde som han sa. De hukade sig och sprang hastigt ut i hallen. Anna tittade skräckslaget på ytterdörren. Tänk om skytten skulle komma in den vägen, kliva över tröskeln och skjuta dem? Mårten såg hennes blick och kastade sig fram mot dörren och vred om låset.

"Finns det någon annan väg att ta sig in?" frågade hon och kände hur hjärtat fortfarande bultade.

"En källardörr men den är låst."

"Köksfönstret, då? Det är ju helt trasigt nu."

"Det sitter för högt upp", sa han men lät lugnare än han såg ut.

"Jag ringer polisen." Anna tog sin handväska som låg i hallen på en liten hylla. Händerna darrade när hon tog fram mobiltelefonen. Medan hon hörde signalerna gå fram tittade hon på Mårten och Ebba. De satt på nedersta trappsteget, Mårten med armarna om sin fru och Ebba med huvudet lutat mot hans bröst.

"Hallå där, var har ni varit?"

Erica hoppade till av förskräckelse när hon hörde rösten inifrån huset.

"Kristina?" Hon stirrade på sin svärmor som kom ut från köket med en disktrasa i handen.

"Jag släppte in mig själv. Det var tur att jag hade kvar nyckeln sedan jag vattnade blommorna åt er när ni var på Mallorca, annars hade jag åkt från Tanumshede i onödan", sa hon glatt och gick tillbaka in i köket.

Ja, eller så kunde du ha ringt och frågat om det passade att komma, tänkte Erica. Hon fick av barnen skorna, tog ett djupt andetag och gick in i köket.

"Jag tänkte att jag skulle titta förbi och hjälpa till ett par timmar. Jag ser ju hur ni har det och på min tid skulle det aldrig ha fått se ut så här. Man vet aldrig vem som kan komma på besök och då vill man ju inte visa upp sitt hem i det här skicket", sa Kristina och torkade frenetiskt diskbänken.

"Nej, man vet ju aldrig när kungen kan tänkas titta in på en kopp kaffe."

Kristina vände sig om med ett häpet uttryck i ansiktet. "Kungen? Varför skulle kungen komma hit?"

Erica bet ihop så hårt att käkarna stelnade men sa ingenting. Det var oftast bäst så.

"Var har ni varit?" frågade Kristina igen och gav sig på köksbordet med disktrasan.

"I Uddevalla."

"Nej, men har du satt barnen i bilen och åkt fram och tillbaka till Uddevalla? Stackars farmors älsklingar. Varför ringde du inte mig så hade jag kunnat komma och vara hos dem? Visserligen hade jag fått ställa in min morgonfika med Görel, men vad gör man inte för barn och barnbarn. Det är ens lott i livet. Du kommer att förstå det där när du blir äldre och barnen blir lite större."

Hon gjorde en paus för att kunna ta i och gnugga ordentligt på en klick marmelad som hade torkat fast i vaxduken.

"Men en dag kanske jag inte kan hjälpa till längre, sådant kan gå fort. Jag är över sjuttio år och man vet aldrig hur länge jag orkar."

Erica nickade och tvingade fram ett tacksamt leende.

"Har barnen fått något att äta?" frågade Kristina och Erica stelnade till. Hon hade glömt att ge barnen mat. De måste vara utsvultna, men det tänkte hon inte under några omständigheter erkänna för svärmodern.

"Vi åt en korv på vägen. Men de vill säkert ha lunch nu."

Med bestämda steg gick hon bort till kylen för att se vad hon kunde laga till. Snabbast blev nog fil och flingor, insåg hon, så hon ställde filen på bordet och tog fram ett paket Frosties ur skafferiet.

En bedrövad suck hördes från Kristina. "På min tid skulle vi aldrig ha drömt om att ge barnen något annat än en riktig hemlagad lunch. Patrik och Lotta fick aldrig några halvfabrikat och se så friska de har varit. Grunden till en bra hälsa är kosten, det har jag alltid sagt, men det är väl ingen som lyssnar på gammal visdom längre. Ni unga människor vet ju bäst och allt ska gå så snabbt numera." Hon tvingades hämta andan och just då dök Maja upp i köket.

"Mamma, jag är jättehungrig och Noel och Anton också. Magen är tom." Hon strök sig över sin fortfarande bebisrunda mage.

"Men ni åt ju en korv när ni var ute och åkte bil", sa Kristina och klappade Maja på kinden.

Maja skakade på huvudet så att det ljusa håret flög.

"Nej, vi har inte ätit korv. Vi har bara ätit frukost och jag är hungrig. Jättehungrig!"

Erica blängde på sin lilla quisling och kunde känna Kristinas dömande blick i nacken.

"Jag kan steka pannkakor till dem", sa Kristina och Maja började hoppa upp och ner av lycka.

"Farmors pannkakor! Jag vill ha farmors pannkakor."

"Tack." Erica ställde in filen igen. "Då går jag upp och byter om och kollar en jobbgrej."

Kristina stod med ryggen till och hade redan börjat plocka fram ingredienserna till pannkakssmeten, och laggen stod på spisen och hettades upp.

"Gör du det, så ser jag till att de stackars barnen får lite mat i sig."

Medan hon sakta räknade till tio gick Erica uppför trappan till övervåningen. Egentligen hade hon ingenting hon måste kolla, hon behövde bara hämta andan en stund. Patriks mamma ville väl, men hon visste precis vilka knappar hon skulle trycka på för att driva Erica till vansinne. Patrik blev märkligt nog inte lika påverkad och det retade Erica ännu mer. Varje gång hon försökte prata med honom om Kristina, om något hon sagt eller gjort, sa han bara: "Äsch, bry dig inte om det. Mamma tar i lite för mycket ibland, men låt henne hållas bara."

Kanske var det så med mödrar och söner och kanske skulle hon en dag bli en lika jobbig svärmor till Noels och Antons fruar. Men innerst inne trodde hon inte det. Hon skulle bli världens bästa svärmor, en sådan som fruarna skulle vilja umgås med som en kompis och anförtro sig åt. De skulle vilja att hon och Patrik följde med på alla resor och hon skulle hjälpa dem med barnen, och om de hade mycket att göra på jobbet skulle hon komma hem till dem och hjälpa till med städningen och matlagningen. Troligtvis skulle hon ha en egen nyckel och ... Erica hejdade sig med ens. Kanske var det inte så lätt att vara den perfekta svärmodern trots allt.

Inne i sovrummet bytte hon om till jeansshorts och t-shirt. Den vita tröjan var hennes favorit. Hon inbillade sig att den fick henne att se smalare ut. Visserligen hade vikten pendlat en del under åren, men tidigare hade hon stadigt legat runt storlek trettioåtta. Nu hade hon varit tvungen att köpa storlek fyrtiotvå i flera år, ja, ända sedan hon fick Maja. Hur hade hon hamnat där? Patrik var inte bättre han. Att säga att han var vältränad när de träffades var en överdrift, men magen hade varit platt. Nu putade den ut ordentligt, och tyvärr måste hon erkänna att hon tyckte att gubbmagar var bland det mest oattraktiva som fanns. Det fick henne att undra om han tänkte likadant om henne. Hon såg inte heller ut som när de träffades.

Hon kastade en sista blick i helfigursspegeln, hajade till och vände sig om. Någonting var annorlunda här inne. Hon såg sig omkring och försökte minnas hur sovrummet hade sett ut i morse. Det var svårt att få en tydlig bild av just den här morgonen, ändå kunde hon svära på att något var förändrat. Hade Kristina varit här uppe? Nej, då skulle det ha varit för att städa och bädda och det hade inte skett. Täcken och kuddar låg huller om buller och överkastet var som vanligt hopknölat vid fotändan. Erica tittade sig fundersamt omkring än en gång men ryckte sedan på axlarna. Det var säkert bara inbillning.

Hon fortsatte in i arbetsrummet, satte sig vid datorn och fick upp inloggningsrutan. Förvånad stirrade hon på skärmen. Någon hade försökt logga in på hennes dator. Efter tre misslyckade försök frågade den nu efter svaret på hennes säkerhetsfråga: "Vad hette ditt första husdjur?"

Med en krypande känsla av obehag svepte hon med blicken över arbetsrummet. Jo, någon hade definitivt varit där. Det kanske inte verkade som om hon hade någon särskild ordning i kaoset, men hon visste exakt var hon hade allting och nu kunde hon se att någon rört om bland hennes saker. Varför då? Hade de letat efter någonting och i så fall vad? Hon ägnade en god stund åt att försöka se om något fattades, men allt verkade vara kvar.

"Erica?"

Kristina ropade på henne från undervåningen och med den obehagliga känslan kvar i kroppen reste hon sig för att gå och höra vad hon ville.

"Ja?" Hon lutade sig över trappräcket.

Kristina stod i hallen nedanför med förebrående min.

"Du måste komma ihåg att stänga verandadörren ordentligt. Det kunde ha slutat riktigt illa. Tack och lov fick jag syn på Noel genom köksfönstret. Han var redan ute och i full fart på väg mot gatan. Jag hann ut och fick tag på honom, men det går verkligen inte an att lämna en dörr öppen med så små barn i huset. De försvinner fortare än man hinner blinka, vet du!"

Erica blev kall. Hon mindes tydligt att verandadörren hade varit stängd när de åkte. Efter en stunds tvekan tog hon telefonen och slog Patriks nummer. Snart hörde hon signalerna från köket, där mobilen låg kvarglömd på bänken. Hon lade på.

Paula reste sig stönande ur soffan. Lunchen var färdig och även om tanken på att äta fick henne att må illa visste hon att hon måste. I vanliga fall älskade hon sin mammas mat, men graviditeten hade fått henne att tappa aptiten och om hon hade fått bestämma själv skulle hon ha levt på salta kex och glass.

"Här kommer flodhästen!" sa Mellberg och drog ut stolen åt henne.

Hon brydde sig inte om att bemöta hans skämt som hon redan hört otaliga gånger. "Vad blir det för mat?"

"Köttgryta, gjord i järngrytan. Det är viktigt att du får i dig järn", sa Rita och slevade upp en enorm portion och ställde tallriken framför Paula.

"Tack för att jag får äta hos er. Jag har ingen lust att laga mat nuförtiden. Särskilt inte när Johanna jobbar."

"Det är väl självklart, gumman", sa Rita och log mot henne.

Paula tog ett djupt andetag innan hon tvingade i sig första tuggan. Den växte i munnen men hon fortsatte envist att tugga. Barnet behövde näringen.

"Hur går det på jobbet?" sa hon sedan. "Kommer ni någon vart med Valöfallet?"

Mellberg slevade i sig sin portion innan han svarade henne.

"Jodå, det går framåt. Jag får ligga i som en igel, men då blir det ju resultat också."

"Vad har ni kommit fram till så här långt då?" sa Paula. Hon visste mycket väl att Bertil, trots att han var stationens chef, med största sannolikhet inte skulle kunna svara på den frågan.

"Tja …" Han såg förvirrad ut. "Vi har så att säga inte riktigt sammanställt resultaten än."

Hans mobiltelefon ringde och tacksam för avbrottet reste han sig och svarade.

"Ja, Mellberg … Hej, Annika … Var fan är Hedström då? Och Gösta? … Vad då får inte tag på dem? … Valö? Ja, men det kan jag ta … Jag tar det, sa jag!" Han avslutade samtalet och muttrande för sig själv gick han ut i hallen.

"Vart ska du? Du har inte dukat av efter dig", ropade Rita.

"Viktig polisiär angelägenhet. Skottlossning på Valö. Jag har inte tid med några hushållssysslor."

Paula kände hur livsandarna vaknade och kom på fötter så snabbt hon kunde.

"Vänta, Bertil! Vad sa du? Har någon blivit skjuten på Valö?"

"Jag vet inga detaljer än, men som jag gjorde klart för Annika så åker jag ut och tar hand om ärendet personligen."

"Jag följer med", sa Paula och satte sig stånkande ner på en pall för att ta på sig skorna.

"Kommer inte på fråga", sa Bertil. "Dessutom har du semester."

Han fick genast medhåll av Rita som kom rusande ut ur köket.

"Är du galen!" skrek hon så högt att det var ett under att hon inte väckte Leo som sov middag i extrasängen inne i Ritas och Bertils sovrum. "Du ger dig inte iväg på något sådant i ditt tillstånd."

"Bra, tala förnuft med din dotter." Mellberg lade handen på dörrhandtaget för att smita ut.

"Du går ingenstans utan mig. Och om du gör det kommer jag att lifta till Fjällbacka och ensam ta mig ut till ön."

Paula hade bestämt sig. Hon var trött på att hålla sig stilla, trött på sysslolösheten. Hennes mamma fortsatte att skälla, men hon viftade bort hennes invändningar.

"Det ska fan vara omgiven av galna fruntimmer", sa Mellberg.

Besegrad gick han före ut till bilen och när Paula hade tagit sig nedför trapporna hade han startat den och fått igång luftkonditioneringen.

"Lova att du tar det lugnt nu och att du håller dig undan om det blir något bråk."

"Jag lovar", sa Paula och satte sig i passagerarsätet. För första gången på flera månader kände hon sig som sig själv igen och inte som en vandrande kuvös. Medan Mellberg ringde Victor Bogesjö på Sjöräddningen för att få skjuts ut, funderade hon på vad de skulle möta på ön.

Fjällbacka 1929

Skolan var en plåga. Varje morgon försökte Laura in i det längsta skjuta upp ögonblicket då hon var tvungen att gå dit. På rasterna haglade de fula orden och öknamnen över henne och allt var förstås mors fel. Hela Fjällbacka visste vem Dagmar var, att hon var tokig och en fyllkaja. Ibland brukade Laura se henne på vägen från skolan, då modern irrade runt på torget, vrålade efter folk och yrade om Göring. Laura stannade aldrig. I stället låtsades hon att hon inte såg och skyndade förbi.

Mor var sällan hemma. Hon var ute till sent och sov när Laura gick till skolan. Sedan var hon borta igen när Laura kom hem. Det första hon gjorde då var att röja upp. Inte förrän hon avlägsnat alla spår av att mor hade varit där kunde hon känna sig lugn. Hon samlade ihop kläder som låg kastade på golvet och när hon hade en tillräckligt stor hög tvättade hon dem. Hon torkade rent i köket, ställde in smöret som lämnats framme och kände på brödet om det fortfarande gick att äta fastän mor inte brytt sig om att lägga tillbaka det i brödburken. Därefter dammade hon och plockade undan där det behövdes. När allt stod på sin plats och alla ytor blänkte, hade hon äntligen ro att leka med dockskåpet. Det var hennes käraste ägodel. Hon hade fått det av den snälla granntanten som kommit och knackat på en dag när mor inte var hemma.

Det hände ibland att folk var snälla och kom med saker till henne: mat, kläder och leksaker. Men de flesta bara glodde och pekade, och sedan den gången då mor lämnade henne ensam i Stockholm hade Laura lärt sig att inte be om hjälp. Hon hade blivit hämtad av polisen och kommit till himlen. I två dagar hade hon fått bo hos en familj där mamman och pappan hade snälla ögon. Trots att hon bara hade varit fem år mindes hon mycket väl de två dagarna. Mamman hade stekt den största hög med plättar som Laura någonsin sett och manat henne att äta mer ända tills magen var så full att hon trodde att hon aldrig skulle bli hungrig igen. Ur en byrålåda hade de plockat fram blommiga klänningar till henne som varken var trasiga eller smutsiga utan de *finaste man kunde tänka sig. Hon hade känt sig som en prinsessa. Två kvällar hade hon nattats med en puss på pannan och somnat nedbäddad i en skön säng med rena lakan. Mamman med de snälla ögonen hade luktat så gott, inte sprit och unken smuts som mor. De hade haft det fint hemma också, med prydnadssaker av porslin och bonader på väggen. Redan första dagen hade Laura bönat och bett om att få stanna, men mamman svarade inte utan kramade henne bara hårt i sin mjuka famn.*

Snart var hon och mor hemma igen som om ingenting hade hänt. Och mor hade varit argare än någonsin. Laura hade fått så mycket stryk att hon knappt kunde sitta och hon hade fattat ett beslut: hon skulle inte drömma om den snälla mamman. Ingen kunde rädda henne och det var ingen vits att kämpa emot. Vad som än hände skulle hon hamna hos mor igen, i den mörka, trånga lägenheten. Men när hon blev stor skulle hon ha det fint hemma, med små porslinskatter på virkade dukar och broderade bonader i vartenda rum.

Hon satte sig på knä framför dockskåpet. Hemmet var rent och städat och hon hade vikt och lagt in den rena tvätten. Sedan hade hon ätit en smörgås hon brett till sig själv och nu kunde hon tillåta sig att för en stund gå in i en annan och bättre värld. Hon vägde mammadockan i handen. Den var så lätt och vacker. Klänningen var vit, med spets och hög krage, och håret var samlat i en knut på huvudet. Laura älskade mammadockan. Med pekfingret smekte hon hennes ansikte. Hon såg snäll ut, precis som mamman som luktade så gott.

Försiktigt placerade hon dockan i finsoffan i salongen. Det var det rum hon tyckte bäst om. Allt var perfekt där. Det fanns till och med en pytteliten kristallkrona som satt fast i taket. Laura kunde studera de små prismorna i timmar och förundras över att man kunde tillverka något så fulländat och litet. Hon kisade och synade rummet med kritisk blick. Var det verkligen perfekt eller gick det att göra det ännu bättre? På försök flyttade hon matsalsbordet lite åt vänster. En efter en flyttade hon därefter stolarna och det tog ett tag att få dem att stå på exakt räta linjer vid bordet. Till slut blev det bra men hon måste flytta finsoffan också, annars blev det ett konstigt tomrum mitt i salongen och så kunde hon inte ha det. Hon lyfte mammadockan med ena handen och finsoffan med den andra. Nöjd satte hon ner soffan igen och letade i huset efter de två små barndockorna. De skulle också få vara med nu om de uppförde sig. I salongen fick man inte fara runt och stöka till. Man fick bara vara duktig och sitta still. Det visste hon alldeles bestämt.

Barndockorna fick plats på var sin sida av mammadockan. Om Laura lade huvudet på sned såg det nästan ut som om mammadockan log. Hon var så perfekt och fin. När Laura blev stor skulle hon bli precis som hon.

Patrik flåsade när han kom fram till ytterdörren. Huset låg vackert på en höjd vid havet och han hade ställt bilen på parkeringen vid Brandparken så att de kunde promenera upp. Det retade honom att han själv lät som en blåsbälg efter att ha gått uppför den vindlande vägen medan Gösta var till synes oberörd.

"Hallå?" sa han in genom den öppna dörren. Det var ingen ovanlig syn på somrarna. Alla lämnade dörrar och fönster öppna, och i stället för att knacka eller ringa på ropade man.

En kvinna dök upp iförd solhatt, solglasögon och något slags färgglad fladdrande tunika. Trots värmen bar hon tunna handskar.

"Ja?" Hon såg ut som om hon helst ville gå sin iväg igen.

"Vi kommer från polisen i Tanum. Vi söker Leon Kreutz."

"Det är min man. Jag heter Ia Kreutz." Hon räckte fram handen och hälsade på dem utan att ta av sig handskarna. "Vi sitter och äter lunch."

Det var tydligt att hon ansåg att de störde, och Patrik och Gösta utbytte en menande blick. Om Leon var lika reserverad som sin fru kunde det här bli en utmaning. De följde efter henne ut på altanen, där en man satt i rullstol vid bordet.

"Vi har gäster. Polisen."

Mannen nickade och tittade på dem utan förvåning i blicken.

"Slå er ner. Vi äter bara lite sallad. Min hustru föredrar den sortens mat." Leon log snett.

"Min make hade helst hoppat över lunchen och i stället tänt en cigarett", sa Ia. Hon satte sig på sin plats och bredde ut en servett i knäet. "Gör det något om jag fortsätter äta?"

Patrik gjorde en gest för att visa att hon gärna fick fortsätta tugga på sin sallad medan de pratade med Leon.

"Jag antar att ni är här för att prata om Valö?" Leon hade avbrutit lunchen och lät händerna ligga i knäet. En geting landade på en kycklingbit på tallriken och fick ostört äta i fred.

"Det stämmer."

"Vad är det som händer där ute egentligen? Det går vilda rykten."

"Vi har gjort vissa fynd", sa Patrik avvaktande. "Har ni nyss återvänt till Fjällbacka?"

Han betraktade Leons ansikte. Ena sidan var slät utan spår av skador, den andra var ärrad och mungipan hade stelnat i en uppåtgående kurva så att tandraden blottades.

"Vi köpte huset för några dagar sedan och flyttade in i går", sa Leon.

"Varför kom du tillbaka hit efter så många år?" sa Gösta.

"Längtan att återvända kommer kanske med åren." Leon vred på huvudet och tittade ut över vattnet. Patrik såg nu bara den friska sidan och det var smärtsamt tydligt hur stilig Leon måste ha varit.

"Jag hade föredragit att stanna i vårt hus på Rivieran", sa Ia. Hon och hennes man utbytte en svårtydd blick.

"Hon får alltid som hon vill annars." Leon log sitt märkliga leende igen. "Men i det här fallet stod jag på mig. Jag längtade hit."

"Din familj hade väl sommarställe här?" sa Gösta.

"Ja, eller sommarnöje, som de kallade det. Ett hus ute på Kalvö. Tyvärr sålde pappa det. Fråga mig inte varför. Han fick sina infall och blev väl en aning excentrisk på äldre dar."

"Det sägs att du har varit med om en bilolycka", sa Patrik.

"Ja. Om inte Ia räddat mig hade jag inte levt i dag. Eller hur, älskling?"

Hennes bestick klirrade så högt att Patrik hoppade till. Hon stirrade på Leon utan att svara. Sedan mjuknade hennes blick.

"Det är sant, älskling. Utan mig hade du inte levt i dag."

"Nej, och det låter du mig inte glömma."

"Hur länge har ni varit gifta?" sa Patrik.

"Det är väl nära trettio år." Leon vände sig mot dem. "Jag träffade Ia på en tillställning nere i Monaco. Hon var den vackraste flickan där. Svårflörtad också. Jag fick jobba hårt."

"Det var inte konstigt att jag var skeptisk, med tanke på ditt rykte."

Deras gnabb kändes som en väl inövad dans, men det verkade få dem båda att slappna av och Patrik tyckte sig till och med se ett leende på Ias läppar. Han undrade hur hon såg ut utan de enorma solglasögonen. Huden stramade över käkbenen och läpparna var så onaturligt fylliga att han misstänkte att ögonen bara skulle fullborda bilden av någon som betalat dyra pengar för att förbättra sitt utseende.

Patrik vände sig mot Leon igen. "Anledningen till att vi vill prata med dig är att vi som sagt har gjort fynd ute på Valö. De tyder på att familjen Elvander blev mördad."

"Det förvånar mig inte", sa Leon efter en stunds tystnad. "Jag har aldrig förstått hur en hel familj bara skulle kunna försvinna."

Ia hostade till. Hon var blek i ansiktet.

"Ni får ursäkta mig. Jag känner att jag inte har så mycket att tillföra. Jag tror att jag sätter mig och äter där inne, så får ni prata i lugn och ro om allt det här."

"Gör så. Det är främst Leon vi är här för att prata med." Patrik drog in benen för att låta Ia passera. Hon svepte förbi med sin tallrik i ett moln av någon söt parfym.

Leon kisade mot Gösta. "Jag tycker att jag känner igen dig på något vis. Var det inte du som kom ut till Valö? Som tog med oss till stationen?"

Gösta nickade. "Jo, det stämmer."

"Du var snäll, minns jag. Din kollega däremot var lite burdusare. Jobbar han också kvar?"

"Henry fick en tjänst i Göteborg i början av åttiotalet. Jag tappade kontakten med honom men jag har hört att han gick bort för några år sedan", svarade Gösta och lutade sig sedan fram. "Jag minns dig som en ledartyp."

"Det är svårt för mig att uttala mig om. Men visst, jag har alltid fått folk att lyssna när jag pratar."

"De andra pojkarna verkade se upp till dig."

Leon nickade sakta. "Det har du nog rätt i. Vilket gäng när man tänker efter." Han skrattade till. "En sådan udda konstellation kan man nog bara hitta på en internatskola för pojkar."

"Ni hade väl egentligen ganska mycket gemensamt? Ni kom alla från välbärgade familjer", sa Gösta.

"Inte Josef. Han var där enbart på grund av sina föräldrars stora ambitioner. De verkade ha hjärntvättat honom. Det judiska arvet förpliktigade och det var som om de förväntade sig att han skulle utföra storverk för att väga upp allt det som de hade förlorat under kriget."

"Ingen liten uppgift för en pojke", sa Patrik.

"Nej, men han tog den på allvar. Och han tycks göra allt han kan för att uppfylla förväntningarna. Ni har väl hört om det judiska museet?"

"Jo, jag tror att jag läste om det i tidningen", sa Gösta.

"Varför vill han bygga ett sådant museum här?" sa Patrik.

"Trakten har ju många kopplingar till kriget. Och förutom den judiska historien ska museet belysa Sveriges roll under andra världskriget."

Patrik tänkte på en utredning de hade haft några år tidigare och insåg att Leon hade rätt. Bohuslän låg nära Norge och de vita bussarna hade fört före detta fångar från koncentrationslägren till Uddevalla. Sedan fanns det olika sympatier bland folket här. Neutraliteten var en efterhandskonstruktion.

"Hur vet du det här om Josefs planer?" frågade Patrik.

"Vi träffade honom på Café Bryggan häromdagen." Leon sträckte sig efter sitt vattenglas.

"Har ni fem som var kvar på ön hållit kontakten?"

Leon ställde ner glaset igen efter att ha tagit några djupa klunkar. Lite vatten rann ner över hakan och han torkade bort det med baksidan av handen.

"Nej, varför skulle vi ha gjort det? Vi splittrades när Elvanders försvann. Min pappa skickade mig till en skola i Frankrike, han var rätt överbeskyddande, och jag antar att de andra också omplacerades. Vi hade som sagt inte mycket gemensamt och vi har inte hörts under åren som gått. Fast jag kan bara prata för mig själv. Enligt Josef har Sebastian affärer ihop med både honom och Percy."

"Men inte med dig?"

"Nej, bevare mig väl. Jag skulle hellre dyka bland vithajar. Vilket jag i och för sig har gjort."

"Varför skulle du aldrig göra affärer med Sebastian?" sa Patrik, även om han trodde sig veta svaret på den frågan. Sebastian Månsson var ökänd i trakten och besöket i går hade knappast gett Patrik en annan bild av honom.

"Om han är sig lik skulle han sälja sin egen mor om det krävdes."

"Vet inte de andra det? Varför gör de i så fall affärer med honom?"

"Jag har ingen aning. Det får du fråga dem."

"Har du någon teori om vad som kan ha hänt familjen Elvander?" sa Gösta.

Patrik sneglade in mot vardagsrummet. Ia hade ätit upp och lämnat tallriken på bordet. Hon syntes inte till.

"Nej." Leon skakade på huvudet. "Det är klart att jag har tänkt på det en hel del, men jag kan inte för mitt liv förstå vem som skulle ha velat mörda dem. Det måste ha varit några som gjorde inbrott eller några galningar. Som Charles Manson och hans anhang."

"De hade en himla tur i så fall att de kom precis när ni var ute och fiskade", sa Gösta torrt.

Patrik försökte fånga hans uppmärksamhet. Det här var ett inledande samtal, inte ett förhör. De skulle inte tjäna något på att göra sig ovän med Leon.

"Jag har ingen bättre förklaring." Leon slog ut med ena handen. "Kanske var det något i Runes förflutna som hann i kapp honom? Kanske hade någon eller några bevakat huset och passade på när de såg att vi gav oss ut? Det var ju påsklov, så det var bara vi fem som måste vara ur vägen. Andra veckor var det betydligt fler elever där, så tidpunkten var väl vald om det var någon som ville komma åt familjen."

"Det var ingen på skolan som ville dem illa då? Du märkte ingenting misstänkt tiden före försvinnandet? Konstiga ljud om natten, till exempel", sa Gösta och Patrik såg frågande på honom.

"Nej, det kan jag inte påminna mig om." Leon rynkade ögonbrynen. "Allt var som vanligt."

"Kan du berätta lite mer om familjen?" Patrik viftade bort en geting som envist surrade precis framför ansiktet på honom.

"Rune styrde den med järnhand, eller det trodde han i alla fall. Samtidigt var han på något märkligt sätt blind för sina barns tillkortakommanden. Framför allt de två äldstas. Claes och Annelie."

"Vad var det Rune behövde blunda för när det gällde dem? Det låter som om du tänker på något särskilt."

Leons blick blev tom. "Nej, de var odrägliga precis som tonåringar är mest. Claes gillade att hacka på de svagare eleverna när inte Rune såg. Och Annelie …" Han verkade fundera på hur han skulle formulera sig. "Om hon hade varit äldre skulle man nog ha kallat henne karltokig."

"Och Runes fru Inez, hur hade hon det?"

"Inte så lätt, tror jag. Hon förväntades sköta hela hushållet och ta hand om Ebba, och hon utsattes ständigt för påhopp från Claes och Annelie. Tvätt som Inez slavat med hela dagen kunde råka trilla ut på backen, en köttgryta hon stått i flera timmar och lagat blev vidbränd för att någon hade råkat vrida upp plattan. Sådana saker hände hela tiden, men Inez klagade aldrig. Hon visste väl att hon inte skulle ha något för att gå till Rune."

"Kunde ni inte ha hjälpt henne?" sa Gösta.

"Tyvärr hände allt sådant utan att någon såg det. Att det var lätt att räkna ut vem som var skyldig var inte samma sak som att ha bevis att visa upp för Rune." Han tittade undrande på dem. "Hur hjälper det er att veta hur deras familjerelationer såg ut?"

Patrik funderade på vad han skulle svara. Sanningen var att han inte riktigt visste, men något sa honom att nyckeln till det som hänt fanns i relationerna mellan de personer som hade vistats på skolan. Han trodde inte ett dugg på idén om något blodtörstigt rånargäng. Vad skulle de ha kunnat stjäla där ute?

"Hur kom det sig att just ni fem var kvar över påsken?" sa han utan att besvara Leons fråga.

"Percy, John och jag var kvar för att våra föräldrar var ute och reste. För Sebastian rörde det sig mer om kvarsittning. Han hade åkt fast för något igen. Och stackars Josef skulle få extraundervisning. Hans föräldrar såg ingen anledning till varför han skulle ha något onödigt lov, så de kom överens med Rune om att han mot betalning skulle få privatundervisning."

"Det låter som om det borde ha kunnat uppstå konflikter mellan er också."

"Varför då?" Leon mötte Patriks blick.

Det blev Gösta som svarade:

"Fyra av er var rikemansungar som var vana vid att få allt ni pekade på. Jag föreställer mig att det orsakade en del konkurrens. Josef, å sin sida, kom från en helt annan bakgrund och var dessutom jude." Gösta gjorde en paus. "Och vi vet ju var John står i dag."

"John var inte sådan då", sa Leon. "Jag vet att hans far ogillade att John skulle gå i samma skola som en judisk pojke, men ironiskt nog var det de två som stod varandra närmast."

Patrik nickade. Han funderade ett ögonblick på vad som hade fått John att ändra inställning. Hade hans fars åsikter slutligen smittat av sig när han blev äldre? Eller fanns det någon annan förklaring?

"De andra då? Hur skulle du beskriva dem?"

Leon såg ut att begrunda frågan. Sedan sträckte han lite på sig och ropade inåt vardagsrummet.

"Ia? Är du där? Kan du sätta på lite kaffe till oss?" Han sjönk ihop i rullstolen igen.

"Percy är svensk adel ut i fingerspetsarna. Han var bortskämd och arrogant, men det fanns egentligen inget ont i honom. Han hade bara fått itutat sig att han var förmer än andra och han berättade gärna om de strider hans förfäder utkämpat. Själv var han rädd för sin egen skugga.

Och Sebastian var som sagt alltid på jakt efter en bra affär. Han drev faktiskt en riktigt lukrativ rörelse där ute på ön. Ingen visste riktigt hur han bar sig åt, men jag tror att han betalade någon fiskare för att leverera varorna som han sedan sålde till ockerpris. Choklad, cigaretter, läsk, porrtidningar och vid något enstaka tillfälle sprit, men det slutade han med efter att Rune var nära att komma på honom."

Ia kom ut med en bricka och dukade fram kaffekopparna på bordet. Hon verkade inte känna sig hemma i rollen som uppassande fru.

"Jag hoppas att kaffet blir drickbart. Jag förstår mig inte på de här maskinerna."

"Det blir säkert bra", sa Leon. "Ia är inte van att behöva leva så här spartanskt. Hemma i Monaco har vi personal som gör kaffe åt oss, så det är lite av en omställning för henne."

Patrik visste inte om han inbillade sig, men han tyckte sig höra en ton av illvilja i Leons röst. Sedan var den borta och Leon var den älskvärde värden igen.

"Själv lärde jag mig att leva enkelt under somrarna på Kalvö. I stan hade vi all bekvämlighet man kunde önska sig. Men där ute", han tittade ut över vattnet, "hängde pappa av sig kostymen och gick i shorts och t-shirt, och vi fiskade, plockade smultron och badade. Enkel lyx."

Han avbröt sig när Ia kom med kaffet och serverade dem.

"Du har inte direkt levt det enkla livet sedan dess", sa Gösta och smuttade på kaffet.

"Touché", sa Leon. "Nej, det har inte blivit så mycket av den varan. Jag drogs mer till äventyret än till stillheten."

"Är det kickarna man söker?" frågade Patrik.

"Det är ett väldigt enkelt sätt att beskriva det på, men man kanske kan kalla det kickar. Jag kan tänka mig att det är lite som narkotika, även om jag aldrig har förorenat min kropp med droger, och visst blir man beroende. Har man väl börjat går det inte att sluta. Man ligger vaken på nätterna och funderar: Kan jag klättra ännu högre? Hur djupt kan jag dyka? Hur fort kan jag åka? Det är frågor som till sist måste få ett svar."

"Men nu är det slut med det", konstaterade Gösta.

Patrik undrade för sig själv varför han inte hade skickat både Gösta och Mellberg på en kurs i förhörsteknik för längesedan, men Leon verkade inte ta illa upp.

"Ja, nu är det slut med det."

"Hur gick olyckan till?"

"Det var en vanlig simpel bilolycka. Ia körde och som ni säkert vet är vägarna i Monaco smala, slingriga och på sina ställen branta. Vi fick möte, Ia väjde för häftigt och vi for av vägen. Bilen började brinna." Tonen var inte längre lika nonchalant och han stirrade framför sig som om han såg det hända. "Vet ni hur sällsynt det är att bilar börjar brinna? Det är inte som i filmer, där alla bilar exploderar så fort de krockar med något. Vi hade otur. Ia klarade sig förhållandevis bra, men mina ben hade kilats fast och jag kom ingenstans. Jag kunde känna hur händer, ben och kläder brann. Sedan ansiktet. Efter det förlorade jag medvetandet, men Ia drog ut mig ur bilen. Det var så hon fick skadorna på sina händer. I övrigt fick hon mirakulöst nog bara några skärsår och bröt två revben. Hon räddade livet på mig."

"Hur längesedan var det?" sa Patrik.

"Nio år."

"Det finns ingen chans att ..." Gösta nickade mot rullstolen.

"Nej. Jag är förlamad från midjan och nedåt och får vara glad att jag kan andas själv." Han suckade lätt. "En bieffekt är att jag fort blir trött och jag brukar vanligtvis vila en stund vid den här tiden. Är det något mer jag kan hjälpa till med? Annars kanske jag kan få vara så oartig att jag ber er gå?"

Patrik och Gösta tittade på varandra. Sedan reste sig Patrik.

"Nej, jag tror inte att det var något mer just nu, men det kan hända att vi får anledning att återkomma."

"Ni är så välkomna." Leon rullade efter dem in i huset.

Ia kom nedför trappan från övervåningen och sträckte elegant fram en hand för att ta farväl.

Precis när de var på väg ut stannade Gösta till och vände sig mot Ia, som verkade ivrig att få stänga dörren efter dem.

"Det skulle vara bra om vi fick adress och telefonnummer till ert hem på Rivieran."

"Om vi skulle smita?" Hon log vagt.

Gösta ryckte på axlarna och Ia vände sig mot hallbordet och skrev ner adress och telefonnummer i ett anteckningsblock. Med en häftig rörelse ryckte hon av papperet och gav det till Gösta, som utan en kommentar stoppade det i fickan.

När de hade satt sig i bilen försökte Gösta diskutera mötet med Leon, men Patrik hörde knappt vad han sa. Han var fullt upptagen med att leta efter sin mobiltelefon.

"Jag måste ha glömt mobilen hemma", sa han slutligen. "Får jag låna din?"

"Tyvärr. Du har ju alltid din telefon med dig, så jag brydde mig inte om att ta med min."

Patrik övervägde om han skulle ägna några minuter åt att tala om för Gösta varför det var så viktigt för en polis att alltid ha sin telefon med sig, men han insåg att tidpunkten inte var särskilt väl vald. Han vred om tändningsnyckeln.

"Vi åker förbi hos mig på vägen tillbaka. Jag måste hämta min telefon."

De få minuterna det tog att åka till Sälvik satt de båda tysta. Patrik kunde inte skaka av sig känslan av att de hade missat något väsentligt under samtalet med Leon. Om det handlade om det som sagts eller inte sagts visste han inte, men det var något som inte stämde.

Kjell såg fram emot lunchen. Carina skulle jobba kväll, så hon hade ringt och frågat om de inte kunde äta tillsammans hemma. Det var svårt att hinna ses när en jobbade skift och den andra kontorstid. Om hon hade flera sena pass i rad kunde det gå dagar innan de sågs. Men Kjell var stolt över henne. Hon var en kämpe och jobbade hårt, och under åren de var separerade hade hon försörjt sig och deras son utan att knota. I efterhand hade han förstått att hon haft problem med spriten, men hon hade tagit sig ur det på egen hand. Det var egendomligt nog hans far Frans som förmått henne till det. En av de få bra saker han hade gjort, tänkte Kjell med en blandning av bitterhet och motvillig kärlek.

Beata däremot. Hon ville helst inte jobba alls. När de levde tillsammans hade det varit ett evigt tjat om pengar. Hon gnällde över att han inte steg i graderna så att han kunde få en chefslön, men själv gjorde hon inte mycket för att bidra. "Jag sköter ju hushållet", hade hon sagt.

Han parkerade på uppfarten hemma och försökte att andas djupt. Han fylldes fortfarande av avsky varenda gång han tänkte på sin exfru, och till stor del bottnade det i ett djupt förakt för honom själv. Hur kunde han slänga bort flera år av sitt liv på henne? Självklart ångrade han inte barnen, men han ångrade att han hade låtit sig förledas. Hon hade varit söt och ung och han hade varit gammal och smickrad.

Han klev ur bilen och skakade av sig tankarna på Beata. De skulle inte få störa lunchen med Carina.

"Hej, älskling", sa hon när han kom in. "Sätt dig. Maten är precis klar. Jag har stekt raggmunkar."

Hon ställde ner en tallrik framför honom på köksbordet och han drog in doften. Han älskade raggmunkar.

"Hur går det på jobbet?" frågade hon och slog sig ner mittemot honom.

Han tittade ömt på henne. Carina hade åldrats väl. De fina skrattrynkorna runt ögonen klädde henne och hon hade en frisk solbränna efter att ha ägnat mycket tid åt sin favoritsysselsättning: att påta i trädgården.

"Det går lite trögt. Jag håller på att undersöka en sak jag har fått reda på om John Holm, men jag vet inte hur jag ska komma vidare."

Han tog en tugga av raggmunken. Den var precis lika god som den såg ut.

"Finns det ingen du kan be om hjälp?"

Kjell skulle precis avfärda henne när han insåg att hon faktiskt hade en poäng. Det här var så viktigt att han var beredd att lägga stoltheten åt sidan. Allt han fått reda på om John Holm sa honom att det fanns något stort som behövde dras fram i ljuset, och han struntade faktiskt i om just han fick storyn eller inte. För första gången i sin karriär som journalist befann han sig i en situation som han tidigare bara hade hört talas om. Han hade fått korn på en story som var större än han själv.

Han reste sig hastigt från bordet. "Förlåt, jag måste göra en sak."

"Nu?" sa Carina och tittade på hans halvätna portion.

"Ja, förlåt. Jag vet att du lagat mat och fixat och jag hade också sett fram emot att vi skulle få en stund ihop, men jag ..."

När han såg besvikelsen i hennes blick var han nära att sätta sig igen. Han hade gjort henne besviken tillräckligt många gånger och ville helst inte göra det igen. Men så ljusnade hennes ansikte och hon log.

"Gå och gör det du ska. Jag vet att du inte skulle springa ifrån en halväten raggmunk om inte rikets säkerhet stod på spel."

Kjell skrattade. "Ja, något åt det hållet är det." Han böjde sig fram och kysste henne på munnen.

Åter på redaktionen funderade han på vad han skulle säga. Troligen krävdes det mer än onda aningar och telefonklotter för att fånga intresset hos en av Sveriges främsta politiska journalister. Han kliade sig i skägget och plötsligt kom han på det. Blodet som Erica hade berättat om. Ingen tidning hade ännu kört nyheten om fyndet ute på Valö. Han var nästan klar med artikeln och hade självklart tänkt att Bohusläningen skulle vara först, men samtidigt var skvallret säkert ute på bygden vid det här laget. Det var bara en tidsfråga när de andra tidningarna skulle få nys om det och då gjorde det inget om han gav bort nyheten, intalade han sig. Bohusläningen med sin lokalkännedom skulle dessutom kunna göra betydligt bättre uppföljande artiklar än de stora drakarna, även om de gick miste om själva scoopet.

Han satt några sekunder med telefonen framför sig, samlade tankarna och kastade ner några stolpar i ett block. Det gällde att vara väl förberedd när han ringde Sven Niklasson, politisk reporter på Expressen, och bad om hjälp att ta reda på mer om John Holm. Och om Gimle.

Paula klev försiktigt ur båten. Mellberg hade grälat på henne hela vägen till Valö, först i bilen och sedan i *MinLouis*, en av Sjöräddningens båtar. Men han hade skällt utan någon större övertygelse. Vid det här laget kände han henne så pass väl att han visste att han aldrig skulle få henne att ändra sig.

"Akta nu. Din mamma skulle slå ihjäl mig om du trillade i." Han höll henne i ena handen medan Victor höll henne i den andra.

"Ring mig om ni behöver skjuts tillbaka", sa Victor och Mellberg nickade.

"Jag fattar inte varför du envisas med att åka ut hit", sa Mellberg medan de gick upp mot huset. "Skytten kanske fortfarande är kvar. Det kan bli farligt och det är inte bara ditt eget liv du sätter på spel."

"Det är nästan en timme sedan Annika ringde. Skytten har säkert hunnit långt härifrån. Och jag gissar att Annika försöker få tag på Patrik och Gösta, så de är nog snart på väg, de också."

"Ja, men ...", började Mellberg, men stängde munnen igen. De var framme vid ytterdörren och han ropade in: "Hallå! Det var polisen här!"

En blond man med jagad uppsyn kom emot dem och Paula gissade att det var Mårten Stark. Under båtfärden hade hon trots allt lyckats få Mellberg att upplysa henne lite om fallet.

"Vi satte oss uppe i vårt sovrum. Vi antog att det var ... säkrast." Han slängde en blick över axeln mot trappan där två personer till blev synliga.

Paula hajade till när hon kände igen den ena av dem. "Anna? Vad gör du här?"

"Jag var här för att ta några mått inför ett inredningsuppdrag." Hon var lite blek men verkade samlad.

"Är alla oskadda?"

"Ja, tack och lov", sa Anna och de båda andra nickade.

"Har det varit lugnt sedan ni ringde?" frågade Paula och tittade sig omkring. Även om hon trodde att skytten hade försvunnit för länge-sedan, kunde hon inte ta risken att utgå från det. Hon lyssnade spänt efter minsta ljud.

"Ja, vi har inte hört något mer. Vill ni se var skotten sköts in?" Anna verkade ha tagit kommandot, medan Mårten och Ebba avvaktande stod snett bakom henne. Mårten höll armen om Ebba, som stirrade rakt fram med armarna i kors över bröstet.

"Självklart", sa Mellberg.

"Det är här inne i köket." Anna gick före och på tröskeln stannade hon och pekade. "Skotten gick som ni ser in genom rutan."

Paula betraktade förödelsen. Det var glassplitter över hela golvet, men mest nedanför det krossade fönstret.

"Var det någon här inne när skotten avlossades? Är ni förresten säkra på att det var flera skott och inte bara ett?"

"Ebba var i köket", sa Anna och gav Ebba en lätt knuff. Sakta höjde hon blicken och tittade sig omkring i köket som om hon såg det för första gången.

"Det bara small till", sa hon. "Ljudet var så högt. Jag förstod inte vad det var. Sedan small det en gång till."

"Två skott alltså", sa Mellberg och klev in i köket.

"Vi ska nog inte gå runt här inne, Bertil", sa Paula. Hon önskade in-nerligt att Patrik hade varit där. Det var inte säkert att hon på egen hand skulle kunna stoppa Mellbergs framfart.

"Det är ingen fara. Jag har varit på fler brottsplatser än du någonsin kommer att hinna med under din karriär, och jag vet vad man får och inte får göra." Han trampade på en stor glasbit som krossades under hans tyngd.

Paula tog ett djupt andetag. "Jag tycker ändå att vi ska låta Torbjörn och hans killar få komma till en orörd brottsplats."

Mellberg låtsades inte om henne utan gick fram till kulhålen i kökets bakre vägg.

"Aha! Där har vi de rackarna! Var har ni plastpåsar någonstans?"

"I tredje lådan uppifrån", sa Ebba frånvarande.

Mellberg drog ut lådan och tog fram en rulle fryspåsar. Han rev av en och tog på sig ett par diskhandskar som hängde över kranen. Sedan gick han fram till väggen igen.

"Nu ska vi se. De sitter inte särskilt långt in, så det går lätt att plocka ut dem. Det blir ett enkelt jobb för Torbjörn, det här", sa han och pillade ut de två kulorna ur väggen.

"Men det måste fotas och …", invände Paula.

Mellberg hörde uppenbarligen inte ett ljud av vad hon sa. I stället höll han självbelåtet upp påsen framför dem och lade sedan ner den i ena shortsfickan. Med en smäll drog han av sig diskhandskarna och slängde dem i diskhon.

"Man måste tänka på det här med fingeravtryck", sa han och rynkade pannan. "Det är mycket viktigt för bevisföringen och efter så här många år i yrket sitter det i ryggmärgen."

Paula bet sig så hårt i läppen att hon kände blodsmak. Skynda dig hit, Hedström, upprepade hon för sig själv. Men ingen hörsammade hennes bön och framför henne klev Mellberg obekymrat omkring bland glas-splittret.

Fjällbacka 1931

Hon kunde känna blickarna i nacken. Folk trodde att Dagmar inte begrep något, men hon lät sig inte luras, minst av allt av Laura. Dottern spelade bra och fick allas sympatier. De ojade sig över att hon var som en liten husmor och att det var synd om henne som hade en sådan mor som Dagmar. Ingen av dem såg hur Laura verkligen var, men Dagmar genomskådade hennes skenhelighet. Hon visste vad som fanns där under den prydliga ytan. Laura bar på samma förbannelse som hon. Hon var brännmärkt, även om märket satt under huden och inte syntes. De delade samma öde och Laura skulle inte inbilla sig något annat.

Dagmar skakade lätt där hon satt på köksstolen. Till morgonsupen hade hon ätit en bit knäckebröd utan pålägg och trotsigt smulat så mycket det gick. Laura avskydde när det var smulor på golvet och skulle inte få någon ro i kroppen förrän hon hade sopat upp dem. Några smulor hade hamnat på bordet och Dagmar svepte ner också dem på golvet. Nu fick flickan lite att göra när hon kom hem från skolan.

Rastlöst trummade Dagmar med fingrarna mot den blommiga duken. Hon bar på en oro som hon hela tiden måste få utlopp för och det var längesedan hon hade kunnat sitta still. Tolv år hade gått sedan Hermann lämnade henne. Ändå kunde hon fortfarande känna hans händer på sin kropp, en kropp som förändrats så att hon inte längre liknade den flicka hon varit då.

Ilskan hon känt mot honom i det lilla sterila rummet på sjukhuset var som bortblåst. Hon älskade honom och han älskade henne. Inget hade blivit som hon tänkt sig, men det var skönt att veta vems skuld det var. Varje vaken stund och även i drömmarna såg hon framför sig Carin Görings ansikte, alltid med en överlägsen, hånfull min. Det var tydligt att hon hade njutit av att se henne och Laura förödmjukas. Dagmar trummade fingrarna hårdare mot duken. Tankarna på Carin fyllde henne och det var tack vare dem och spriten som hon höll sig upprätt dag efter dag.

Hon sträckte sig efter tidningen som låg på bordet. Eftersom hon inte hade råd att köpa tidningar, stal hon gamla nummer ur returbuntarna som låg slängda bakom affären i väntan på att bli hämtade. Hon granskade alltid varje sida noggrant, för några gånger hade hon hittat artiklar om Hermann. Han hade återvänt till Tyskland och namnet Hitler, som han skrikit på sjukhuset, hade nämnts. Hon hade läst om honom och känt upphetsningen stiga. Det var mannen i tidningarna som var hennes Hermann, inte den där feta, skrikande människan i sjukhuskläder. Han bar uniform igen och även om han inte var lika smärt och stilig som då, var han åter en man med makt.

Händerna var fortfarande skakiga när hon slog upp tidningen. Det tycktes ta längre och längre tid innan morgonsupen verkade. Kanske var det lika bra att hon tog en till med en gång. Dagmar reste sig och slog upp en rejäl skvätt sprit. Hon drack upp den i en enda klunk och kände hur värmen omedelbart spred sig och lindrade skakningarna. Sedan satte hon sig vid bordet igen och började bläddra igenom tidningen.

Hon hade nästan kommit till sista sidan när hon upptäckte artikeln. Bokstäverna började flyta ihop framför ögonen på henne och hon tvingade sig att koncentrera sig på rubriken: "Görings maka jordfäst. Krans från Hitler."

Dagmar studerade de två bilderna. Sedan spreds ett leende på hennes läppar. Carin Göring var död. Det var sant och hon skrattade högt. Nu fanns det inget som hindrade Hermann. Nu skulle han äntligen komma tillbaka till henne. Fötterna trummade snabbt mot golvet.

Den här gången hade han åkt till granitbrottet ensam. Om Josef skulle vara ärlig tyckte han inte särskilt mycket om andra människors sällskap. Det han sökte skulle han bara finna om han blickade inåt. Ingen annan kunde ge honom det. Ibland önskade han att han hade varit annorlunda, eller snarare mer som alla andra. Att han kunde känna tillhörighet, att han var en del av något, men inte ens sin egen familj lät han komma nära. Knuten i bröstet var för hård och han kände sig som ett barn som tryckte näsan mot skyltfönstret till en leksaksaffär och kunde se allt det underbara som fanns där inne utan att våga öppna dörren. Något hindrade honom från att kliva in, från att sträcka ut handen.

Han slog sig ner på ett stenblock och tankarna vandrade åter till mor och far. Det hade gått tio år sedan de dog, men han kände sig fortfarande vilsen utan dem. Och han skämdes för att ha dolt sin hemlighet för dem. Hans far hade alltid framhållit vikten av tillit, av att vara ärlig och tala sanning, och han hade låtit Josef förstå att han visste att sonen undanhöll honom något. Men hur skulle han ha kunnat berätta? Vissa hemligheter var alltför stora och hans föräldrar hade offrat så mycket för hans skull.

Under kriget hade de förlorat allt: släkt, vänner, ägodelar, trygghet, sitt hemland. Allt utom sin tro och hoppet om ett bättre liv. Medan de led hade Albert Speer gått omkring här, pekat och domderat och beställt stenen som skulle bygga den främsta staden i det med blod erövrade riket. Egentligen visste Josef inte om Speer själv hade varit här, men säkert hade någon av hans hantlangare vandrat runt i stenbrottet utanför Fjällbacka.

Kriget kändes inte som en händelse i ett avlägset förflutet. Varje dag när Josef växte upp hade han hört berättelserna om hur judarna jagades, hur de förråddes, hur röken luktade när den pyrde ut ur skorstenarna i lägren, hur de befriande soldaternas min av fasa speglade förfallet. Hur

Sverige tog emot dem med öppna armar men samtidigt envist vägrade att erkänna sin del i kriget. Varje dag hade hans far talat om detta, om hur hans nya land måste resa sig och erkänna vilka ogärningar man begått. Josef hade fått det inpräntat i sig likt siffrorna som tatuerats in i föräldrarnas armar.

Han tittade upp mot himlen och bad om styrka att rätt förvalta sitt arv, att kunna bemöta Sebastian och det förflutna som nu hotade att förstöra det han tänkte uträtta. Åren hade gått så fort och han hade blivit duktig på att glömma. En man kunde skapa sin egen historia. Själv hade han velat radera ut den delen av sitt liv och han önskade att Sebastian hade gjort detsamma.

Josef reste sig och borstade bort stendammet från byxbaken. Han hoppades att Gud hade hört hans böner, på den här platsen som symboliserade både det som kunde ha blivit och det som nu skulle bli. Ur den här stenen skulle han skapa kunskap, och ur kunskap kom förståelse och fred. Han skulle betala av skulden till sina förfäder, till de judar som plågats och förtryckts. Sedan, när hans gärning var fullbordad, skulle även skammen vara utraderad för gott.

Mobiltelefonen ringde och Erica tryckte bort samtalet. Det var förlaget, och vad det än gällde skulle det säkert kräva tid som hon inte hade.

För säkert hundrade gången såg hon sig omkring i sitt arbetsrum. Hon avskydde känslan av att någon hade varit där och snokat bland saker hon ansåg oerhört privata. Vem kunde det vara och vad kunde han eller hon ha letat efter? Hon satt djupt försjunken i tankar och spratt till när hon hörde ytterdörren öppnas och stängas på undervåningen.

Snabbt gick hon nedför trappan. I hallen stod Patrik och Gösta.

"Hej. Kommer ni?"

Gösta flackade med blicken och såg minst sagt oroad ut. Deras hemliga överenskommelse verkade inte vara något han tog med jämnmod och hon kunde inte låta bli att plåga honom lite.

"Det var inte i går jag såg dig, Gösta. Hur är läget?" Hon hade fullt sjå att dölja ett leende när hon såg hur han blev röd ända ut i örsnibbarna.

"Hm … jovars", mumlade han och tittade ner på sina fötter.

"Allt väl här?" sa Patrik.

Erica blev med ens allvarlig igen. För ett kort ögonblick hade hon lyckats förtränga att någon måste ha varit inne i deras hem. Hon insåg att hon borde berätta för Patrik om sina misstankar, men än så länge hade hon inga bevis och på sätt och vis var det tur att han inte svarat förut. Hon visste hur orolig han blev så fort det hände något som rörde familjen. Det var inte omöjligt att han skulle skicka iväg henne och barnen någonstans om han trodde att någon hade brutit sig in här. Vid närmare eftertanke bestämde hon sig för att avvakta, men sin egen oro kunde hon inte mota bort. Den gnagde i henne och blicken drogs till verandadörren, som om någon närsomhelst kunde kliva in igen.

Hon skulle precis svara när Kristina kom upp från tvättstugan med barnen i släptåg.

"Är du hemma, Patrik? Vet du vad som hände för en stund sedan? Ja, jag trodde att jag skulle få en hjärtinfarkt. Jag stod i köket och stekte pannkakor till barnen när jag fick syn på lille Noel som tultade bort mot gatan så fort han kunde på de där små korta benen, och jag ska säga att det var i grevens tid jag fick tag på honom. Vem vet vad som kunde ha hänt annars. Ni måste verkligen komma ihåg att stänga dörrarna ordentligt, för de är så snabba de där små. Det kan gå väldigt illa och sedan får man ångra sig resten av livet …"

Erica tittade fascinerat på sin svärmor för att se om hon inte skulle andas snart.

"Jag glömde stänga verandadörren", sa hon till Patrik utan att möta hans blick.

"Okej, bra räddat, mamma. Vi får helt enkelt se till att vara extra noga nu när de börjar bli så rörliga." Han fångade upp tvillingarna som kom rusande och kastade sig i famnen på honom.

"Hej, farbror Gösta", sa Maja.

Gösta blev blodröd igen och såg förtvivlat på Erica. Men Patrik verkade inte märka något utan var fullt upptagen med att busa med pojkarna.

Efter en stund tittade han upp på Erica.

"Du, vi kom bara hem för att hämta min telefon. Har du sett den?"

Erica pekade in mot köket. "Du glömde den på bänken i morse."

Han gick och hämtade den. "Du har ringt för ett tag sedan. Ville du något särskilt?"

"Nej, jag ville bara säga att jag älskar dig", sa hon och hoppades på att inte bli genomskådad.

"Älskar dig också, gumman", sa Patrik förstrött med blicken fäst på displayen. "Jag har fem missade samtal från Annika också. Det är bäst att jag ringer och hör vad det gäller."

Erica försökte tjuvlyssna på samtalet, men Kristina pladdrade oavbrutet med Gösta så det gick bara att höra spridda ord. Minen när Patrik avslutat samtalet sa desto mer.

"Skottlossning på Valö. Någon har skjutit in i huset. Anna är där ute också. Det var hon som ringde, sa Annika."

Erica satte handen för munnen. "Anna? Är hon okej? Blev hon skadad? Vem …?" Hon hörde hur osammanhängande hon lät, men det enda hon kunde tänka på var att något kunde ha hänt Anna.

"Vad jag förstår är ingen skadad. Det är den goda nyheten." Han vände sig mot Gösta. "Den dåliga är att Annika blev tvungen att ringa Mellberg när hon inte fick tag på oss."

"Mellberg?" sa Gösta med tvivlande min.

"Ja, vi bör nog se till att ta oss ut dit så fort det går."

"Inte kan ni åka ut dit om någon skjuter?" sa Kristina och satte händerna i sidan.

"Det är klart vi måste. Det är mitt jobb", sa Patrik irriterat.

Kristina gav honom en förorättad blick, knyckte på nacken och gick in i vardagsrummet.

"Jag följer med", sa Erica.

"Aldrig i livet."

"Det gör jag visst det. Om Anna är där ute tänker jag följa med."

Patrik såg stint på henne. "Det är någon galning som skjuter mot folk där ute. Du åker inte med!"

"Det kommer att vara flera poliser där ute, så vad kan hända? Jag kommer att vara fullkomligt säker." Hon knöt snörena på sina vita sneakers.

"Och vem ska ta hand om barnen?"

"Kristina stannar säkert kvar och passar dem." Hon ställde sig upp och gav honom en blick som sa att det inte var lönt att protestera mer.

På väg ner till båtplatsen kände Erica hur oron för systern stegrades för varje hjärtslag. Patrik fick sura bäst han ville. Anna var hennes ansvar.

"Pyttan? Är du där?" Percy gick förbryllad runt i lägenheten. Hon hade inte sagt att hon skulle iväg någonstans.

De hade åkt upp till Stockholm några dagar för att gå på en sextioårsfest som de inte kunde missa. Stora delar av svenska adelskalendern skulle troligtvis dyka upp för att skåla för jubilaren, och därtill några av höjdarna i svenskt näringsliv. Visserligen räknades de inte som höjdare vid dessa sammankomster. Rangordningen var tydlig och det spelade ingen roll om man var vd för något av de största bolagen i Sverige om man inte hade rätt bakgrund, rätt namn och hade gått i rätt skolor.

Själv uppfyllde han alla kriterierna. Vanligtvis var det inte ens något han reflekterade över. Det hade varit så hela hans liv och det var lika självklart för honom som att andas. Problemet var att han nu riskerade att bli en greve utan slott, vilket skulle påverka hans ställning i allra högsta grad. Han skulle inte hamna lika långt ner i hierarkin som de nyrika, men han skulle petas ner.

Inne i vardagsrummet stannade han vid drinkvagnen och slog upp en whisky. En Mackmyra Preludium, cirka femtusen kronor flaskan. Han skulle aldrig komma på idén att dricka något sämre. Den dagen han var tvungen att börja dricka Jim Beam kunde han lika gärna ta fars gamla Luger och skjuta sig i tinningen.

Det som tyngde honom mest var vetskapen om att han hade svikit far. Han var äldste sonen och hade alltid blivit särbehandlad. Det var inget man hade hymlat med i familjen. Sakligt och utan känsloyttringar hade far påpekat för hans två yngre syskon att "Percy är speciell, det är han som ska ta över en dag". I smyg hade han glatt sig åt de tillfällen när far satte syskonen på plats. Däremot blundade han för besvikelsen han ibland såg i faderns blick då han tittade på honom. Han visste att fadern ansåg att han var vek, räddhågsen och bortklemad, och kanske var det sant att mor hade varit för överbeskyddande, men hon hade många gånger berättat hur nära det var att han dog. Han hade fötts nästan två månader för tidigt, liten som en fågelunge. Läkarna hade sagt att mor och far inte skulle räkna med att han överlevde, men för första och sista gången i sitt liv hade han varit stark. Mot alla odds hade han överlevt även om hälsan blev svag.

Han tittade ut över Karlaplan. Våningen hade ett vackert burspråk mot den öppna platsen med fontänen, och med whiskyglaset i handen betraktade han myllret nedanför. På vintern var det ödsligt och tomt, men nu var bänkarna fyllda av människor och barnen lekte, åt glass och njöt av solen.

Det hördes steg i trappan utanför och han spetsade öronen. Var det Pyttan som kom? Hon hade säkert bara gått ut för en snabb shoppingrunda och han hoppades att banken inte hade hunnit spärra kortet. Förödmjukelsen spred sig i kroppen. Hur var det här samhället uppbyggt egentligen? Komma och kräva honom på en hel förmögenhet i skatt? Jäkla kommunistfasoner. Percy kramade glaset hårt. Mary och Charles skulle gotta sig om de kände till vidden av hans ekonomiska problem.

Fortfarande spred de ut sina lögner om att han hade vräkt dem från deras hem och berövat dem något som var deras.

Plötsligt dök Valö upp i tankarna. Om han ändå aldrig hade hamnat där. Då skulle inget av det där ha hänt, det som han hade bestämt sig för att inte tänka på men som ändå smög sig på ibland.

Till en början hade han tyckt att det var en ypperlig idé att byta skola. Stämningen på Lundsberg hade blivit olidlig sedan han pekats ut som en av dem som tittat på när ett par av de mest ökända eleverna tvingade skolans hackkyckling att dricka en stor mängd laxermedel precis före skolavslutningen i aulan. De vita sommarkläderna hade färgats bruna långt upp på ryggen.

Efter den incidenten hade rektorn kallat far till Lundsberg för ett samtal. Rektorn hade velat undvika en stor skandal och därför inte gått så långt som att relegera honom men uppmanat far att hitta en annan skola dit Percy kunde flytta. Far hade blivit vansinnig. Percy hade inte gjort något annat än att titta på, och det var väl inte brottsligt? Till slut hade far ändå erkänt sig besegrad, och efter försiktiga förfrågningar i de rätta kretsarna hade han fått klart för sig att det bästa alternativet var Rune Elvanders internatskola på Valö. Helst hade far sett att Percy skickats till någon skola utomlands, men då hade mor för en gångs skull satt ner foten. Runes skola fick det bli och därmed en rad mörka minnen att förtränga.

Percy tog en stor slurk av whiskyn. Skammen kändes mindre när den blandades ut med fin whisky, det hade livet lärt honom. Han såg sig omkring i rummet. Pyttan hade fått fria händer med inredningen. Allt det där avskalade och vita var kanske inte hans smak, men så länge hon inte rörde rummen på slottet fick hon göra vad hon ville i lägenheten. Slottet skulle vara exakt som på fars, farfars och farfars fars tid. Det var en hederssak.

En vag oroskänsla i magtrakten fick honom att gå in i sovrummet. Pyttan borde vara hemma nu. De skulle iväg på cocktailparty hos goda vänner i kväll och hon brukade börja göra sig i ordning redan tidigt på eftermiddagen.

Allt såg ut att vara som det skulle, men känslan ville inte ge med sig. Han ställde ifrån sig glaset på Pyttans nattduksbord och gick med dröjande steg fram till den delen av garderoben som var hennes. Han öppnade den och några galgar gungade till av vinddraget. Garderoben var tom.

Ingen skulle kunna tro att det för bara någon timme sedan förekom skottlossning här, tänkte Patrik när han lade till vid bryggan. Allt var nästan overkligt lugnt och stilla.

Innan han hade hunnit förtöja hoppade Erica ur båten och började springa mot huset, och med Gösta hack i häl skyndade han efter henne. Hon sprang så fort att han inte hann i kapp henne och när han kom in stod hon redan med armarna om Anna. Mårten och Ebba satt hopsjunkna i en soffa och bredvid dem stod inte bara Mellberg utan också Paula.

Patrik hade ingen aning om varför hon var där men var tacksam över att han nu skulle få en vettig rapport om det som inträffat.

"Är alla okej?" sa han och gick fram till Paula.

"Jodå. De verkar lite skakade bara, framför allt Ebba. Någon sköt in genom köksfönstret när hon var ensam där inne. Vi har inte sett något som tyder på att skytten fortfarande är kvar i närheten."

"Har ni ringt Torbjörn?"

"Ja, teamet är på väg. Men Mellberg har redan påbörjat den tekniska undersökningen, kan man säga."

"Ja, jag hittade kulorna", sa Mellberg och höll upp en plastpåse med två kulor i. "De satt inte särskilt djupt och det gick lätt att få loss dem ur väggen. Den som sköt måste ha stått en bra bit ifrån eftersom de tappat så pass mycket fart."

Patrik kände ilskan växa inombords, men ingenting skulle bli bättre av att han ställde till med en scen, så han knöt händerna i fickorna och tog några djupa andetag. Tids nog skulle han ha ett allvarligt samtal med Mellberg om vilka regler som bör följas vid en brottsplatsutredning.

Han vände sig till Anna som försökte krångla sig loss ur Ericas omfamning. "Var befann du dig när det hände?"

"Jag var på övervåningen." Hon pekade uppför trappan. "Ebba hade precis gått ner till köket för att göra kaffe."

"Och du?" sa han till Mårten.

"Jag var i källaren och hämtade mer färg. Jag hade just kommit tillbaka från fastlandet och hann i princip bara ner i källaren innan jag hörde att det small." Han var blek under solbrännan.

"Det låg ingen främmande båt vid bryggan när du kom?" sa Gösta.

Mårten skakade på huvudet. "Nej, bara Annas."

"Och ni har inte sett till någon främmande person här omkring?"

"Ingen alls." Ebba tittade framför sig med glasartad blick.

"Vem är det som gör så här?" Mårten såg uppgivet på Patrik. "Vem är det egentligen som vill åt oss? Har det med kortet jag gav er att göra?"

"Det vet vi tyvärr inte."

"Vilket kort?" sa Erica.

Patrik ignorerade frågan, men blicken han fick från Erica visade tydligt att han skulle bli tvungen att ge henne ett svar senare.

"Från och med nu går ingen in i köket. Det räknas som avspärrat område. Vi måste naturligtvis även söka igenom ön, så det bästa vore om ni, Ebba och Mårten, åkte in till fastlandet och hittade någonstans att bo tills vi är färdiga här."

"Men …", sa Mårten. "Det vill vi inte."

"Jo, vi gör så." Ebba lät plötsligt bestämd.

"Och var ska vi kunna få ett rum mitt under högsäsongen?"

"Ni kan bo hos oss. Vi har ett gästrum", sa Erica.

Patrik ryckte till. Var hon inte klok? Erbjöd hon Ebba och Mårten att bo hemma hos dem mitt under pågående utredning?

"Går det bra? Är det säkert?" sa Ebba och tittade upp på Erica.

"Klart att det gör. Då kan du få se materialet jag har samlat på mig om din släkt också. Jag kollade lite på det i går igen och det är faktiskt riktigt intressant."

"Jag tycker ändå inte …", började Mårten. Sedan sjönk axlarna ner. "Vi gör så här. Du åker med och jag stannar."

"Jag ser helst att ingen av er är kvar här", sa Patrik.

"Jag stannar." Mårten kastade en blick på Ebba, som inte protesterade.

"Okej, då föreslår jag att Ebba, Erica och Anna ger sig av, så kan vi börja jobba medan vi väntar på Torbjörn. Gösta, du kollar stigen ner till stranden och ser om någon kan ha kommit den vägen. Paula, kan du söka av området närmast huset? Själv går jag i en lite vidare cirkel runt huset. Det kommer att bli lättare när vi får hit en metalldetektor, men vi får göra så gott vi kan så länge. Om vi har tur har skytten kastat vapnet i någon buske."

"Och om vi har otur ligger även det här vapnet på havets botten", sa Gösta och vägde på fotbladen.

"Så kan det vara, men nu gör vi ett försök och så får vi se vad det ger." Patrik vände sig mot Mårten. "Du får hålla dig undan så gott det går. Det är som sagt ingen särskilt bra idé att du stannar här, framför allt inte att du ska vara ensam kvar i natt när vi har åkt."

"Jag kan jobba på övervåningen. Jag kommer inte att vara i vägen", sa han med entonig röst.

Patrik betraktade honom en stund men lät det sedan bero. Om Mårten inte ville, kunde Patrik inte tvinga honom att lämna ön. Han gick fram till Erica som stod i dörröppningen, redo att ge sig av.

"Vi ses hemma", sa han och kysste henne på kinden.

"Det gör vi. Anna, vi tar väl er båt tillbaka?" sa hon och samlade likt en vallhund ihop den lilla grupp som hon skulle ha med sig hem.

Patrik kunde inte låta bli att le. Han vinkade till dem och tittade sedan på den udda samling poliser som stod framför honom. Det vore ett mirakel om de lyckades hitta något överhuvudtaget.

Dörren öppnades sakta och John tog av sig läsglasögonen och lade ner boken.

"Vad läser du?" frågade Liv och satte sig på sängkanten.

Han höll upp boken igen så att hon kunde se framsidan. "*Race, evolution and behavior* av Philippe Rushton."

"Den är bra. Jag läste den för några år sedan."

Han tog hennes hand och log mot henne. "Det är synd att semestern snart är slut."

"Ja, i den mån man kan kalla den här veckan för semester. Hur många timmar har vi jobbat per dag?"

"Det är sant." Han rynkade pannan.

"Tänker du på artikeln i Bohusläningen igen?"

"Nej, du har nog rätt. Det är ingen fara. Om någon vecka kommer den att vara glömd."

"Är det Gimle?"

John såg allvarligt på henne. Hon visste bättre än att tala högt om det. Endast de som tillhörde den innersta kretsen var informerade om projektet, och han ångrade bittert att han inte genast hade bränt lappen han antecknat på. Det var ett oförlåtligt misstag, även om han inte kunde vara säker på att det var den där författarinnan som hade tagit den. Den kunde ha blåst iväg eller kommit bort någonstans i huset, men egentligen visste han att förklaringen inte var så enkel. Lappen låg i pappershögen innan Erica Falck kom och när han skulle ta fram den en stund efter att hon hade gått var den borta.

"Det kommer att lyckas." Liv smekte honom över kinden. "Jag tror på det här. Vi har kommit långt, men risken är att vi inte kommer längre om vi inte gör något drastiskt. Vi måste skapa mer handlingsutrymme. Det är för allas bästa."

"Jag älskar dig." Han kunde säga det ärligt. Ingen förstod honom på samma sätt som Liv. De hade delat tankar och upplevelser, med- och motgångar, och hon var den enda som han hade anförtrott sig till och som visste vad som hänt hans familj. Visserligen var det många som kände till hans historia, man hade skvallrat om den i åratal, men han hade aldrig berättat för någon annan än Liv om de tankar han burit inom sig under den där tiden.

"Kan jag få sova här i natt?" sa Liv plötsligt.

Hon gav honom en osäker blick och John fylldes av motstridiga känslor. Innerst inne ville han inget hellre än att ha hennes varma kropp nära, somna med armen om henne och känna doften av hennes hår. Samtidigt visste han att det inte skulle gå. Närheten förde med sig så många förväntningar och fick alla ouppfyllda löften och besvikelser att stiga upp till ytan.

"Vi kanske kunde försöka igen?" sa hon och smekte ovansidan av hans hand. "Det var ett tag sedan nu och det kanske har ... förändrats?"

Han vände sig häftigt bort från henne och drog åt sig handen. Minnet av hans oförmåga kvävde honom nästan. Han orkade inte gå igenom det igen. Läkarbesök, små blå piller, konstiga pumpar, blicken i Livs ögon varje gång han inte lyckades prestera. Nej, det gick inte.

"Gå, är du snäll." Han lyfte upp boken och höll den som en sköld framför sig.

Oseende stirrade han på boksidorna medan han hörde hur hennes fötter rörde sig över golvet och hur hon sakta stängde dörren efter sig. Läsglasögonen låg kvar på nattduksbordet.

Det var sent när Patrik kom hem. Erica satt ensam i soffan framför tv:n. Efter att barnen väl somnat hade hon inte orkat plocka undan, så Patrik fick kryssa mellan leksaker som låg utslängda på golvet.

"Sover Ebba?" sa han och slog sig ner bredvid henne.

"Ja, hon somnade redan vid åtta. Hon verkade helt utmattad."

"Inte så underligt." Patrik lade upp fötterna på soffbordet. "Vad tittar vi på?"

"Letterman."

"Vem är gäst?"

"Megan Fox."

"Åh …", sa Patrik och sjönk djupare ner bland soffkuddarna.

"Tänker du sitta och hetsa upp dig nu med fantasier om Megan Fox som du sedan ska leva ut på din stackars fru?"

"Rätt uppfattat", sa han och borrade in huvudet vid hennes hals.

Erica sköt honom ifrån sig. "Hur gick det på Valö?"

Patrik suckade. "Dåligt. Vi sökte igenom så mycket vi kunde av ön innan det blev för mörkt, och vi fick förstärkning av Torbjörn och hans grabbar någon halvtimme efter att ni hade åkt. Men vi hittade ingenting."

"Ingenting?" Erica tog fjärrkontrollen och sänkte volymen.

"Nej, inga spår alls efter skytten. Och det troligaste är väl att han eller hon slängt vapnet i sjön. Men kulorna kanske i alla fall kan ge något. Torbjörn hann precis skicka iväg dem för analys."

"Vad var det för kort Mårten pratade om?"

Patrik svarade inte genast. Det var en balansgång. Han kunde inte avslöja för mycket om en pågående brottsutredning för sin fru, men samtidigt hade de vid flera tillfällen haft nytta av Ericas förmåga att gräva fram saker. Han fattade ett beslut.

"Ebba har i hela sitt liv fått födelsedagskort från någon som undertecknat med 'G'. De har aldrig varit hotfulla. Inte förrän nu. Mårten kom in till stationen i dag och visade ett som hade kommit med posten. Det hade ett helt annat budskap än de tidigare."

"Ni misstänker alltså att personen som skickar de här korten även ligger bakom händelserna ute på Valö?"

"Vi misstänker ingenting just nu, men det är onekligen något att titta närmare på. Jag tänkte ta med Paula och åka till Göteborg i morgon för att prata med Ebbas adoptivföräldrar. Gösta är ju inte så bra på att ta folk, som du vet. Och Paula bönföll mig att låta henne hoppa in och jobba lite. Hon klättrar visst på väggarna hemma."

"Se till att hon inte tar ut sig bara. Det är lätt att överskatta sina egna krafter."

"Du är en sådan hönsmamma", log Patrik. "Jag har varit med om två graviditeter. Jag är inte helt okunnig på området."

"Låt mig förtydliga en sak. *Du* har inte varit med om två graviditeter. Jag kan inte minnas att du har haft foglossning, svullna fotleder, kryp i benen och halsbränna och genomlidit en tjugotvåtimmarsförlossning och ett kejsarsnitt."

"Okej, jag fattar." Patrik höll avvärjande upp händerna. "Men jag lovar att se efter Paula. Mellberg skulle aldrig förlåta mig om något hände henne. Säga vad man vill om honom men han skulle gå genom eld och vatten för sin familj."

Eftertexterna till Letterman hade börjat rulla och Erica valde bland kanalerna. "Vad gör Mårten där ute förresten? Varför skulle han envisas med att stanna kvar?"

"Jag vet inte. Det kändes väldigt olustigt att lämna honom där. På något vis känns det som om han är på väg att gå sönder. Han verkar lugn och tar allt det här med något slags underligt jämnmod, men han får mig att tänka på den där teckningen av en anka som lugnt glider över vattenytan samtidigt som fötterna rör sig i ilfart därunder. Förstår du vad jag menar, eller svamlar jag bara?"

"Nej, jag förstår precis."

Erica fortsatte trycka på fjärrkontrollen. Till slut valde hon Dödlig fångst på Discovery Channel och tittade oengagerat på bilderna som flimrade förbi av män i galonkläder som i vansinnigt väder håvade in bur efter bur med stora, spindelliknande krabbor.

"Ni tar inte Ebba med er i morgon?"

"Nej, jag tror att det är bättre att vi pratar med föräldrarna utan henne. Paula kommer hit nio i morgon bitti, så tar vi Volvon till Göteborg."

"Bra, då kan jag visa Ebba bakgrundsmaterialet jag har samlat ihop."

"Det har ju inte jag heller sett. Är det något som är relevant för utredningen?"

Erica funderade lite men skakade sedan på huvudet. "Nej, det som hade kunnat vara relevant har jag redan berättat för dig. Det jag har fått reda på om Ebbas släkt ligger längre tillbaka i tiden och är mest intressant för henne, tror jag."

"Du får gärna visa mig det i alla fall. Men inte i kväll. Nu vill jag bara mysa." Han flyttade sig närmare Erica, lade armen om henne och lutade huvudet mot hennes axel. "Gud, vilket jobb de där killarna har. Det ser helt livsfarligt ut. Tur att jag inte är krabbfiskare."

"Ja, älskling. Det är verkligen något jag är tacksam för varje dag. Gudskelov att du inte är krabbfiskare." Hon skrattade och kysste honom på huvudet.

Sedan olyckan inträffade kunde Leon ibland känna hur det liksom sjöng i lederna. Det värkte och ilade, som en föraning om att något skulle ske. Han kände det nu, likt den tryckande värmen inför ett rejält åskväder.

Ia var van att avläsa hans sinnesstämningar. Vanligtvis brukade hon gräla på honom när han försjönk i oro och grubblerier, men inte den här gången. I stället undvek de nogsamt varandra. Rörde sig i huset utan att mötas.

På ett sätt eggade det honom. Hans största fiende hade alltid varit ledan. När han var liten hade pappa skrattat åt hans oförmåga att sitta still, åt att han hela tiden sökte utmaningar och ville testa gränser. Mamma hade ojat sig över alla benbrott och skrubbsår det resulterade i, men pappa hade varit stolt.

Efter den där påsken hade han inte träffat pappa igen. Han hade åkt utomlands utan att hinna ta farväl. Sedan hade åren gått och han hade varit upptagen med att ta för sig av livet. Pappa hade ändå varit generös och fört över nya medel så fort kontot var tomt. Han hade aldrig förebrått honom eller försökt begränsa honom utan låtit Leon flyga fritt.

Till slut hade Leon flugit för nära solen, precis som han alltid vetat att han skulle göra. Föräldrarna hade hunnit dö innan dess. De behövde aldrig uppleva hur olyckan på den slingriga bergsvägen berövade honom hans kropp och äventyrslust. Pappa behövde aldrig se honom bli fjättrad.

Ia och han hade färdats en lång väg tillsammans, men nu närmade sig det avgörande ögonblicket. Det enda som krävdes var en liten gnista som skulle antända allt. Aldrig att han tänkte låta någon annan tända den gnistan. Det var hans uppgift.

Leon lyssnade inåt huset. Det var alldeles tyst. Ia hade nog redan gått och lagt sig. Han tog sin mobiltelefon från bordet och placerade den i knäet. Sedan rullade han ut på altanen och började utan att tveka ringa dem, en efter en.

När han pratat färdigt lät han händerna vila mot låren och tittade ut över Fjällbacka. I kvällsmörkret lystes samhället upp av mängder av lampor, som en jättelik glittrig taverna. Så vände han blicken mot vattnet och Valö. I den gamla barnkolonin var ljuset släckt.

Lovö kyrkogård 1933

Två år hade gått sedan Carins död men Hermann hade ännu inte kommit för att hämta henne. Trogen som en hund hade Dagmar väntat medan dagarna blivit till veckor, månader och år.

Hon hade fortsatt att noggrant följa tidningarna. Hermann hade blivit minister i Tyskland. På bilderna var han så stilig i sin uniform. En mäktig man och betydelsefull för den där Hitler. Så länge han var i Tyskland och gjorde karriär kunde Dagmar förstå att han lät henne vänta, men tidningarna skrev att han var i Sverige igen och hon hade bestämt sig för att underlätta livet för honom. Han var en upptagen man och om han inte kunde komma till henne fick hon komma till honom. Som hustru till en framstående politiker skulle hon bli tvungen att anpassa sig och troligtvis skulle hon behöva flytta till Tyskland också. Nu hade hon insett att flickan inte kunde följa med. Det gick inte an att en man i Hermanns ställning hade en utomäktenskaplig dotter. Men Laura hade fyllt tretton år och kunde klara sig själv.

Det stod ingenting i tidningarna om var Hermann bodde, så Dagmar visste inte var hon skulle leta efter honom. Hon åkte till den gamla adressen på Odengatan, men där öppnade en helt okänd man som sa att paret Göring inte hade bott där på många år. Villrådig stod hon och funderade utanför porten tills hon kom att tänka på kyrkogården där Carin hade begravts. Kanske var Hermann där hos sin döda fru. Lovö kyrkogård hade hon läst att den hette. Någonstans utanför Stockholm låg den, och efter lite sökande lyckades hon hitta en buss som tog henne nästan ända fram.

Nu satt hon på huk framför gravstenen och stirrade på Carins namn och hakkorset som var inristat under det. Guldgula höstlöv virvlade omkring henne i den kalla oktoberblåsten, men hon kände det knappt. Hon hade trott att hatet skulle minska när Carin var död, men där hon satt i sin slitna kappa fylldes hon av tankar på alla år av umbäranden och hon kände det gamla raseriet vakna till liv.

Hastigt reste hon sig och backade några steg från gravstenen. Så tog hon sats och kastade sig mot den med full kraft. En intensiv smärta strålade från axeln ner i fingertopparna, men stenen rörde sig inte. Frustrerad gav hon sig på blommorna som prydde graven och slet upp plantorna med rötterna. Därefter backade hon igen för att försöka rubba det gröna hakkorset av järn som stod bredvid stenen. Det gav vika och lade sig platt i gräset och hon släpade det så långt bort från gravstenen hon orkade. Hon betraktade belåtet förödelsen när hon kände en hand som greppade hennes arm.

"Vad i hela fridens namn tar hon sig till?" En stor, kraftig man stod bredvid henne.

Hon log lyckligt. "Jag är blivande fru Göring. Jag vet att Hermann inte tycker att Carin förtjänar att ha det så här fint, men jag har ordnat det och nu måste jag bege mig till honom."

Dagmar fortsatte le, men mannen såg bistert på henne. Han muttrade för sig själv och skakade på huvudet. Med hennes arm i ett järngrepp släpade han henne med sig mot kyrkan.

När polisen kom en timme senare log Dagmar fortfarande.

Radhuset i Falkeliden kändes ibland alldeles för litet. Dan skulle åka med barnen till sin syster i Göteborg över helgen och under morgonens packningshysteri hade Anna känt sig i vägen var hon än stod. Dessutom hade hon fått springa ner till bensinstationen flera gånger för att köpa godis, dricka, frukt och serietidningar att ha på färden.

"Har ni fått med er allt nu?" Anna betraktade berget av väskor och prylar i hallen.

Dan gick fram och tillbaka till bilen för att stuva in allt. Hon kunde redan nu se att det inte skulle gå, men det var hans bekymmer. Det var han som hade sagt åt barnen att packa själva och att de dessutom fick ta med sig vad de ville.

"Är det säkert att du inte ska följa med? Det känns inte bra att lämna dig ensam efter det som du var med om i går."

"Tack, men det är ingen fara. Det ska faktiskt bli skönt att vara för sig själv ett par dagar." Hon tittade vädjande på Dan för att han skulle förstå och inte bli sårad.

Han nickade och lade armarna om henne.

"Jag fattar precis, älskling. Du behöver inte förklara. Ha ett par sköna dagar nu och tänk bara på dig själv. Ät gott, ta en av de där långa simturerna som du gillar, gå och shoppa lite. Ja, gör vad du vill, bara huset står kvar när jag kommer hem." Han gav henne en sista kram, släppte taget om henne och började bära väskor igen.

Anna kände hur halsen snörptes ihop. Hon var nära att säga att hon ångrade sig, men så svalde hon orden. Just nu behövde hon tid att fundera, och det var inte bara skräcken från i går som hon måste bearbeta. Livet låg framför henne och ändå kunde hon inte låta bli att hela tiden snegla i backspegeln. Det var dags att hon bestämde sig. Hur skulle hon göra för att skaka av sig dåtiden och i stället blicka framåt?

"Varför ska du inte med, mamma?" Emma ryckte henne i ärmen.

Anna satte sig på huk och slogs av hur lång dottern blivit. Hon hade skjutit i höjden under våren och sommaren och blivit en stor tjej.

"Jag har ju berättat att jag har en del att göra här hemma."

"Jo, men vi ska ju gå på Liseberg!" Emma tittade på henne som om Anna var från vettet. Och i en åttaårings värld var man väl det om man frivilligt missade ett besök i nöjesparken.

"Nästa gång följer jag med. Och du vet ju hur feg jag är. Jag skulle ändå inte våga åka någonting. Du är mycket modigare än jag."

"Ja, det är jag!" Emma sträckte stolt på sig. "Jag ska åka bergochdalbanor som inte ens pappa vågar åka."

Det spelade ingen roll hur många gånger hon hörde Emma och Adrian kalla Dan för pappa. Hon blev alltid lika rörd. Och det var ännu en anledning till varför hon behövde de här två dagarna i ensamhet. Hon måste hitta ett sätt att bli hel igen. För familjens skull.

Hon kysste Emma på kinden. "Vi ses på söndag kväll."

Emma sprang ut till bilen och Anna lutade sig mot dörrposten med armarna i kors för att njuta av spektaklet på uppfarten. Dan började bli lite svettig och det verkade som om han började se det omöjliga i projektet.

"Herregud, vad grejer de har packat med sig", sa han och torkade sig i pannan.

Bagageutrymmet såg redan ut att vara fyllt till brädden och ändå låg det en stor hög med saker kvar i hallen.

"Säg inget!" Han hötte med fingret mot Anna.

Hon slog ut med händerna. "Jag säger ingenting. Inte ett dugg."

"Adrian! Måste verkligen Dino följa med?" Dan lyfte upp Adrians favoritgosedjur, en meterhög dinosaurie han hade fått i julklapp av Erica och Patrik.

"Om inte Dino får följa med, stannar jag också hemma", skrek Adrian och slet åt sig dinosaurien.

"Lisen?" ropade Dan i stället. "Måste du ta med alla Barbiedockorna? Kan du inte bara välja ut de två finaste?"

Genast började Lisen gråta och Anna skakade på huvudet. Hon kastade en slängkyss till sin sambo.

"Det här är en strid som jag inte tänker blanda mig i. Vi kan inte stupa båda två. Ha det så roligt."

Sedan gick hon in och upp till sovrummet. Hon lade sig ovanpå överkastet och slog på den lilla tv:n med fjärrkontrollen. Efter moget övervägande blev det Oprah på trean.

Irriterad slog Sebastian pennan mot blocket. Hans vanliga goda humör ville inte riktigt infinna sig, trots att allt hade gått som planerat.

Han älskade känslan av att kunna styra Percy och Josef, och deras gemensamma affärer var i detta nu på väg att bli mycket inkomstbring-ande. Ibland förstod han sig inte på andra människor. Han skulle aldrig ens ha övervägt att ge sig i lag med någon som han själv, men de var båda desperata, var och en på sitt sätt: Percy av rädsla för att se sitt fa-dersarv tas ifrån honom, Josef i jakten på upprättelse och sina föräldrars bekräftelse. Han förstod Percys skäl bättre än Josefs. Percy var på väg att förlora något viktigt: pengar och status. Josefs motiv var däremot en gåta för Sebastian. Vad spelade det för roll vad Josef gjorde nu? Idén om att öppna ett museum över Förintelsen var dessutom vansinnig. Det skulle inte bära sig och om Josef inte hade varit en sådan idiot skulle han ha förstått det.

Han reste sig och ställde sig vid fönstret. Hela hamnen var full med båtar med norsk flagg och om man gick ut på gatan hörde man norska överallt. Men inte honom emot. Han hade gjort några fina fastighets-affärer med norrmän. Rikedomarna från oljan hade gjort dem villiga att spendera och de hade fått betala rejäla överpriser för sina hus med sjöutsikt på den svenska västkusten.

Sakta vände han blicken ut mot Valö. Varför skulle Leon komma tillbaka och röra till allting? En kort stund funderade han över Leon och John. Egentligen hade han makt även över dem, men han hade alltid varit klok nog att inte utnyttja det. I stället hade han likt ett rovdjur identifierat flockens svagare element och skilt dem från de andra. Nu ville Leon samla flocken igen, och Sebastian hade en känsla av att han inte hade något att vinna på det. Men saker och ting hade redan satts i rörelse och nu var det som det var. Det låg inte för honom att oroa sig för sådant han inte kunde påverka.

Erica kikade ut genom fönstret tills hon såg Patriks bil försvinna iväg. Se-dan satte hon fart. Snabbt klädde hon barnen och satte dem i bilen. Hon lämnade en lapp till Ebba, som fortfarande sov, om att det fanns frukost i kylen och att hon bara var ute och gjorde ett ärende. Hon hade sms:at till Gösta direkt när hon vaknade, så hon visste att han väntade på dem.

"Vart ska vi?" Maja satt i baksätet med sin docka i ett stadigt grepp i knäet.

"Till farbror Gösta", sa Erica och insåg i samma sekund att Maja obönhörligen skulle skvallra för Patrik. Nåja, förr eller senare skulle han ändå få reda på hennes och Göstas överenskommelse. Då var hon mer orolig för att hon hållit inne med sina misstankar om inbrottet.

Hon svängde in mot Anrås och slog bort tanken på vem som hade varit inne och rotat i hennes arbetsrum. Egentligen visste hon ju redan svaret. Eller rättare sagt: det fanns bara två möjligheter. Antingen var det någon som trodde att hon grävt fram något känsligt om händelserna på barnkolonin, eller så hade det att göra med hennes besök hos John Holm och lappen hon fått med sig. Med tanke på tidpunkten lutade hon åt det senare alternativet.

"Har du hela barnaskaran med dig?" sa Gösta när han öppnade dörren. Men den misslynta tonen uppvägdes av glittret i ögonen.

"Om du har något arvegods du är rädd om ska du nog flytta undan det nu", sa hon och tog av barnen skorna.

Tvillingarna blev blyga och klängde sig fast vid hennes ben, men Maja sträckte upp armarna och utbrast lyckligt: "Farbror Gösta!"

Han stelnade till några sekunder och verkade inte riktigt veta hur han skulle förhålla sig till den översvallande ömhetsbetygelsen. Sedan mjuknade anletsdragen och han lyfte upp henne i famnen.

"Du var mig en go liten tjej." Han bar in henne i huset och sa utan att vända sig om: "Jag har dukat i trädgården."

Erica lyfte upp tvillingarna på höften och följde efter. Nyfiket synade hon insidan av Göstas lilla hus, som lämpligt nog var placerat nära golfbanan. Hon visste inte riktigt vad hon hade förväntat sig, men det var inget trist ungkarlshem utan trivsamt och snyggt med välmående krukväxter i fönstren. Trädgården på baksidan av huset var också förvånansvärt välskött, även om den var så pass liten att det nog inte krävdes mycket jobb för att hålla efter den.

"Får de dricka saft och äta bullar eller är ni sådana där föräldrar som ska ha allt hälsosamt och ekologiskt?" Gösta placerade Maja på en stol.

Erica kunde inte låta bli att le för sig själv och undra om han satt hemma på sin fritid och smygläste Mama.

"Bullar och saft mottages tacksamt", sa hon och satte ner tvillingarna, som sakta började röra sig längre och längre bort från henne.

Maja fick syn på några hallonbuskar och med ett glädjerop hoppade hon ner från stolen och sprang iväg mot dem.

"Får hon plocka hallon?" Erica kände sin dotter tillräckligt väl för att veta att det om en stund inte ens skulle finnas ett omoget bär kvar.

"Låt henne äta", sa Gösta och hällde upp kaffe till sig och Erica. "Det är ändå bara fåglarna som har glädje av dem annars. Maj-Britt brukade plocka och göra både sylt och saft, men det ligger inte för mig att syssla med sådant. Ebba ..." Han avbröt sig och knep ihop munnen medan han rörde ner en sockerbit i kaffet.

"Ja? Vad är det med Ebba?" Hon tänkte på Ebbas ansiktsuttryck under båtfärden från Valö. Hur lättnad hade blandats med oro och hur hon verkade slitas mellan en önskan dit och en önskan bort.

"Ebba kunde också stå där och äta upp vartenda hallon som fanns", sa Gösta motvilligt. "Ja, det blev varken sylt eller saft den sommaren vi hade henne hos oss. Men Maj-Britt var glad ändå. Det var så fint att se henne stå i bara blöjan och stoppa munnen full med hallon så att saften rann ner på den tjocka magen."

"Bodde Ebba hos er?"

"Ja, men bara över sommaren, innan hon flyttade till familjen i Göteborg."

Erica satt tyst en lång stund och försökte smälta det som Gösta hade sagt. Märkligt. När hon gjorde research om fallet hade hon inte hittat några uppgifter om att Ebba hade bott hos Gösta och Maj-Britt. Nu förstod hon plötsligt varför han var så extra engagerad i fallet.

"Funderade ni inte på att behålla henne?" sa hon till slut.

Gösta stirrade ner i koppen medan han rörde runt, runt med skeden. För ett ögonblick ångrade hon att hon hade frågat. Trots att han inte tittade på henne tyckte hon sig ana att hans ögon blivit blanka. Sedan harklade han sig och svalde.

"Om vi gjorde. Vi funderade och pratade om det många gånger. Men Maj-Britt menade att vi inte skulle räcka till. Och jag lät mig övertalas. Vi kände väl att vi inte hade så mycket att erbjuda henne."

"Hade ni någon kontakt med henne efter att hon flyttade till Göteborg?"

Gösta tycktes tveka. Sedan skakade han på huvudet. "Nej, vi tänkte att det var lättast att bryta helt. Den dagen hon for ..." Rösten skar sig och han kunde inte avsluta meningen, men Erica förstod utan att han var tvungen att förklara.

"Hur känns det att träffa henne nu?"

"Lite märkligt är det ju. Hon är en vuxen kvinna och jag känner henne inte. Samtidigt kan jag på något vis se den där lilla tösen i henne, hon som stod vid hallonbusken och log så fort man tittade åt hennes håll."

"Nu ler hon inte så mycket längre."

"Nej, det gör hon inte." Han rynkade pannan. "Vet du vad som hände med deras son?"

"Nej, jag har inte velat fråga. Men Patrik och Paula är ju på väg till Göteborg nu för att prata med Ebbas adoptivföräldrar. Då får de säkert veta mer."

"Jag gillar inte hennes man." Gösta sträckte sig efter en bulle.

"Mårten? Jag tror inte att det är något fel på honom. De verkar bara ha en del problem i sin relation. De har ju förlusten av ett barn att bearbeta och jag ser på min syster hur en sådan sak kan påverka ett förhållande. En gemensam sorg för inte alltid människor närmare varandra."

"Det har du rätt i." Gösta nickade och Erica insåg att han mycket väl visste vad hon pratade om. Han och Maj-Britt hade förlorat sitt första och enda barn några dagar efter födseln. Och sedan hade de förlorat Ebba.

"Titta, farbror Gösta! Det finns massor av hallon!" ropade Maja bort-ifrån busken.

"Ät du bara", ropade han tillbaka och hans ögon glittrade igen.

"Du kanske kan sitta barnvakt någon gång?" sa Erica, halvt på skoj och halvt på allvar.

"Tre klarar jag nog inte av, men flickan kan jag ta hand om ifall ni behöver hjälp."

"Det ska jag komma ihåg." Erica bestämde sig för att se till att Gösta snart fick tillfälle att passa Maja. Även om dottern sällan var blyg hade hon och Patriks buttre kollega fått en särskild kontakt, och det var tydligt att det fanns ett hål i Göstas hjärta som hennes dotter kunde hjälpa till att fylla.

"Vad tror du om det som hände i går då?"

Gösta skakade på huvudet. "Jag får ingen rätsida på det här. Familjen försvann 1974, troligtvis blev de mördade. Sedan har det inte hänt något på alla år förrän Ebba återvänder till Valö. Då bryter helvetet lös. Var-för?"

"Det kan ju inte bero på att hon kan vittna om något. Ebba var så liten att hon omöjligt kan minnas något om det som hände."

"Nej, i så fall tror jag snarare att någon ville hindra Ebba och Mårten från att hitta blodet. Men det går inte ihop med skotten i går. Då var ju skadan redan skedd."

"Kortet som Mårten pratade om tyder ändå på att någon vill henne illa. Och eftersom korten har kommit ända sedan 1974, kan man dra slutsatsen att allt som hänt Ebba den senaste veckan hänger ihop med försvinnandet. Även om det är först nu som budskapet på korten har blivit hotfullt."

"Jo, jag …"

"Maja! Putta inte Noel!" Erica for upp och sprang bort till barnen som kivades för fullt framför hallonbusken.

"Men Noel tog hallonet fast det var mitt. Han … han åt upp det", tjöt Maja och passade på att sparka åt Noels håll.

Erica tog sin dotter i armen och såg strängt på henne. "Sluta nu! Du sparkar inte din lillebror. Och det finns massor av hallon kvar." Hon pekade på busken som dignade av röda, mogna bär.

"Men jag ville ha det!" Majas min visade tydligt hur orättvist behandlad hon tyckte sig vara och när Erica släppte greppet om hennes arm för att lyfta upp och trösta Noel, passade Maja på att rusa iväg.

"Farbror Gösta! Noel tog mitt hallon", snyftade hon.

Han synade hennes nedkladdade uppenbarelse och lyfte sedan leende upp henne i knäet, där hon kröp ihop till en ynklig liten boll.

"Såja, gumman", sa Gösta och strök henne över håret som om han aldrig hade gjort annat än tröstat förtvivlade treåringar. "Vet du, det där hallonet du ville ha var inte det bästa."

"Var det inte?" Maja slutade tvärt att gråta och tittade upp på Gösta.

"Nej, de allra bästa hallonen vet jag precis var de finns. Men det får bli vår hemlis. Du får inte tala om det för småbröderna och inte ens för mamma."

"Jag lovar."

"Då litar jag på dig", sa Gösta, böjde sig ner och viskade något i hennes öra.

Maja lyssnade uppmärksamt, sedan gled hon ner från hans knä och satte av mot busken igen. Noel hade lugnat ner sig och Erica gick tillbaka till bordet och satte sig.

"Vad sa du till henne? Var sitter de bästa hallonen?"

"Jag kan avslöja det, men då måste jag tyvärr döda dig efteråt", sa Gösta och log.

Erica vred på huvudet och tittade mot busken. Maja stod på tå och sträckte sig mot de hallon som satt för högt upp för att tvillingarna skulle kunna nå dem.

"Du är inte dum du", sa hon och skrattade. "Var var vi? Jo, mordförsöket på Ebba i går. Vi måste hitta ett sätt att gå vidare. Har du lyckats ta reda på vart familjens grejer tagit vägen? Det skulle vara ovärderligt att kunna gå igenom dem. Kan de ha slängts? Var det ingen som var där efteråt och städade upp? Skötte de allt helt själva, även städning och trädgårdsskötsel?"

Gösta satte sig plötsligt rakt upp på stolen. "Herregud, så dum jag är. Ibland tror jag att jag är senil på riktigt."

"Vad då?"

"Jag borde ha tänkt på det ... Men han tillhörde liksom inventarierna där, vilket i och för sig borde ha gjort att jag tänkte på det ännu mer."

Erica blängde på honom. "Vem pratar du om?"

"Skrot-Olle."

"Skrot-Olle? Menar du gubben som har skrotupplaget ute i Bräcke? Vad har han med Valö att göra?"

"Han kom och gick som han ville där ute och hjälpte till med sådant som behövde ordnas."

"Och du tror att Skrot-Olle kan ha tagit hand om sakerna?"

Gösta slog ut med händerna. "Det skulle kunna vara en förklaring. Den gubben samlar på allt, och om det inte var någon som gjorde anspråk på grejerna skulle jag inte bli förvånad om han plockade med sig allt han kunde."

"Frågan är om han har dem kvar."

"Du menar att Skrot-Olle skulle ha vårstädat och gjort sig av med något?"

Erica skrattade. "Nej, om han tog dem med sig kan vi nog vara säkra på att de finns kvar. Vi kanske borde åka dit nu och höra med honom?" Hon hade redan börjat resa sig från stolen, men Gösta gjorde en gest åt henne att sätta sig ner igen.

"Lugn, lugn. Om grejerna finns på skroten har de legat där i över trettio år. De lär inte försvinna i dag. Det är inget ställe att släpa med sig ungarna till. Jag ringer honom senare, och om sakerna finns där åker vi dit när du har barnvakt."

Erica visste att han hade rätt, men hon kunde inte bli kvitt den rastlösa känslan i kroppen.

"Hur är det med henne?" frågade Gösta och det tog en sekund innan Erica förstod vem han menade.

"Ebba? Jo, hon verkade helt slutkörd. Det kändes som om hon trots allt tyckte att det var skönt att komma bort från ön ett slag."

"Och bort från den där Mårten."

"Jag tror att du har missbedömt honom, men det stämmer nog som du säger. De går ju och nöter på varandra hela tiden där ute. Hon börjar bli nyfiken på sin släkt och jag tänkte visa henne vad jag har hittat så fort jag har kommit hem och tvillingarna har somnat."

"Det uppskattar hon säkert. Hon har ju en brokig släkthistoria."

"Ja, minst sagt." Erica tog den sista slurken kaffe ur koppen. Det hade kallnat och hon grimaserade illa. "Jag har förresten varit och pratat med Kjell på Bohusläningen. Han gav mig en del bakgrundsfakta om John." Kort berättade hon om familjetragedin som hade styrt in John på en så hatisk bana. Hon berättade också om lappen hon hittade och som hon tidigare inte riktigt vågat nämna för Gösta.

"Gimle? Det har jag ingen aning om vad det betyder. Men det behöver ju inte ha med Valö att göra."

"Nej, men det kan ha gjort honom tillräckligt nervös för att låta någon bryta sig in hemma hos oss", sa hon innan hon hann hejda sig.

"Har ni haft inbrott? Vad säger Patrik om det?"

Erica teg och Gösta stirrade på henne.

"Har du inte sagt något till honom?" Hans röst gick upp i falsett. "Hur säker är du på att det är John och hans anhang som är skyldiga?"

"Det var bara en gissning och egentligen är det ingen större sak. Någon tog sig in genom verandadörren, snokade runt i mitt arbetsrum och försökte logga in på datorn utan att lyckas. Jag får vara glad att personen inte stal med sig hårddisken."

"Patrik kommer att bli galen när han får reda på det här. Om han dessutom får reda på att jag har vetat om det utan att säga något kommer han att bli galen på mig också."

Erica suckade. "Jag ska berätta det. Men det intressanta med det här är att jag har något i mitt arbetsrum som anses så viktigt att någon tar risken att göra ett inbrott för att hitta det. Och jag skulle tro att det är den där lappen."

"Skulle John Holm verkligen göra något sådant? Det är mycket som står på spel för Sveriges Vänner om det skulle komma fram att han har brutit sig in hemma hos en polis."

"Kanske om det är tillräckligt angeläget. Men jag har lämnat över det till Kjell nu, så får han redan ut vad lappen kan betyda."

"Bra", sa Gösta. "Och så berättar du det här för Patrik när han kommer hem i kväll. Annars ligger jag också illa till."

"Ja, ja", sa hon trött. Hon såg inte fram emot det, men det måste göras.

Gösta skakade lätt på huvudet. "Undrar om Patrik och Paula får fram något mer i Göteborg. Jag börjar misströsta så smått."

"Ja, men vi får hoppas på Skrot-Olle också", sa Erica, glad över att han bytte samtalsämne.

"Ja, hoppas kan man ju alltid göra", sa Gösta.

S:t Jörgens sjukhus 1936

"Vi bedömer det som otroligt att din mor kommer att släppas ut härifrån inom överskådlig framtid", sa doktor Jansson, en vithårig man i övre medelåldern vars stora skägg som fick honom att likna en jultomte.

Laura drog en suck av lättnad. Hon hade ordning på sitt liv nu: ett bra arbete och en ny bostad. Som inneboende hos tant Bergström i Galärbacken hade hon bara ett litet rum, men det var hennes eget och det var fint som i dockskåpet som stod på hedersplats på den höga byrån bredvid sängen. Livet var så mycket bättre utan Dagmar. I tre år hade mor suttit intagen på S:t Jörgens sjukhus i Göteborg och det kändes som en befrielse att inte behöva oroa sig för vad hon skulle kunna ta sig till.

"Vad är det egentligen mor lider av?" frågade hon och försökte få det att låta som om hon brydde sig om henne.

Hon hade klätt sig prydligt, precis som hon brukade, och satt med benen elegant lutade åt sidan och handväskan i knäet. Även om hon bara var sexton år kände hon sig mycket äldre.

"Vi har inte kunnat ställa en bestämd diagnos, men troligtvis lider hon av det vi kallar klena nerver. Tyvärr har behandlingen inte gett mycket resultat. Hon håller fast vid sina vanföreställningar om Hermann Göring. Det är inte helt ovanligt att människor med klena nerver hänger sig åt fantasier om personer de har läst om i tidningen."

"Ja, mor har pratat om det där så länge jag kan minnas", sa Laura.

Läkaren såg medlidsamt på henne.

"Jag har förstått att fröken inte har haft en enkel uppväxt. Men ni verkar ha klarat er bra och tycks inte bara ha ett sött ansikte utan även vara en förnuftig flicka."

"Jag har gjort vad jag har kunnat", sa hon blygt, men smaken av sur galla steg i halsen på henne när minnena från barndomen trängde sig på.

Hon avskydde när hon inte kunde hejda tankarna. Oftast lyckades hon begrava dem långt bak i huvudet, och hon tänkte sällan på mor eller på den lilla mörka lägenheten som stank av den spritlukt som hon aldrig lyckats städa bort hur mycket hon än gnodde och skrubbade. Hon begravde glåporden också. Ingen påminde henne längre om mor och nu respekterades hon för den hon var: skötsam, ordentlig och noga med allt hon företog sig. Inga fula ord kastades längre efter henne.

Men rädslan fanns fortfarande där. Rädslan för att mor skulle komma ut och förstöra allt.

"Vill ni träffa er mor? Jag råder er att inte göra det, men ..." Doktor Jansson slog ut med armarna.

"Åh nej, jag tror att det är bäst att jag inte gör det. Mor blir alltid så ... upprörd." Laura mindes allt som mor hade vräkt ur sig vid förra besöket. Hon hade kallat henne sådana vedervärdiga saker att Laura inte ens kunde ta orden i sin mun. Även doktor Jansson verkade komma ihåg tillfället.

"Det tror jag är rätt beslut. Vi försöker hålla Dagmar lugn."

"Mor får väl fortfarande inte läsa tidningen, hoppas jag?"

"Nej, efter det som hände har hon inte tillgång till några tidningar." Han skakade bestämt på huvudet.

Laura nickade. Det var för två år sedan som de hade ringt henne från sjukhuset. Mor hade sett i en tidning att Göring inte bara flyttat stoftet efter sin hustru Carin till sitt gods Karinhall i Tyskland, utan att han också skulle bygga en gravkammare till hennes ära. Mor hade slagit sönder hela sitt rum och dessutom skadat en av vårdarna så svårt att han fick sys.

"Ni hör väl av er om det händer något nytt?" sa hon och reste sig. Hon samlade handskarna i vänster hand och sträckte fram den högra för att ta adjö.

När hon vände ryggen mot doktor Jansson och gick ut ur hans rum, lekte ett leende på hennes läppar. Ännu ett tag var hon fri.

De närmade sig Torp strax norr om Uddevalla när de hamnade i en rejäl trafikstockning. Patrik saktade in och Paula skruvade på sig i passagerarsätet för att försöka hitta en bekväm ställning.

Han kastade en bekymrad blick på henne. "Orkar du verkligen åka tur och retur till Göteborg?"

"Jadå. Oroa dig inte. Jag har tillräckligt med folk omkring mig som gör det."

"Vi får väl hoppas att det är värt besväret. Det var en jäkla trafik i dag."

"Det tar den tid det tar", sa Paula. "Hur mår Ebba förresten?"

"Jag vet faktiskt inte. Hon sov när jag kom hem i går och hon sov när jag gick. Men Erica sa att hon var helt utmattad."

"Inte konstigt. Det här måste kännas som en mardröm."

"Ja, men öka nu!" Patrik hängde sig på tutan när föraren i bilen framför inte snabbt nog uppmärksammade att det hade bildats en lucka i kön.

Paula skakade på huvudet men avstod från att kommentera. Hon hade åkt tillräckligt många turer med Patrik för att veta att hans humör förändrades så fort han hamnade bakom ratten.

En dryg timme extra tog det dem att ta sig till Göteborg i sommartrafiken, och Patrik var nära att explodera när de klev ur bilen på den lugna villagatan i Partille. Han drog i skjortan för att fläkta sig.

"Herregud, vad varmt det är i dag. Dör inte du i den här värmen?"

Paula tittade överseende på hans svettblanka panna.

"Jak är ytlänning, jak svettas inte", sa hon och lyfte på armarna för att visa att hon var helt torr.

"Då svettas jag för oss bägge i så fall. Jag borde ha tagit med mig en extra skjorta. Det ser ju inte klokt ut att dyka upp så här. Jag helt genomsvettig och du som en strandad val. De måste undra över Tanums poliskår", sa Patrik och tryckte på ringklockan.

"Strandad val kan du vara själv. Jag är gravid. Vad har du för ursäkt?"
Paula petade Patrik i midjan.

"Det där är bara lite pondus. Det kommer att försvinna i ett nafs så fort jag börjar träna igen."

"Jag hörde att gymmet hade skickat ut en efterlysning."

Dörren öppnades så Patrik fick aldrig en chans att ge svar på tal.

"Hej, välkomna! Ni måste vara poliserna från Tanumshede?" sa en man i sextioårsåldern med vänligt utseende.

"Ja", sa Patrik och presenterade sig själv och Paula.

En kvinna i samma ålder anslöt för att hälsa.

"Kom in! Det är jag som är Berit. Sture och jag tänkte att vi kunde sätta oss och prata i pensionärskuvösen."

"Pensionärskuvösen?" väste Paula frågande till Patrik.

"Glasveranda", väste han tillbaka och såg att hon drog på munnen.

Ute på den lilla soliga verandan drog Berit fram en stor rottingfåtölj till bordet och nickade åt Paula. "Sätt dig här. Den är bekvämast."

"Tack! Ni får nog ta hjälp av en lyftkran för att få upp mig sedan", sa Paula och sjönk tacksamt ner mot den tjocka dynan.

"Och så lägger du upp fötterna på den här pallen. Det kan inte vara lätt att vara höggravid i den här värmeböljan."

"Nej, det börjar bli lite tungt", erkände Paula. Efter den långa bilresan var hennes vader som fotbollar.

"Jag minns så väl sommaren när Ebba väntade Vincent. Det var lika varmt då och hon …" Berit avbröt sig mitt i meningen och leendet slocknade. Sture lade en arm om sin hustru och klappade henne ömt på axeln.

"Seså, nu tycker jag att vi slår oss ner så att våra gäster får lite kaffe och kaka i sig. Det är Berits egen tigerkaka. Receptet är så hemligt att inte ens jag vet hur hon gör." Hans ton var lätt i ett försök att höja stämningen igen, men blicken var lika sorgsen som hustruns.

Patrik gjorde som han sa och satte sig, men insåg att han förr eller senare skulle bli tvungen att ta upp ett ämne som uppenbarligen smärtade Ebbas föräldrar mycket.

"Ta för er nu." Berit sköt fram fatet. "Vet du och din man om det blir en flicka eller pojke?"

Paula hejdade sig med kakbiten halvvägs mot munnen. Sedan såg hon kvinnan framför sig rakt i ögonen och sa vänligt:

"Nej, min sambo Johanna och jag har bestämt oss för att inte ta reda på det. Men vi har en son, så det är klart att det vore roligt med en liten tjej den här gången. Samtidigt är det ju sant som alla säger att det viktigaste är att bebisen är frisk." Hon strök sig över magen och stålsatte sig inför parets reaktion.

Berit sken upp. "Vad roligt för honom att bli storebror! Han måste vara stolt."

"Med en så vacker mamma blir det nog bra vad det än blir", sa Sture med ett varmt leende.

De verkade inte ens reagera på att barnet skulle få två mammor och Paula log glatt tillbaka.

"Nu måste ni berätta vad det är som händer", sa Sture och lutade sig fram över bordet. "Vi får bara knapphändiga svar av Ebba och Mårten när vi ringer, och de vill inte att vi ska åka dit heller."

"Nej, det är nog lika bra att ni inte gör det", sa Patrik och tänkte att det sista de behövde nu var fler människor i fara ute på Valö.

"Varför då?" Berits blick rörde sig oroligt mellan Patrik och Paula. "Ebba berättade att de hade hittat blod när de bröt upp ett av golven? Är det från …"

"Ja, det verkar troligast", sa Patrik. "Men blodet är så gammalt att det inte med säkerhet går att säga om det kommer från Ebbas familj eller hur många personers blod det rör sig om."

"Det är verkligen förfärligt", sa Berit. "Vi har aldrig pratat så mycket med Ebba om det som hände. Vi visste heller inte mer än vad socialkontoret berättade för oss och vad vi läste i tidningarna. Så vi blev lite förvånade när hon och Mårten ville ta över huset."

"Jag tror inte att de ville dit", sa Sture. "Jag tror att de ville bort."

"Skulle ni vilja berätta vad det var det som hände med deras son?" sa Paula försiktigt.

Berit och Sture tittade på varandra en stund innan Sture tog till orda. Långsamt berättade han om dagen när Vincent dog, och Patrik kände en klump växa i halsen medan han lyssnade. Att livet kunde vara så grymt och meningslöst.

"Hur snart efteråt flyttade Ebba och Mårten?" frågade han när Sture tystnade.

"Det gick väl ett halvår ungefär", sa Berit.

Sture nickade. "Jo, det stämmer. De sålde huset, ja, de bodde bara en bit ifrån oss här." Han pekade i en obestämd riktning längs gatan. "Och Mårten sa ifrån sig sina uppdrag som snickare. Ebba hade varit sjukskriven sedan det hände. Hon arbetade som ekonom på Skatteverket men gick aldrig tillbaka till jobbet. Vi oroar oss lite för hur de ska klara sig ekonomiskt, men de har ju en grundplåt eftersom de sålt radhuset."

"Vi får hjälpa dem så gott det går", sa Berit. "Vi har två barn till, som så att säga är våra egna, även om vi räknar Ebba som vår dotter också. Ebba har alltid varit deras ögonsten och de hjälper gärna till om de kan, så det ska nog ordna sig."

Patrik nickade. "Det kommer att bli ett jättefint ställe när det väl blir klart. Mårten verkar vara en duktig snickare."

"Han är otroligt duktig", sa Sture. "När de bodde här jobbade han nästan jämt. Det blev kanske för mycket ibland, men hellre det än en måg som latar sig."

"Mer kaffe?" frågade Berit och reste sig för att hämta kannan utan att vänta på svar.

Sture tittade efter henne. "Det här tär på henne, men hon vill inte visa det. Ebba kom som en liten ängel till vår familj. Våra äldre barn var sex och åtta, och vi hade pratat om att vi kanske skulle skaffa ett till. Det var Berits idé att vi i stället skulle se om det inte fanns något barn som vi kunde hjälpa och ta oss an."

"Hade ni haft andra fosterbarn före Ebba?" frågade Paula.

"Nej, Ebba blev vårt första och enda. Hon blev ju kvar hos oss och sedan bestämde vi att vi skulle adoptera henne. Berit kunde knappt sova på nätterna förrän adoptionen hade gått igenom. Hon var livrädd att någon skulle komma och ta henne ifrån oss."

"Hur var hon som barn?" frågade Patrik, mest av nyfikenhet. Något sa honom att den Ebba han sett bara var en blek kopia av sitt rätta jag.

"Oj, det var ett yrväder, ska jag säga."

"Ebba, ja!" Berit kom ut på verandan med kaffekannan. "Den ungen kunde hitta på hyss. Men hon var alltid glad och det gick aldrig att bli riktigt arg på henne."

"Det har gjort allt ännu tyngre att bära", sa Sture. "Vi förlorade inte bara Vincent, vi förlorade Ebba också. Det var som om en stor del av henne dog med Vincent. Och samma sak är det med Mårten. Han har i och för sig alltid varit mer instabil i humöret och var periodvis deprimerad, men innan Vincent dog hade de det bra tillsammans. Nu ... nu vet jag inte längre. Till en början klarade de knappt av att vara i samma rum som varandra, och nu sitter de på en ö i skärgården ihop. Ja, vi kan som sagt inte låta bli att oroa oss."

"Har ni någon teori om vem som kan ha anlagt branden eller vem som sköt på Ebba i går?" frågade Patrik.

Berit och Sture stirrade som förstelnade på honom.

"Har inte Ebba berättat?" sa han och tittade på Paula. Han hade inte ens tänkt tanken att Ebbas föräldrar inte skulle veta vad som hade hänt deras dotter. Då hade han försökt ställa frågan på ett smidigare sätt.

"Nej, hon har inte sagt något mer än att de hittat blodet", sa Sture.

Patrik letade fortfarande efter de rätta orden för att beskriva händelserna ute på Valö när Paula förekom honom och lugnt och sakligt redogjorde för branden och skottlossningen.

Berit greppade bordsskivan så hårt att knogarna vitnade. "Jag förstår inte varför hon inte har berättat något."

"Hon ville nog inte oroa oss", sa Sture men verkade lika upprörd som sin hustru.

"Men varför stannar de kvar där ute? Det är ju vansinne! De måste flytta därifrån genast. Vi får åka dit och prata med dem, Sture."

"De verkar vara helt inställda på att vara kvar", sa Patrik. "Men för tillfället är Ebba hemma hos oss. Hon följde med min fru hem och har bott i vårt gästrum i natt. Mårten vägrade däremot att åka från ön, så han är kvar där."

"Är han inte klok?" sa Berit. "Nu far vi dit. Med en gång." Hon ställde sig upp men Sture tryckte med milt våld ner henne på stolen igen.

"Låt oss inte göra något överilat. Vi ringer Ebba och hör vad hon har att säga. Du vet hur envisa de är. Det är ingen idé att vi börjar bråka."

Berit skakade på huvudet men gjorde ingen mer ansats att resa sig.

"Kan ni komma på någon anledning till varför någon skulle försöka skada dem?" Paula vred på sig i stolen. Till och med i denna fantastiska möbel började det efter en stund värka i lederna.

"Nej, ingen alls", sa Berit med eftertryck. "De levde ett alldeles vanligt liv. Och varför skulle någon vilja göra dem ännu mer illa? De har ju haft nog med sorg och bedrövelse."

"Det måste väl ändå hänga ihop med det som hände Ebbas familj?" sa Sture. "Någon kanske är rädd att det ska komma fram något?"

"Det är vår teori också, men vi vet inte så mycket just nu och vill därför vara lite försiktiga med vad vi säger", sa Patrik. "En sak som vi undrar över är de kort som Ebba fått från någon som har skrivit under med 'G'."

"Ja, det där är ju lite märkligt", sa Sture. "Varje födelsedag har de där korten kommit. Vi antog att det var någon avlägsen släkting som skickade dem. Det kändes så harmlöst att vi lät det bero."

"Ebba fick ett nytt kort i går som inte var lika harmlöst."

Ebbas föräldrar tittade förvånat på honom.

"Vad stod det?" Sture reste sig och drog för gardinerna en bit. Solljuset hade börjat leta sig in och sken starkt på bordet.

"Det var hotfullt, kan man säga."

"Det var första gången i så fall. Tror ni att avsändaren är samma person som har gett sig på Ebba och Mårten?"

"Vi vet inte. Men det skulle vara värdefullt om det fanns något kort kvar som vi kunde få se."

Sture skakade beklagande på huvudet. "Nej, tyvärr har vi inte behållit dem. Vi visade dem för Ebba och sedan slängde vi dem. De var inte särskilt personligt skrivna. Det stod bara 'Grattis på födelsedagen' och så 'G'. Inget annat. Så det kändes inte som om det var så mycket att spara på."

"Nej, det förstås", sa Patrik. "Och det var inget annat med korten som avslöjade vem som skickade dem? Kunde man till exempel se var de var poststämplade?"

"De kom härifrån Göteborg, så det gav oss inga ledtrådar." Sture tystnade men ryckte sedan till och tittade på sin hustru. "Pengarna", sa han.

Berit spärrade upp ögonen. "Att vi inte tänkte på det!" Hon vände sig mot Patrik och Paula: "Från det att Ebba kom till oss fram till hennes artonårsdag sattes det in pengar anonymt till henne varje månad. Vi fick bara ett brev om att ett konto hade öppnats i Ebbas namn. Vi sparade pengarna och sedan fick hon dem när hon och Mårten skulle köpa sitt hus."

"Och ni har ingen aning om vem som satte in pengarna? Har ni försökt ta reda på det?"

Sture nickade. "Jo, vi gjorde några försök. Det är klart att vi var nyfikna. Men banken meddelade att givaren ville förbli anonym, och det fick vi nöja oss med. Till slut tänkte vi att det antagligen var samma person som skickade födelsedagskorten: en avlägsen släkting som bara ville väl."

"Vilken bank kom brevet ifrån?"

"Handelsbanken. Ett kontor vid Norrmalmstorg i Stockholm."

"Då får vi undersöka det vidare. Jättebra att ni kom på det."

Patrik tittade frågande på Paula som nickade. Han reste sig och sträckte fram handen.

"Stort tack för att ni tog er tid att träffa oss. Hör av er om ni kommer att tänka på något mer."

"Det lovar vi. Självklart vill vi hjälpa till allt vi kan." Sture log blekt och Patrik förstod att de skulle kasta sig på telefonen och ringa till dottern så fort han och Paula hade åkt.

Utflykten till Göteborg hade visat sig mer givande än han vågat hoppas på. "Follow the money", som de brukade säga i amerikanska filmer. Om de kunde spåra pengarna skulle de kanske hitta den ledtråd som behövdes för att komma vidare.

När de satt sig i bilen slog han på telefonen. Tjugofem missade samtal. Patrik suckade och vände sig till Paula.

"Något säger mig att pressen har fått nys om det här nu." Han startade motorn och körde mot Tanumshede. Det här skulle bli en tung dag.

Expressen hade kört nyheten om Valö, och när Kjells chef via djungeltelegrafen på redaktionen fick höra att de kunde ha varit först med storyn blev han minst sagt sur. Efter att han hade fått skälla av sig skickade han iväg Kjell med uppdraget att bräcka storstadsjätten och göra Bohusläningens artiklar om det gamla fallet snäppet vassare. "Att vi är mindre och lokala betyder inte att vi ska vara sämre", som han brukade säga.

Kjell bläddrade bland sina anteckningar. Visst hade det stridit emot hans journalistiska principer att lämna ifrån sig en sådan nyhet, men hans engagemang mot de främlingsfientliga organisationerna var viktigare. Om han var tvungen att ge bort ett scoop för att få hjälp att rota fram sanningen om Sveriges Vänner och John Holm var han beredd att göra det.

Han fick lägga band på sig för att inte ringa Sven Niklasson och höra hur det gick. Troligtvis skulle han inte få reda på särskilt mycket förrän han läste om det i tidningen, men han kunde ändå inte låta bli att grubbla över vad Gimle kunde betyda. Han var säker på att tonen i Sven Niklassons röst hade förändrats när han berättade om lappen som Erica hittat hemma hos John. Det hade låtit som om han hört talas om Gimle tidigare och redan visste någonting om det.

Han slog upp Expressen och läste vad de skrev om fyndet på Valö. Fyra sidor hade de gett nyheten, och det skulle säkert bli en följetong de närmaste dagarna. Polisen i Tanum hade kallat till presskonferens i eftermiddag, och förhoppningsvis skulle det komma fram något som gick att bygga vidare på. Men fortfarande var det några timmar kvar och utmaningen låg inte i att få samma information som alla andra, utan att hitta det som ingen annan hade. Kjell lutade sig tillbaka på skrivbordsstolen och funderade. Han visste att folk i bygden alltid hade fascinerats av pojkarna som varit kvar över lovet. Under åren hade det spekulerats vilt om vad de visste och inte visste och ifall de hade något med familjens försvinnande att göra. Om han grävde fram så mycket material som möjligt om de fem pojkarna, skulle han förhoppningsvis kunna skriva en artikel som ingen av de övriga tidningarna kunde klå.

Han rätade på sig och började söka i datorn. En hel del upplysningar om de män som pojkarna var i dag gick att hitta i offentliga register och det var alltid ett bra ställe att börja på. Dessutom hade han sina egna anteckningar från intervjun med John. De övriga fyra fick han försöka få tag på under dagen. Det skulle bli mycket jobb på kort tid, men om han fick till det skulle det kunna bli riktigt bra.

Ännu en sak slog honom och han skrev raskt ner det i anteckningsblocket. Han borde försöka prata med Gösta Flygare, som hade varit med då det begav sig. Om han hade tur kunde Gösta berätta lite om sina intryck från de förhör han haft med pojkarna, vilket skulle ge ytterligare tyngd till artikeln.

Tanken på Gimle trängde sig hela tiden på, men Kjell sköt bestämt bort den. Det var inte hans ansvar längre, och kanske betydde det inte ens något. Han tog upp sin mobiltelefon och började ringa. Han hade inte tid att grubbla.

Långsamt packade Percy väskan. Han skulle inte gå på det stora sextioårskalaset. Det hade räckt med några telefonsamtal för att få veta att Pyttan inte bara hade lämnat honom utan dessutom flyttat in hos jubilaren.

I morgon bitti skulle Percy sätta sig i Jaggan och köra till Fjällbacka. Han var inte säker på att det var en god idé. Men Leons samtal hade kommit som en bekräftelse på att hans liv var på väg att rasa samman och vad hade han egentligen att förlora?

Som alltid lydde man när Leon talade. Han hade redan då varit ledaren och det var märkligt och aningen skrämmande att tänka sig att han hade haft samma auktoritet när han var sexton som han hade nu. Kanske skulle livet ha sett annorlunda ut om han inte hade följt Leons order, men han ville inte börja fundera på det nu. I så många år hade han lyckats förtränga allt som skett på Valö och han hade aldrig återvänt. När de satte sig i båten den där påskaftonen hade han inte ens vänt sig om.

Nu skulle han bli tvungen att minnas igen. Han visste att han borde stanna i Stockholm, dricka sig redlöst berusad och se livet passera utanför på Karlavägen medan han väntade på att fordringsägarna skulle knacka på dörren. Men Leons röst i telefonen hade gjort honom lika viljelös som då.

En ringsignal från dörrklockan fick honom att hoppa till. Han väntade inte besök och Pyttan hade redan tagit med sig allt av värde. Att hon skulle ångra sig och komma tillbaka hade han inga illusioner om. Hon var inte dum. Hon förstod att han skulle förlora allt och hade flytt medan tid var. På sätt och vis kunde han förstå henne. Han var uppväxt i en värld där man gifte sig med någon som hade något att erbjuda, som ett slags aristokratisk byteshandel.

Han öppnade dörren. Utanför stod advokat Buhrman.

"Hade vi bestämt att träffas?" Percy försökte minnas.

"Nej, det hade vi inte." Advokaten tog ett steg framåt så att Percy tvingades backa och släppa in honom. "Jag hade en del ärenden här i stan och skulle egentligen ha åkt hem i eftermiddag. Men det här brådskar."

Buhrman undvek att se på honom och Percy kände hur knäna började skaka. Det här var inte bra.

"Kom in", sa han och kämpade för att hålla rösten stadig.

I huvudet hörde han faderns röst: Vad som än händer, visa dig aldrig svag. Plötsligt trängde minnena fram av tillfällen då han inte lyckats följa rådet utan gråtande fallit ihop på golvet, bönat och bett. Han svalde och blundade. Det här var inte rätt ögonblick att låta det förflutna tränga sig på. Han skulle få nog av det i morgon. Nu måste han ta reda på vad Buhrman ville.

"Får det vara en liten whisky?" frågade han och gick fram till drinkvagnen och hällde upp till sig själv.

Advokaten slog sig sakta och mödosamt ner i soffan. "Nej tack."

"Kaffe?"

"Nej tack. Sätt dig nu ner." Buhrman dunkade med käppen i golvet och Percy gjorde som han sa. Han satt tyst när advokaten pratade och nickade bara emellanåt för att visa att han förstod. Inte med en min visade han vad han tänkte. Faderns röst ekade allt högre mellan tinningarna på honom: Visa dig aldrig svag.

När Buhrman hade gått fortsatte han att packa. Det fanns bara en enda sak han kunde göra. Han hade varit svag den där gången för så

längesedan. Han hade låtit sig besegras av ondskan. Percy drog igen drag-
kedjan på väskan och satte sig på sängen. Han stirrade rakt framför sig.
Hans liv var förstört. Ingenting hade längre någon betydelse. Men han
skulle aldrig mer visa sig svag.

Fjällbacka 1939

Laura betraktade sin man där de satt vid frukostbordet. De hade varit gifta i ett år. Samma dag Laura fyllde arton hade hon tackat ja till Sigvards frieri och bara någon månad därefter hade de vigts vid en stilla ceremoni i trädgården. Sigvard var då femtiotre år och hade kunnat vara hennes far. Men han var rik och hon förstod att hon aldrig mer skulle behöva oroa sig för sin framtid. Sakligt hade hon skrivit en lista med argument för och emot, och de positiva argumenten hade varit fler. Kärlek var för dårar och en lyx som en kvinna i hennes situation inte hade råd med.

"Tyskarna har gått in i Polen", sa Sigvard upphetsat. "Det här är bara början, sanna mina ord."

"Jag orkar inte bekymra mig om politik."

Laura bredde sig en halv smörgås. Mer vågade hon inte äta. Ständig hunger var det pris hon tvingades betala för att vara perfekt, och ibland slogs hon av hur absurt det var. Hon hade gift sig med Sigvard för tryggheten, för vetskapen om att hon alltid skulle ha mat på bordet. Ändå gick hon hungrig lika ofta nu som då hon var liten och Dagmar lade pengarna på sprit i stället för mat.

Sigvard skrattade. "Din pappa är omnämnd här också."

Hon gav honom en isig blick. Mycket kunde hon tåla, men hon hade upprepade gånger bett honom att inte tala om något som berörde hennes tokiga mor. Hon behövde inga påminnelser om det som varit. Dagmar var i säkert förvar på S:t Jörgens sjukhus och om Laura hade tur skulle hon bli kvar där resten av sitt sorgliga liv.

"Det där var väl onödigt", sa hon.

"Förlåt, älskling. Men det är väl inget att skämmas för. Tvärtom. Den där Göring är ju Hitlers gunstling och chef för Luftwaffe. Det är inte illa." Han nickade eftertänksamt och försjönk i tidningen igen.

Laura suckade. Hon var inte intresserad och hon ville inte lyssna till mer prat om Göring så länge hon levde. I många år hade hon fått stå ut med mors sjuka fantasier och nu skulle hon tvingas höra och läsa om honom i tid och otid bara för att han var en av Hitlers närmaste män. Herregud, vad rörde det dem i Sverige om tyskarna invaderade Polen?

"Jag skulle vilja göra om lite i salongen. Får jag det?" frågade hon med sin allra mjukaste röst. Det var inte längesedan hon hade låtit göra om rummet helt. Det hade blivit fint, men ännu var det inte perfekt. Inte så som salongen i dockskåpet hade varit. Finsoffan hon köpt passade inte riktigt in och prismorna i kristallkronan var inte lika blanka och skinande som hon hade förväntat sig innan hon lät hänga upp den.

"Du kommer att göra mig utfattig", sa Sigvard men såg förälskat på henne. "Gör som du vill, hjärtat. Bara du är glad."

"Anna kommer också om det är okej." Erica tittade försiktigt på Ebba. I samma ögonblick som hon bjudit över systern hade hon insett att det kanske inte var en så bra idé, men Anna hade låtit som om hon behövde sällskap.

"Det går jättebra." Ebba log men såg fortfarande trött ut.

"Vad sa dina föräldrar? Patrik tyckte att det kändes lite kymigt att de fick höra om branden och skotten på det här viset, men han trodde att du berättat för dem om vad som hänt."

"Det borde jag ha gjort, men jag sköt på det. Jag vet hur oroliga de blir. De skulle ha velat att vi gav upp och flyttade tillbaka igen."

"Ni har inte funderat på det?" sa Erica medan hon satte på en dvd med *Lotta på Bråkmakargatan*. Tvillingarna sov, helt utmattade efter utflykten till Gösta, och Maja satt i soffan och väntade på att filmen skulle börja.

Ebba funderade en stund, sedan skakade hon på huvudet. "Nej, vi kan inte åka hem igen. Om inte det här fungerar, då vet jag inte vad vi ska göra. Jag inser att det är idiotiskt att stanna kvar och jag *är* rädd, men samtidigt ... det värsta som kan hända oss har ju redan hänt."

"Vad ...", började Erica. Hon hade äntligen tänkt ta mod till sig och fråga vad som hade hänt deras son, men precis då öppnades ytterdörren och Anna klev in.

"Hallå!" ropade hon.

"Kom in, jag håller bara på att ladda dvd-spelaren med Lotta för tusende gången."

"Hej", sa Anna och nickade till Ebba. Hon log lite försiktigt, som om hon inte visste hur hon skulle förhålla sig till henne efter upplevelsen de delat under gårdagen.

"Hej, Anna", sa Ebba lika försiktigt. Hos henne kändes försiktigheten mer som en del av hennes personlighet, och Erica undrade om hon hade varit mer öppen innan sonen dog.

Vinjetten till filmen började spelas upp och Erica reste sig. "Vi sätter oss i köket."

Anna och Ebba gick före och slog sig ner vid köksbordet.

"Har du kunnat sova något?" sa Anna.

"Ja, jag sov över tolv timmar, men det känns som om jag skulle kunna sova tolv till."

"Det är säkert chocken."

Erica kom in i köket med en hög papper i famnen.

"Det jag har är inte på något sätt heltäckande och antagligen har du redan sett en del", sa hon och lade högen på bordet.

"Jag har inte sett något alls." Ebba skakade på huvudet. "Det kanske låter konstigt, men jag har inte funderat så mycket på min bakgrund förrän jag tog över huset och vi flyttade hit. Jag hade det så bra, tror jag, och alltihop kändes också lite väl … absurt." Hon stirrade på högen med papper som om hon på så vis kunde tillgodogöra sig kunskapen.

"Då så." Erica slog upp ett anteckningsblock och harklade sig. "Din mamma, Inez, var ju född 1951 och var bara tjugotre år när hon försvann. Jag har egentligen inte hittat så mycket om henne innan hon gifte sig med Rune. Hon var född och uppvuxen i Fjällbacka, hade medelbra betyg i skolan och, ja, det är faktiskt nästan det enda som finns i arkiven om Inez. Hon gifte sig med din pappa, Rune Elvander, 1970, och du föddes i januari 1973."

"Tredje januari", fyllde Ebba i och nickade.

"Rune var betydligt äldre än Inez, som du nog vet. Han var född 1919 och hade tre barn i ett tidigare äktenskap: Johan som var nio år, Annelie som var sexton och Claes som var nitton år gammal när de försvann. Deras mamma Carla, Runes första fru, dog bara något år innan Rune och Inez gifte sig, och enligt de personer som jag har pratat med var det inte helt lätt för din mamma att komma in i familjen."

"Jag undrar varför hon gifte sig med någon som var så mycket äldre än hon", sa Ebba. "Pappa måste ha varit", hon räknade tyst i huvudet, "femtioett år när de gifte sig."

"Din mormor verkar ha haft en del med saken att göra. Hon var tydligen, ja, hur ska jag uttrycka mig …"

"Jag har ingen relation till min mormor, så håll inte igen för min skull. Min familj finns i Göteborg. Den här delen av mitt liv är mer kuriosa."

"Då tar du inte illa upp om jag säger att din mormor var känd som en riktig skräcködla."

"Men Erica!" sa Anna och tittade förebrående på sin syster.

För första gången sedan de träffade Ebba skrattade hon hjärtligt.

"Ingen fara." Hon vände sig till Anna. "Jag blir inte ledsen. Jag vill höra sanningen, eller så mycket av den som går att hitta i alla fall."

"Ja, ja", sa Anna men såg fortfarande skeptisk ut.

Erica fortsatte: "Din mormor hette Laura och hon var född 1920."

"Så min mormor var jämngammal med min pappa", konstaterade Ebba. "Det får mig att undra ännu mer hur det där gick till."

"Som sagt lär Laura ha haft ett finger med i spelet. Det var hon som fick din mamma att gifta sig med Rune. Men det är inget jag vet säkert så du får ta det med en nypa salt."

Erica började gräva i högen och lade fram ett papper med en kopia av ett foto framför Ebba.

"Här är en bild av din mormor Laura och din morfar Sigvard."

Ebba lutade sig fram. "Nej, hon ser inte särskilt munter ut", sa hon och tittade på den strama damen. Mannen bredvid tycktes inte mycket gladare.

"Sigvard dog 1954, strax efter att det här kortet togs."

"De verkar förmögna", sa Anna och lutade sig fram hon också för att kunna studera bilden.

"Det var de", nickade Erica. "I alla fall fram till Sigvards död. Då visade det sig att han hade gjort en rad dåliga affärer. Det blev inte mycket pengar kvar och eftersom Laura inte arbetade gröptes kapitalet sakta men säkert ur. Laura skulle antagligen ha hamnat på bar backe om inte Inez hade gift sig med Rune."

"Var min pappa rik?" frågade Ebba. Hon hade lyft upp kopian och höll den nära ögonen för att inte missa några detaljer.

"Jag skulle inte säga rik, men han hade det gott ställt. Tillräckligt för att kunna bekosta ett ståndsmässigt änkeboende åt Laura inne på fastlandet."

"Men hon levde väl inte när mamma och pappa försvann?"

Erica bläddrade lite i anteckningsblocket som hon hade framför sig.

"Nej, helt riktigt. Laura dog av en hjärtinfarkt 1973. Ute på Valö faktiskt. Claes, Runes äldste son, hittade henne på baksidan av huset. Då var hon redan död."

Erica vätte tummen, började gå igenom högen och drog snart fram en fotostatkopia av en tidningsartikel. "Här står det om det i Bohusläningen."

Ebba tog emot papperet och läste texten.

"Mormor verkar ha varit en kändis här."

"Ja, alla visste vem Laura Blitz var. Sigvard hade tjänat sina pengar på rederitrafik, och det viskades om att han gjorde affärer med tyskarna under andra världskriget."

"Var de nazister?" sa Ebba förfärat och tittade upp på Erica.

"Jag vet inte hur engagerade de var", sa hon dröjande. "Men visst var det allmänt känt att din mormor och morfar hade en del sympatier."

"Hade mamma det också?" sa Ebba med uppspärrade ögon och Anna blängde på Erica.

"Jag har inte hört något om det." Erica skakade på huvudet. "Rar men lite naiv. Så beskriver de flesta Inez. Och väldigt kuvad av din mormor."

"Det kan ju förklara äktenskapet med min pappa." Ebba bet sig i läppen. "Var inte han också en auktoritär person? Eller har jag bara fått för mig det, eftersom han var rektor för en internatskola?"

"Nej, det verkar stämma. Han sägs ha varit en rätt sträng och hård människa."

"Var mormor från Fjällbacka från början?" Ebba tog upp bilden av den bistra kvinnan igen.

"Ja, hennes släkt var Fjällbackabor sedan flera generationer. Hennes mamma hette Dagmar och föddes i Fjällbacka 1900."

"Så hon var ... tjugo när hon fick mormor? Men det var väl inte ovanligt på den tiden att man var så ung. Vem var mormors pappa?"

"Det står fader okänd i födelseboken. Och Dagmar var något av en karaktär." Erica fuktade fingret igen och bläddrade tills hon hittade ett papper nästan längst ner i bunten. "Det här är ett utdrag ur domboken."

"Dömd för lösdriveri? Var mammas mormor hora?" Ebba såg undrande på Erica.

"Hon var ensamstående med ett oäkta barn och gjorde nog det som krävdes för att överleva. Det var säkert inget lätt liv. Några gånger dömdes hon även för stöld. Dagmar ansågs allmänt vara lite galen och hon drack för mycket. Det finns dokument som visar att hon långa tider vårdades på mentalsjukhus."

"Vilken förfärlig uppväxt mormor måste ha haft", sa Ebba. "Inte konstigt om hon blev elak."

"Nej, att växa upp med Dagmar kan inte ha varit enkelt. I dag skulle man nog kalla det en skandal att Laura fick bo hos henne. Men kunskapen var inte lika stor då, och det fanns också ett enormt förakt för ogifta mödrar." Erica kunde se mor och dotter framför sig. Hon hade ägnat så många timmar åt att söka efter dessa kvinnors historia att de kändes fullkomligt verkliga för henne. Egentligen visste hon inte varför hon sökt sig så långt bakåt i tiden när hon skulle nysta i mysteriet med familjen Elvanders försvinnande. Men kvinnornas öden hade fängslat henne och hon hade fortsatt och fortsatt.

"Vad hände med Dagmar?" sa Ebba.

Erica räckte fram ännu ett ark: en kopia av ett svartvitt foto som verkade vara taget under en rättegång.

"Herregud, är det hon?"

"Får jag se", sa Anna och Ebba höll upp papperet mot henne.

"När är fotot taget? Hon ser så gammal och sliten ut."

Erica tittade i sina anteckningar. "Den här bilden är från 1945. Så Dagmar var fyrtiofem år gammal. Den togs när hon var intagen på S:t Jörgens sjukhus i Göteborg."

Erica gjorde en dramatisk paus.

"Den är för övrigt tagen fyra år innan Dagmar försvann."

"Försvann?" sa Ebba.

"Ja, det verkar vara ett släktdrag. Sista anteckningen som finns om Dagmar är från 1949. Efter det verkar hon ha gått upp i rök."

"Visste inte Laura någonting?"

"Det jag har fått berättat för mig är att Laura sa upp kontakten med Dagmar långt innan dess. Vid det laget var hon gift med Sigvard och levde ett helt annat liv än det hon tvingats leva med Dagmar."

"Fanns det ingen teori om vart hon tog vägen?" frågade Anna.

"Jo, den främsta verkar vara att Dagmar söp sig full och gick ner sig i havet. Men man har aldrig hittat hennes kropp."

"Hjälp", sa Ebba och tog upp fotot av Dagmar igen. "En gammelmormor som var tjuv och hora och som sedan försvann. Jag vet inte hur jag ska kunna smälta allt det här."

"Det blir värre än så." Erica såg sig omkring runt bordet och njöt av att ha sina åhörares fulla uppmärksamhet. "Dagmars mamma ..."

"Ja?" sa Anna otåligt.

"Nej, jag tycker att vi äter lunch först och tar resten sedan", sa Erica utan att ha några som helst avsikter att vänta med avslöjandet så länge.

"Sluta!" nästan skrek Anna och Ebba i kör.

"Känner någon av er igen namnet Helga Svensson?"

Ebba tycktes tänka efter en stund, men skakade sedan dröjande på huvudet. Anna satt tyst med pannan i djupa veck. Sedan tittade hon på Erica och en glimt tändes i hennes ögon.

"Änglamakerskan", sa hon.

"Vadå?" sa Ebba.

"Fjällbacka är ju inte bara känt för Kungsklyftan och Ingrid Bergman", förklarade Anna. "Vi har också den tvivelaktiga äran att vara hemort för Änglamakerskan Helga Svensson, som halshöggs 1909, tror jag."

"1908", sa Erica.

"Halshöggs för vad?" Ebba såg fortfarande förvirrad ut.

"Hon hade mördat små barn som lämnats i hennes vård. Dränkt dem i en balja. Det upptäcktes inte förrän en av mödrarna ångrade sig och kom tillbaka för att hämta hem sitt barn. När hennes son inte fanns där, trots att Helga skrivit brev om honom i ett helt år, fattade modern misstankar och gick till polisén. De trodde henne och en tidig morgon stormade de in hos Helga, hennes man och de barn som fanns där då, både hennes egen dotter och sådana som Helga hade fått hand om och som fortfarande hade turen att vara vid liv."

"Och när man grävde upp jordgolvet i källaren, hittades åtta barnlik där", inflikade Anna.

"Fy, vad otäckt", sa Ebba och såg ut som om hon fick kväljningar. "Men jag förstår inte vad det här har med min släkt att göra?" Hon pekade med handen mot högen på bordet.

"Helga var Dagmars mamma", sa Erica. "Änglamakerskan Helga Svensson var Dagmars mamma och din mormors mormor."

"Driver du med mig?" Ebba tittade vantroget på Erica.

"Nej, det är sant. Du förstår kanske att jag tyckte att det var ett märkligt sammanträffande när Anna berättade att du gjorde smycken som föreställde änglar."

"Det känns som om jag kanske borde ha låtit den här stenen ligga orörd", sa Ebba men såg inte ut att riktigt mena det.

"Men det är ju spännande ...", sa Anna och såg ut att ångra ordvalet direkt. Hon vände sig ursäktande mot Ebba: "Förlåt, jag menar inte ..."

"Jag tycker också att det är spännande", sa Ebba. "Och jag ser också ironin i mina smycken. Märkligt. Det får en att undra över ödet."

Något mörkt drog över hennes ögon och Erica misstänkte att hon tänkte på sin son.

"Åtta barn", sa hon sedan långsamt. "Åtta små barn, nedgrävda i ett källargolv."

"Ja, hur är man funtad om man gör något sådant?" sa Anna.

"Vad hände med Dagmar när de avrättade Helga?" Ebba lade armarna i kors över bröstet och såg skörare ut än någonsin.

"Helgas man, Dagmars pappa, halshöggs också", sa Erica. "Det var han som grävde ner kropparna och han ansågs delaktig i morden, även om det var Helga som dränkte barnen. Så Dagmar blev föräldralös och hamnade hos en bonde utanför Fjällbacka ett antal år. Hur livet där tedde sig för henne vet jag inte. Men jag kan tänka mig att hon hade det svårt, som dotter till en barnamörderska. Folk här i bygden förlät inte en sådan synd i första taget."

Ebba nickade. Hon såg helt utmattad ut och Erica bestämde sig för att det fick vara nog nu. Det var dags för lunch och dessutom ville hon kolla sin mobiltelefon för att se om Gösta hade hört av sig. Hon höll tummarna för att han fått besked om Skrot-Olle. Måtte de äntligen ha lite tur.

En fluga surrade mot fönstret. Gång på gång kastade den sig mot rutan i en hopplös kamp. Den måste undra. Det fanns inget synligt hinder, ändå var det ständigt något som tog emot. Mårten förstod precis hur den kände sig. Han såg på den en stund innan han långsamt sträckte fram handen mot fönstret, formade tummen och pekfingret till en pincett och fångade den. Fascinerat betraktade han den medan han tryckte fingrarna mot varandra. Han klämde tills den blev platt och torkade sedan av sig mot fönsterkarmen.

Utan surret var det fullkomligt tyst i rummet. Han satt i Ebbas kontorsstol, med sakerna som hon använde för att göra smycken framför sig. En halvfärdig ängel i silver låg på bordet och han undrade vilken sorg smycket skulle lindra. Det behövde i och för sig inte vara så. Alla halsband beställdes inte till minne av någon som dött, många köpte dem bara för att de var vackra. Men just det här halsbandet anade han var till någon som sörjde. Sedan Vincent dog hade han kunnat känna andra människors sorg utan att de ens var närvarande. Han tog upp den halvfärdiga ängeln och visste att den var till någon som kände samma tomhet, samma meningslöshet som de gjorde.

Han kramade halsbandet hårdare i handen. Ebba förstod inte att de tillsammans skulle kunna fylla en del av den tomheten. Det enda hon behövde göra var att låta honom komma nära igen. Och hon måste erkänna sin skuld. Länge hade han varit förblindad av sina egna skuldkänslor, men nu förstod han allt tydligare att det var Ebbas fel. Om hon bara kunde medge det, skulle han förlåta henne och ge henne en chans till. Men hon sa inget utan tittade bara anklagande på honom, sökte skulden i hans blick.

Ebba avvisade honom och han kunde inte begripa det. Efter allt som hänt borde hon låta sig tas omhand och luta sig mot honom. Tidigare var det hon som styrde allt. Var de skulle bo, vart de skulle åka på semester, när de skulle skaffa barn, ja, även den där morgonen hade hon bestämt vad som skulle göras. Människor lät sig alltid luras av Ebbas blå ögon och späda figur. De såg henne som blyg och medgörlig, vilket inte var sant. Det var hon som hade bestämt den där morgonen, men från och med nu var det hans tur att bestämma.

Han reste sig och kastade ängeln ifrån sig. Täckt av något rött och kladdigt landade den i röran på skrivbordet och förvånat tittade han ner på handflatan, som var full av små skärsår. Dröjande torkade han av handen mot byxbenet. Ebba måste komma hem nu. Det fanns saker han måste förklara för henne.

Med hetsiga rörelser torkade Liv av utemöblerna. Det behövde göras varje dag om stolarna skulle hålla sig rena och hon fortsatte skrubba så att plasten blänkte. Svetten pärlade sig på ryggen i det starka solskenet. Efter alla timmar de tillbringat vid sjöboden hade hon blivit vackert gyllenbrun, men under ögonen syntes mörka ringar.

"Jag tycker inte att du ska gå", sa hon. "Varför ska du på något slags återträff nu? Du vet hur bräcklig situationen är för partiet. Vi måste ligga lågt tills …" Hon avbröt sig tvärt.

"Jag vet allt det där, men vissa saker styr man inte över", sa John och sköt upp läsglasögonen i pannan.

Han satt vid bordet och plöjde igenom tidningarna. Varje dag läste han de stora dagstidningarna samt några väl valda lokala. Hittills hade han aldrig lyckats ta sig igenom tidningshögen utan att känna avsmak för all enfald som fyllde sidorna. Alla dessa liberala journalister, krönikörer och förståsigpåare som trodde att de begrep hur världen var beskaffad. Tillsammans bidrog de till att sakta men säkert leda svenska folket i fördärvet. Det var hans ansvar att få människor att öppna ögonen. Priset var högt, men det gick inte att föra krig utan förluster. Och det här var ett krig.

"Kommer den där juden att vara där också?" Liv började torka av bordet efter att ha bestämt sig för att stolarna var rena nog.

John nickade. "Josef kommer antagligen att vara där."

"Tänk om någon skulle råka se dig och fotografera dig tillsammans med honom. Vad tror du händer om bilden kommer i tidningen? Du kan bara tänka dig vad dina anhängare skulle säga. Du skulle bli enormt ifrågasatt och kanske vara tvungen att avgå. Det får inte hända nu när vi är så nära."

John tittade ut över hamnen och undvek att möta Livs blick. Hon visste ingenting. Hur skulle han kunna berätta om mörkret, kylan och skräcken som tillfälligt suddade ut alla rasgränser? Där och då hade det handlat om överlevnad, och på gott och ont var han och Josef sammanlänkade för alltid. Han skulle aldrig kunna förklara det för Liv.

"Jag måste gå dit", sa han i en ton som tydligt markerade att diskussionen var avslutad. Liv visste bättre än att argumentera emot, men hon fortsatte att mumla för sig själv. John log och tittade på sin hustru, på hennes vackra ansikte där minen avslöjade en vilja av järn. Han älskade henne och de hade delat mycket, men mörkret kunde han bara dela med dem som hade varit med.

För första gången på alla dessa år skulle de samlas igen. Det skulle bli sista gången. Den uppgift han hade framför sig var för viktig och han skulle bli tvungen att sätta stopp för dåtiden. Det som hänt 1974 hade tillfälligt kommit upp till ytan, men det kunde lika snabbt försvinna igen, bara de var överens. Gamla hemligheter gjorde bäst i att stanna i det mörker där de skapats.

Den ende han var orolig för var Sebastian. Redan då hade Sebastian njutit av att befinna sig i överläge och han kunde ställa till problem. Men om det inte gick att resonera med honom fanns det andra vägar att gå.

Patrik tog ett djupt andetag. Annika höll som bäst på att organisera det sista inför presskonferensen, och journalister ända från Göteborg var samlade. Några av dem skulle även rapportera till rikstidningarna, så i morgon skulle fallet slås upp i alla de stora drakarna. Från och med nu skulle den här utredningen bli en cirkus, det visste han av tidigare erfarenhet, och mitt i manegen skulle Mellberg leka direktör. Det var också något Patrik hade erfarenhet av. Mellberg hade inte vetat till sig av glädje när han fick höra att de skulle bli tvungna att ordna en hastigt sammankallad presskonferens. Med största sannolikhet stod han nu inne på toaletten och kammade över flinten.

Själv var Patrik lika nervös som vanligt inför en presskonferens. Han visste att han förutom att redogöra för utredningen utan att säga för mycket, skulle vara tvungen att begränsa de skadeverkningar som Mellberg åstadkom. Samtidigt fick han vara tacksam för att det här inte hade exploderat i pressen redan för ett par dagar sedan. Allt som inträffade på orten spreds vanligtvis med vindens hastighet, och händelserna på Valö borde ha nått varenda invånare i Fjällbacka. Det var bara tur att ingen verkade ha tipsat om det förrän nu. Men slutligen hade turen vänt och det fanns ingen möjlighet att stoppa pressarna.

En försiktig knackning väckte honom ur de dystra tankegångarna. Dörren öppnades och Gösta kom in. Utan att fråga slog han sig ner i besöksstolen framför skrivbordet.

"Ja, nu har hyenorna samlats", sa Gösta. Han såg ner på sina tummar som han snurrade runt varandra i knäet.

"De gör bara sitt jobb", sa Patrik fastän han tänkt i samma banor alldeles nyss. Det var ingen vits med att se journalisterna som motståndare. Ibland kunde pressen till och med vara till nytta.

"Hur gick det i Götet?" frågade Gösta, fortfarande utan att titta på Patrik.

"Jodå. Det visade sig att Ebba inte hade berättat för föräldrarna om mordbranden och skotten."

Gösta höjde blicken. "Varför inte det?"

"Hon ville inte oroa dem, tror jag. Jag misstänker att de kastade sig på telefonen så fort vi hade gått, och framför allt mamman ville åka raka vägen till Valö."

"Kanske ingen dum idé. Ännu bättre vore det ju om Ebba och Mårten gav sig av därifrån tills vi har löst det här."

Patrik skakade på huvudet. "Ja, jag skulle inte ha stannat en minut längre än nödvändigt på ett ställe där någon hade försökt ha ihjäl mig inte bara en utan två gånger."

"Folk är konstiga."

"Ja, men Ebba hade trevliga föräldrar i alla fall."

"Så det verkade vara snälla människor?"

"Ja, jag tror att hon har haft det bra där. Hon verkade ha en fin relation till sina syskon. Trevligt område också. Äldre hus med massor av rosenbuskar omkring."

"Ja, det låter onekligen som ett fint ställe att växa upp på."

"Däremot fick vi ingen mer ledtråd om vem det kan vara som har skickat de där korten."

"Jaså, fanns det inget sparat?"

"Nej, de hade kastat allihop. Men det hade bara varit födelsedagshälsningar, ingenting hotfullt som det som kom nu. Och de var tydligen poststämplade i Göteborg."

"Märkligt." Gösta studerade sina tummar igen.

"Ännu märkligare är det att någon satte in pengar till Ebba varje månad ända tills hon fyllde arton."

"Vad? Anonymt?"

"Ja, precis. Så om vi kan spåra var de kom ifrån kanske det kan ge något. Jag hoppas på det i alla fall. Det är väl inte så långsökt att tänka sig att det är samma person som också skickade korten. Men nu måste jag gå." Patrik reste sig. "Var det något mer?"

Det blev tyst en stund innan Gösta till slut harklade sig och tittade upp på Patrik.

"Nej, det var inget mer. Inget alls."

"Då så." Patrik öppnade dörren och hade precis klivit ut i korridoren när Gösta ropade på honom.

"Patrik?"

"Ja, vad är det? Presskonferensen börjar om en minut."

Det blev tyst ett ögonblick.

"Det var inget. Glöm det", sa Gösta.

"Okej."

Patrik gick mot mötesrummet längst bort i korridoren med en liten gnagande känsla inombords att han kanske borde ha stannat och lirkat ur Gösta vad det var han ville säga.

Sedan steg han in i rummet och glömde snabbt allt annat än det han nu skulle göra. Allas blickar vändes mot honom. Mellberg stod redan längst fram och log brett. Åtminstone en på stationen var redo att möta pressen.

Josef avslutade samtalet. Benen vek sig under honom och han satte sig sakta ner med ryggen mot väggen. Han stirrade på hallens blommiga tapet, som suttit där sedan de köpte huset. Rebecka hade länge velat byta ut den, men Josef hade aldrig förstått varför de skulle lägga pengar på det när tapeten fortfarande var i bra skick. Saker som fungerade bytte man inte ut. Man skulle vara tacksam för att man hade tak över huvudet och mat på bordet, och det fanns mycket viktigare saker i livet än tapeter.

Nu hade han förlorat det viktigaste av allt, och Josef fann till sin förvåning att han inte kunde sluta titta på tapeten. Den var gräslig och han undrade om han borde ha lyssnat på Rebecka och låtit henne sätta upp en ny. Borde han överhuvudtaget ha lyssnat mer på henne?

Det var som om han plötsligt såg sig själv utifrån. En liten och förmäten man. En man som hade trott att drömmar kunde uppfyllas och att han var menad att utföra stordåd. I stället satt han här, avslöjad som en naiv dåre, och han hade bara sig själv att skylla. Ända sedan han hade varit omgiven av mörkret, ända sedan förnedringen fått hans hjärta att hårdna, hade han lyckats lura sig själv att han någon gång skulle få upprättelse. Naturligtvis var det inte så. Ondskan var mäktigare. Den hade funnits i hans föräldrars liv och trots att de aldrig talat om det visste han att den tvingat dem till ogudaktiga handlingar. Även han var smittad av ondskan, men i sin hybris hade han trott att Gud hade gett honom en möjlighet att bli ren.

Josef dunkade bakhuvudet i väggen. Först lätt, sedan hårdare och hårdare. Det kändes skönt, och med ens mindes han hur han där och då funnit ett sätt att ta sig förbi smärtan. För hans föräldrar hade det inte varit någon tröst att de delat sitt lidande med andra, och det hade det inte varit för honom heller. Snarare hade skammen blivit större. Också den hade han varit enfaldig att tro att han kunde bli fri ifrån om bara botgöringen var tillräckligt stor.

Han undrade vad Rebecka och barnen skulle säga om de visste, om allt avslöjades. Leon ville att de skulle samlas, ville väcka till liv det lidande som borde vara glömt. När han ringde i går kväll hade fasan nästan lamslagit Josef. Nu skulle hotet bli verklighet och han kunde inte göra något för att förhindra det. I dag hade det inte längre någon betydelse. Allt var redan för sent. Han var lika maktlös nu som då och hade inga krafter kvar för att slåss. Det skulle inte heller tjäna något till. Redan från början hade drömmen bara funnits i hans huvud och mest av allt förebrådde han sig själv för att han inte insett det.

Karinhall 1949

Dagmar grät och sorgen blandades med lycka. Äntligen var hon framme hos Hermann. Ett tag hade hon tvivlat. Pengarna hon fått av Laura hade bara räckt en bit på vägen. Alltför mycket hade gått åt när törsten kom över henne och vissa dagar mindes hon knappt, men varje gång hade hon rest sig upp och tagit sig vidare. Hennes Hermann väntade ju på henne.

Nog visste hon att han inte var begravd på Karinhall, som någon otrevlig människa på en av de många tågresorna skadeglatt sagt till henne när hon berättade vart hon skulle. Men det hade ingen betydelse var hans kropp låg. Hon hade läst artiklarna och sett bilderna. Det var här han hade hört hemma. Det var här hans själ fanns.

Även Carin Göring fanns här. Till och med efter sin död hade den vidriga slynan behållit sitt grepp om Hermann. Dagmar knöt händerna i kappfickorna och andades häftigt medan hon tittade ut över ägorna. Det här hade varit hans rike men nu var allt förstört. Hon kände hur ögonen tårades igen. Hur kunde det bli så här? Godset låg i ruiner och trädgården som en gång måste ha varit oerhört vacker var vildvuxen och ödelagd. Den lummiga skogen som hade omgärdat ägorna trängde sig allt närmare.

Hon hade gått i flera timmar för att komma hit. Från Berlin hade hon liftat och sedan promenerat till skogsområdet norr om staden där hon läst att Karinhall låg. Det hade inte varit lätt att få skjuts. Folk tittade misstänksamt på hennes slitna uppenbarelse och inte ett ord tyska talade hon heller, men hon hade upprepat "Karinhall" och till slut hade en äldre herre motvilligt släppt in henne i sin bil. När vägen delades och han gestikulerade att han skulle åt ena hållet och hon åt andra, hade hon fått kliva ur. Sista biten gick hon med allt ömmare fötter, men hon fortsatte framåt. Det enda hon ville var att få komma nära Hermann.

Sökande gick hon runt i ruinerna. De båda vaktkurerna vid infarten hade vittnat om hur storslagna byggnaderna en gång måste ha varit, och här och där stod rester av väggar och dekorstenar som gjorde att Dagmar lätt kunde *föreställa sig godsets prakt. Och om det inte hade varit för Carin skulle det ha varit uppkallat efter henne.*

Hatet och sorgen övermannade henne och hon föll snyftande ner på knä. Hon mindes den där ljuva sommarnatten då hon hade känt Hermanns andedräkt mot sin hud, då hans kyssar täckt hela hennes kropp. Det var natten då hon på en och samma gång fått och förlorat allt. Hermanns liv skulle ha blivit så mycket bättre om han hade valt henne. Hon skulle ha tagit hand om honom och inte, som Carin, låtit honom bli den människospillra hon sett på sjukhuset. Hon skulle ha varit stark nog för dem båda.

Dagmar tog en näve jord och silade den mellan fingrarna. Solskenet brände i nacken och på avstånd hörde hon vildhundarnas ylanden. En staty låg omkullvält och trasig en bit bort. Näsan och ena armen saknades, och ögonen av sten blickade oseende upp i skyn. Plötsligt kände hon hur trött hon var. Solen fick huden att hetta och hon ville vila i skuggan. Resan hade varit lång och längtan stark och hon behövde bara få lägga sig ner och sluta ögonen en kort stund. Hon såg sig om efter svalka. Vid sidan av en trappa, som inte längre ledde någonstans, hade en tjock pelare vält så att den lutade mot översta trappsteget och under den såg hon välsignad skugga.

Hon var för trött för att resa sig, så hon kröp över den ojämna marken bort till trappan, gjorde sig så liten hon kunde och lade sig med en suck av lättnad i det trånga utrymmet och blundade. Ända sedan den där juninatten hade hon varit på väg till honom. Till Hermann. Nu behövde hon vila.

Presskonferensen var över sedan ett par timmar tillbaka och de hade samlats i köket. Ernst som snällt hade fått stanna i Mellbergs rum under tiden var nu utsläppt och låg som vanligt parkerad på husses fötter.

"Ja, men det gick väl fint?" sa Mellberg och log belåtet. "Ska inte du gå hem och vila, Paula!" röt han sedan så att Patrik hoppade till på stolen.

Paula blängde på honom. "Jag avgör själv när jag behöver vila, tack så mycket."

"Springa här fast du är ledig. Och sätta dig och åka bil fram och tillbaka till Göteborg. Om något går galet, så kom ihåg att jag ..."

"Ja, vi hade läget under kontroll, tycker jag", sa Patrik för att avleda bråket som var på väg att ta fart. "Pojkarna lär få det hett om öronen nu."

Egentligen var det absurt att kalla männen, som vid det här laget var över femtio, för pojkarna. Men när han tänkte på dem var det de fem pojkarna på fotot han såg framför sig, iförda sjuttiotalskläder och med något vaksamt i blicken.

"Det kan de gott ha. Särskilt den där John", sa Mellberg och kliade Ernst bakom öronen.

"Patrik?" Annika stack in huvudet i köket och vinkade åt honom att komma. Han reste sig och följde efter henne ut i korridoren, där hon räckte honom den bärbara telefonen. "Det är Torbjörn. De verkar ha fått fram något."

Patrik kände pulsen öka. Han tog telefonen, gick in till sitt rum och stängde dörren. I gott och väl en kvart lyssnade han på Torbjörn och ställde några följdfrågor. När han hade avslutat samtalet skyndade han tillbaka till köket där Paula, Mellberg, Gösta och nu även Annika satt. Trots att klockan var mycket gjorde ingen någon ansats att gå hem.

"Vad sa han?" sa Annika.

"Lugn. Jag ska bara ta lite kaffe först." Med överdrivet långsamma rörelser gick Patrik mot kaffebryggaren och sträckte sig efter kannan, men innan han hann greppa handtaget reste sig Annika. Hon slet åt sig kannan, hällde upp kaffe i en kopp så att det skvimpade över och ställde ner den på bordet vid Patriks tomma plats.

"Varsågod! Sätt dig nu ner och berätta vad Torbjörn sa."

Patrik flinade men gjorde som hon sa. Han harklade sig.

"Torbjörn har fått fram ett tydligt fingeravtryck på undersidan av frimärket som satt på kortet från 'G'. Därmed har vi en chans att matcha avtrycket mot en eventuell misstänkt."

"Jättebra", sa Paula och lade upp sina svullna ben på en stol. "Men du ser ut som en katt som har svalt en kanariefågel, så det måste vara något större på gång."

"Alldeles riktigt." Patrik tog en mun av det skållheta kaffet. "Det gäller kulan."

"Vilken av dem?" sa Gösta och lutade sig fram.

"Det är det som är grejen. Kulan som hittades inkilad under golvlisten och kulorna som reglementsvidrigt plockades ut ur köksväggen efter mordförsöket mot Ebba ..."

"Ja, ja." Mellberg viftade med handen. "Jag fattar piken."

"De har troligtvis utskjutits med samma vapen."

Fyra par ögon stirrade på honom. Patrik nickade.

"Det låter otroligt men så är det. När ett okänt antal personer i familjen Elvander dödades 1974 användes med största sannolikhet samma vapen som i går när Ebba Stark blev beskjuten."

"Kan det verkligen vara samma gärningsman efter så många år?" Paula skakade på huvudet. "Det låter helt vansinnigt."

"Jag har hela tiden trott att mordförsöken på Ebba och hennes man måste ha med familjens försvinnande att göra. Och det här bevisar det."

Patrik slog ut med händerna. I huvudet ekade liknande frågor som hade ställts på presskonferensen. Han hade inte kunnat ge något annat svar än att det var en teori. Först nu hade de fått bevis som gav tyngd åt utredningen och stärkte de misstankar han haft redan från början.

"Killen på SKL har dessutom utifrån kulans bommärken kunnat slå fast vilken vapentyp som använts", tillade han. "Vi måste därmed kontrollera om någon i trakten har eller har haft en revolver av märket Smith & Wesson kaliber .38."

"Om man ska se det från den ljusa sidan innebär det här att vapnet som familjen Elvander mördades med inte ligger på havets botten", sa Mellberg.

"Det gjorde inte det i går då Ebba besköts, men sedan dess kan det ju ha hamnat där", påpekade Patrik.

"Jag tror inte det", sa Paula. "Om någon har sparat vapnet så länge har jag svårt att tänka mig att vederbörande gör sig av med det nu."

"Det kan du ha rätt i. Kanske ser personen till och med vapnet som en trofé och behåller det som ett slags minne av händelserna. De här nya uppgifterna visar hursomhelst att vi måste koncentrera oss ännu mer på att reda ut vad som hände 1974. Vi får förhöra de fyra vi redan har pratat med igen, och rikta in oss mer på händelseförloppet den aktuella dagen. Och Percy von Bahrn måste vi söka upp snarast möjligt. Det borde självklart redan ha gjorts, men det får jag ta på mitt ansvar. Samma sak med den där läraren som fortfarande är i livet. Vad hette han? Han som hade varit på semester under påsken, du vet …" Patrik knäppte med fingrarna.

"Ove Linder", fyllde Gösta i. Han såg med ens beklämd ut.

"Just det ja, Ove Linder. Han bodde väl i Hamburgsund nu? Honom får vi prata med direkt i morgon bitti. Han kan sitta inne med värdefull information om vad som försiggick på skolan. Du och jag kan åka dit ihop." Han sträckte sig efter papper och penna som alltid låg på bordet och började strukturera de uppgifter som de behövde ta itu med genast.

"Jo …", sa Gösta och strök sig över hakan.

Patrik fortsatte skriva.

"Under morgondagen måste vi träffa de fem pojkarna. Vi får fördela dem mellan oss. Paula, du kanske kan nysta vidare i det här med pengarna som sattes in till Ebba också?"

Paula sken upp. "Absolut, jag har faktiskt redan kontaktat bankkontoret och bett om hjälp."

"Jo, Patrik", sa Gösta igen men Patrik fortsatte dela ut order utan att lyssna. "Patrik!"

Alla blickar vändes mot honom. Det var inte likt Gösta att höja rösten på det sättet.

"Ja, vad är det? Vad är det du vill säga?" Patrik granskade Gösta och kände plötsligt på sig att han inte skulle uppskatta det som kollegan ville men uppenbarligen drog sig för att berätta.

"Jo, det är så att den där läraren, Ove Linder …"

"Ja?"

"Någon har redan pratat med honom."

"Någon?" sa Patrik och väntade på fortsättningen.

"Jag tänkte att det inte var så dumt om vi var fler som jobbade med fallet. Det går inte att komma ifrån att hon är duktig på att gräva fram saker, och vi har ju inte särskilt gott om resurser. Så jag tänkte att det inte skadade om vi fick hjälp. Som du sa alldeles nyss finns det sådant som vi redan borde ha gjort vid det här laget, vilket vi på det här sättet har. Så egentligen är det ju något bra." Gösta drog efter andan.

Patrik granskade honom. Var han inte riktigt klok? Försökte han bortförklara att han hade gått bakom ryggen på sina kollegor och vända det till något positivt? Så greps han av en misstanke som han hoppades inte skulle visa sig riktig.

"Hon – är det min kära hustru? Har hon alltså varit och pratat med den här läraren?"

"Öh ... ja", sa Gösta och tittade ner i knäet.

"Men Gösta då." Paula lät som om hon pratade med ett litet barn som hade tagit en kaka i smyg.

"Är det något mer jag bör veta?" sa Patrik. "Det är lika bra att du berättar allt. Vad har Erica haft för sig? Och du med för den delen?"

Med en djup suck började Gösta berätta det som Erica hade berättat för honom om hennes besök hos Liza och hos John, om det hon fått veta av Kjell om Johns bakgrund och om lappen hon hittat. Sedan tycktes han tveka en stund innan han slutligen berättade om inbrottet hemma hos Erica och Patrik.

Patrik blev alldeles kall. "Vad fan säger du?"

Gösta tittade skamset ner i golvet.

"Nej, nu får det vara nog." Patrik reste sig häftigt, rusade ut från stationen och satte sig i bilen. Han kände hur det kokade inombords. När han vridit om tändningsnyckeln och motorn startade tvingade han sig själv att ta några djupa andetag. Sedan tryckte han gasen i botten.

Ebba kunde inte sluta titta på bilderna. Hon hade bett att få en stund för sig själv, tagit med sig allt material om sin släkt och gått upp till Ericas arbetsrum. Efter att ha kastat en blick på det överbelamrade skrivbordet hade hon helt sonika satt sig på golvet och brett ut kopiorna av bilderna i en solfjäder framför sig. Det här var hennes släkt, det var hennes ursprung. Även om hon haft det bra hos sin adoptivfamilj, hade hon ibland varit avundsjuk på att de hade en släkt som de hörde ihop med. Det enda hon hörde samman med var ett mysterium. Hon mindes alla gånger hon stått och tittat på de inramade fotona ovanpå den stora byrån i vardagsrummet: morföräldrar och farföräldrar, mostrar och kusiner, ja, människor som fick en att känna att man var en länk i en lång kedja. Nu tittade hon på bilder av sina släktingar och det var en både underbar och konstig känsla.

Ebba plockade upp bilden på Änglamakerskan. Vilket vackert namn på något så ohyggligt. Hon förde bilden närmare ögonen och försökte se om det fanns något i Helgas blick som avslöjade det onda hon gjort. Hon visste inte om fotot var taget före eller under den period då barnen mördades, men barnet på bilden, som måste vara Dagmar, var så litet att det borde vara från 1902. Dagmar var klädd i en ljus volangprydd klänning och fullständigt ovetande om det öde som väntade henne. Vart hade hon tagit vägen? Hade hon gått ner sig i havet, som många tydligen trodde? Hade hennes försvinnande varit ett naturligt slut på ett liv som slagits i spillror redan när hennes föräldrars brott uppdagades? Hade Helga känt ånger eller förstått hur det skulle påverka hennes dotter om hon blev avslöjad, eller var hon så övertygad om att ingen skulle sakna de små oönskade barnen? Frågorna hopade sig i Ebbas huvud och hon visste att hon aldrig skulle få några svar. Ändå kände hon ett sådant släktskap med de här kvinnorna.

Hon synade bilden på Dagmar. Ansiktet bar tydliga spår av ett hårt liv, men det syntes att hon en gång hade varit vacker. Vad hade hänt med mormor Laura de gånger Dagmar greps av polisen eller när hon togs in på sjukhus? Laura hade inga andra släktingar, vad Ebba förstod. Fanns det vänner som tog hand om henne eller hamnade hon på något barnhem eller i fosterhem?

Plötsligt mindes Ebba att hon kommit på sig själv med att fundera mer på sitt ursprung när hon väntade Vincent. Det var ju hans historia också. Märkligt nog hade funderingarna upphört igen när han föddes. Dels hade hon inte haft tid att fundera på något överhuvudtaget, dels hade han tagit över hela hennes tillvaro med sin doft, sina små fjun i nacken och gropar vid knogarna. Allt annat tedde sig fullkomligt oviktigt. Till och med hon själv hade blivit oviktig. Hon och Mårten hade reducerats, eller kanske snarare upphöjts, till statister i filmen om Vincent. Hon hade älskat sin nya roll, men den hade gjort tomrummet när han försvann ännu större. Nu var hon en mor utan barn, en betydelselös statist i en film som med ens saknade huvudperson. Men bilderna som låg framför henne gav henne åter ett sammanhang.

Nere i köket hörde hon hur Erica stökade runt och hur barnen tjoade

och skrek. Och här satt hon omgiven av sina släktingar. De var döda alli-
hop men det gav ändå en oerhörd tröst att få veta att de hade funnits.

Ebba drog upp knäna mot hakan och lade armarna beskyddande om
sig. Hon undrade hur Mårten mådde. Hon hade nästan inte alls tänkt
på honom medan hon var här och om hon skulle vara ärlig hade hon
inte brytt sig om honom sedan Vincent dog. Hur skulle hon ha kunnat
göra det när hon hade nog med sin egen sorg? Men det var som om det
nya sammanhang hon fått, gjorde att hon för första gången på länge
såg att Mårten var en del av henne. Vincent gjorde att de för alltid var
länkade till varandra. Vem förutom Mårten skulle hon kunna dela min-
nena med? Han hade funnits vid hennes sida, smekt hennes mage när
den växte och sett Vincents hjärta pulsera på monitorn vid ultraljuden.
Han hade torkat svetten ur hennes panna, masserat hennes rygg och
gett henne vatten under förlossningen – det där långa, förfärliga men
samtidigt underbara dygnet då hon kämpade för att Vincent skulle
komma till världen. Han hade stretat emot men när han slutligen tittade
ut i ljuset och lätt skelande plirade mot dem, hade Mårten greppat hen-
nes hand och hållit den hårt. Han hade inte försökt dölja tårarna, bara
torkat kinderna med tröjärmen. Sedan hade de delat skriknätter, första
leendet, tänderna som tittade fram. De hade hejat på Vincent när han
gungade av och an för att lära sig krypa och Mårten hade filmat hans
första stapplande steg. Första orden, första meningen och första dagen på
dagis; skratt och gråt; bra dagar och dåliga dagar. Mårten var den enda
som på riktigt skulle förstå om hon berättade om det. Det fanns ingen
annan.

Där hon satt på golvet kände hon hur hennes hjärta värmdes upp.
Den där biten som varit kall och hård började långsamt tina. Hon skulle
stanna här i natt också. Sedan skulle hon åka hem. Till Mårten. Det var
dags att släppa skulden och börja leva.

Anna styrde båten ut ur hamnen och vände ansiktet mot solen. Att vara
man- och barnfri fyllde henne med en oväntad frihetskänsla. Hon hade
fått låna Ericas och Patriks båt eftersom det var slut på bensin i Bustern,
och hon njöt av att köra den välbekanta snipan. Kvällsljuset fick berget
som omslöt Fjällbackas hamn att skimra i guld. Hon hörde skratt från
Café Bryggan och av musiken att döma var det danskväll där. Ingen
verkade ha vågat sig ut på dansgolvet än, men efter ett par öl till skulle
det vara fullt.

Hon slängde ett öga på väskan med tygproverna. Den stod mitt på durken och hon kollade så att dragkedjan var ordentligt igendragen.

Ebba hade redan fått se tygerna och omedelbart hittat några favoriter som hon ville att även Mårten skulle titta på. Hennes ord hade väckt tanken att åka ut till Valö redan samma kväll. Först hade Anna tvekat. Ön var ingen säker plats, det hade hon fått erfara under gårdagen, och en impulsiv tur dit liknade mer något hon skulle ha gjort i sitt gamla liv då hon sällan tänkte på konsekvenserna. Men för en gångs skull tänkte hon göra det som föll henne in. Vad kunde egentligen hända? Hon skulle dit, visa proverna och sedan åka hem igen. Det var bara ett sätt att fördriva tiden, intalade hon sig. Kanske skulle Mårten bli glad för en stunds sällskap också. Ebba hade bestämt sig för att stanna en natt till hos Erica för att gå igenom släktmaterialet lite noggrannare. Anna misstänkte att det bara var ett svepskäl. Ebba verkade begripligt nog dra sig för att åka ut till ön igen.

När hon närmade sig bryggan såg hon att Mårten stod och väntade på henne. Hon hade ringt och förvarnat om sin ankomst och han måste ha hållit utkik efter henne.

"Du vågar dig alltså tillbaka hit till vilda västern", sa han med ett skratt och tog tag i fören.

"Jag har alltid gillat att utmana ödet." Anna kastade tampen till Mårten som förtöjde båten med van hand. "Det ser ut som om du redan är en riktig sjöbjörn", sa hon och pekade på det halvslag runt egen part som han gjorde runt en av bryggans yttre pålar.

"Har man blivit skärgårdsbo så har man." Han sträckte ut en hand för att hjälpa henne att hoppa i land. Den andra var i bandage.

"Tack. Oj, vad har du gjort med handen?"

Mårten tittade på bandaget som om han inte tidigare sett det. "Äsch, det är sådant som händer när man renoverar. Skador ingår i arbetet."

"Oj, så macho", sa Anna och kom på sig själv med att le fånigt. Hon kände ett styng av dåligt samvete för att hon mer eller mindre flörtade med Ebbas man, men det var bara på skoj och helt harmlöst även om hon inte kunde förneka att han var otroligt attraktiv.

"Jag tar den där." Mårten lyfte den tunga väskan med prover från hennes axel och Anna följde tacksam efter honom upp mot huset.

"I vanliga fall skulle jag ha föreslagit att vi satte oss i köket, men det är lite dragigt där nu", sa Mårten när de kom in.

Anna skrattade. Hon kände sig lätt om hjärtat. Att prata med en människa som inte hela tiden hade hennes olycka i tankarna var en befrielse.

"Matsalen är också lite besvärlig att vara i. Den saknar golv", fortsatte han och blinkade.

Den dystre Mårten hon träffat tidigare var som bortblåst, men det kanske inte var så egendomligt. Även Ebba hade verkat lättare till sinnet när Anna träffade henne hemma hos Erica.

"Om du inte har något emot att sitta på golvet, tror jag att det är bäst att hålla till i sovrummet där uppe." Han gick uppför trappan utan att vänta på svar.

"Det känns egentligen lite märkligt att syssla med sådant här nu, med tanke på det som hände i går", sa hon ursäktande till hans ryggtavla.

"Ingen fara. Livet går vidare. När det gäller det liknar vi varandra, Ebba och jag. Vi är båda praktiska."

"Men att ni vågar vara kvar?"

Mårten ryckte på axlarna. "Ibland måste man", sa han och satte ner väskan mitt i rummet.

Anna satte sig på knä, började plocka fram tygerna och bredde ut dem bredvid varandra på golvet. Entusiastiskt pratade hon om vilka man skulle kunna använda till vad, till möbler, gardiner och kuddar, och vilka som passade ihop. Efter en stund tystnade hon och såg på Mårten. Han tittade inte på tygerna utan höll blicken stadigt fäst på henne.

"Du verkar väldigt intresserad", sa hon ironiskt men kände hur kinderna blev röda. Nervöst strök hon håret bakom öronen. Mårten fortsatte att titta på henne.

"Är du hungrig?" frågade han.

Hon nickade sakta. "Ja, rätt så."

"Bra." Mårten reste sig hastigt. "Stanna här och röj undan tygerna, så kommer jag snart."

Han försvann ner till köket och Anna blev sittande bland tygerna som låg utbredda runt henne på det vackra, nyslipade trägolvet. Solen sken snett in genom fönstren och hon insåg att klockan var mer än hon hade trott. För ett ögonblick tänkte hon att hon måste hem till barnen innan hon mindes att ingen var hemma. Huset stod tomt. Det enda som lockade var en ensam middag framför tv:n, så hon kunde lika gärna stanna. Mårten var ju också ensam och det var mycket trevligare att äta ihop. Dessutom höll han redan på att laga till något till dem och det skulle vara oartigt av henne att ge sig av nu när hon redan hade tackat ja.

Anna började nervöst vika ihop tygerna. När hon var klar och hade lagt dem i en hög på en byrå längs ena väggen, hörde hon Mårtens steg i trappan och klirret av glas. Snart klev han in i rummet med en bricka i händerna.

"Det blir en Cajsa Warg-middag. Lite kallskuret och några ostar och så har jag rostat lite bröd. Men med ett gott rödvin till kanske det kan fungera."

"Absolut. Men jag får nog nöja mig med ett glas. Det skulle bli skandal på bygden om jag blev tagen för sjöfylleri på vägen hem."

"Ja, någon skandal vill jag inte medverka till." Mårten ställde ner brickan.

Anna kände hur hjärtat slog hårdare. Egentligen borde hon inte stanna och äta ostar och dricka vin tillsammans med en man som fick henne att börja svettas i handflatorna. Samtidigt var det precis det hon ville göra. Hon sträckte sig efter en brödskiva.

Två timmar senare visste hon att hon skulle stanna längre än så. Det var inget medvetet beslut och de hade inte talat om det, men det behövde heller inte sägas. Då skymningen föll tände Mårten stearinljus, och i skenet av de fladdrande lågorna bestämde sig Anna för att leva i nuet. För en kort stund ville hon strunta i det som varit. Mårten fick henne att känna sig levande igen.

Hon älskade kvällsljus. Det var så mycket mer smickrande och förlåtande än dagens obarmhärtiga solsken. Ia betraktade sitt ansikte i spegeln och drog sakta med handen över de släta dragen. När hade hon börjat bry sig så mycket om sitt yttre? Hon mindes när hon var yngre och andra saker hade varit avsevärt viktigare. Sedan hade kärleken blivit det enda som betydde något, och Leon var van vid att allt omkring honom var vackert. Ända sedan deras öden knöts samman hade Leon sökt allt större och farligare utmaningar. Själv hade hon älskat starkare och mer hängivet. Hon hade låtit Leons önskningar styra hennes liv, och efter det fanns det ingen återvändo.

Ia lutade sig närmare spegeln utan att kunna upptäcka någon ånger i sin blick. Så länge Leon hade varit lika bunden till henne som hon till honom hade hon offrat allt, men sedan hade han börjat dra sig undan och glömma ödet som förenade dem. Olyckan hade fått honom att förstå att endast döden kunde skilja dem åt. Smärtan när hon drog ut honom ur bilen var ingenting mot den hon skulle ha känt om han hade lämnat henne. Den hade hon inte överlevt, inte efter allt hon gett upp för hans skull.

Men nu kunde hon inte längre stanna här. Hon förstod inte varför Leon hade velat återvända och hon borde inte ha låtit honom göra det. Varför besöka det förflutna när det innebar så mycket sorg? Trots det hade hon än en gång uppfyllt hans önskan, men nu fick det räcka. Hon kunde inte stå bredvid och se på medan han störtade sig själv i fördärvet. Det enda hon kunde göra var att åka hem och vänta på att han skulle följa efter, så att de kunde fortsätta leva det liv som de skapat tillsammans. Han kunde inte klara sig själv och nu skulle han bli tvungen att inse det.

Ia sträckte på sig och kastade en dröjande blick på Leon som satt ute på altanen med ryggen mot henne. Sedan gick hon för att börja packa sina saker.

Erica stod i köket när hon hörde ytterdörren slås upp. I nästa sekund kom Patrik inrusande.

"Vad i helvete har du sysslat med?" skrek han. "Hur fan kan du inte berätta att vi har haft inbrott här hemma?"

"Alltså, jag är ju inte helt säker ...", försökte hon även om hon visste att det var lönlöst. Patrik var precis så arg som Gösta hade förespått att han skulle bli.

"Gösta sa att du misstänkte att John Holm stod bakom och ändå har du inte sagt något. De där människorna är ju farliga!"

"Sänk rösten lite. Jag har precis fått barnen att somna." Egentligen bad hon honom lika mycket för sin egen skull. Hon avskydde konflikter och hela hennes kropp låste sig när någon skrek åt henne. Särskilt när Patrik gjorde det, kanske för att han så sällan höjde rösten mot henne. Och ännu värre kändes det nu eftersom hon till viss del måste ge honom rätt.

"Sätt dig ner så pratar vi om det. Ebba är uppe i mitt arbetsrum och tittar på materialet."

Hon såg att Patrik kämpade för att få kontroll över sitt humör. Han tog ett par djupa andetag och andades ut genom näsan. Det verkade som om han lyckades någorlunda, men han var fortfarande en aning blek när han nickade och slog sig ner vid bordet.

"Jag hoppas du har en väldigt bra förklaring, både till det här och till att du och Gösta har gått bakom ryggen på mig."

Erica satte sig mittemot Patrik och såg ner i bordsskivan en stund. Hon funderade på hur hon skulle formulera sig, så att hon var fullkomligt ärlig mot Patrik samtidigt som hon själv framstod i en så fördelaktig dager som möjligt. Så tog hon sats och berättade hur hon kontaktat Gösta eftersom Patrik berättat för henne hur personligt engagerad Gösta var i fallet med familjen Elvanders försvinnande. Hon erkände att hon inte hade velat säga det till Patrik eftersom hon visste att han skulle misstycka och att hon i stället övertalat Gösta att de skulle hjälpas åt ett tag. Patrik såg inte glad ut, men verkade i alla fall lyssna på det hon hade att säga. När hon berättade om sitt besök hos John och hur hon upptäckt att någon försökt ta sig in i hennes dator, bleknade han igen.

"Du ska vara glad att de inte snodde datorn. Jag antar att det är för sent att ta hit någon som kan säkra fingeravtryck?"

"Ja, det skulle nog inte vara någon vits med det nu. Jag har suttit där sedan dess och barnen springer ju runt överallt med kladdiga fingrar."

Patrik skakade uppgivet på huvudet.

"Jag vet inte heller om det verkligen är John som ligger bakom", sa Erica. "Jag har bara antagit det eftersom det hände efter att jag råkade få med mig den där lappen."

"Råkade", fnyste Patrik.

"Men nu har jag lämnat över det till Kjell, så det är ingen fara."

"Det vet väl inte de att du har gjort." Patrik tittade på henne som om hon var en idiot.

"Nä, det förstås. Men det har ju inte hänt något mer efter det."

"Har Kjell kommit någon vart? Du borde faktiskt ha berättat det här för mig också, det kan ju ha med fallet att göra."

"Jag vet inte. Du får väl prata med honom", sa hon undvikande.

"Jo, men det hade varit bra att få veta det här lite tidigare. Gösta har i alla fall berättat en del om vad ni fått fram."

"Ja, och i morgon ska vi träffa Skrot-Olle och få familjens grejer."

"Skrot-Olle?"

"Sa inte Gösta det? Vi har kommit på vart Elvanders personliga tillhörigheter tog vägen. Skrot-Olle var tydligen något slags alltiallo på barnkolonin under internattiden, och när Gösta ringde honom och frågade så sa han: "Ja, det var fasligt vad lång tid det tog för er att höra av er om de här grejerna!" Erica skrattade högt.

"Så Skrot-Olle har haft deras saker i alla år?"

"Ja, och klockan tio i morgon ska jag åka dit med Gösta och gå igenom allt."

"Det ska du inte", sa Patrik. "Jag följer med Gösta."

"Men jag …", började hon innan hon insåg att det var lika bra att ge upp. "Okej då."

"Nu håller du dig borta från det här", sa han varnande, men hon såg till sin lättnad att ilskan hade runnit av honom.

Det hördes steg i trappan. Ebba var på väg ner och Erica reste sig för att fortsätta med disken.

"Sams?" sa hon.

"Sams", sa Patrik.

Han satt i mörkret och såg på henne. Det var hennes fel. Anna hade utnyttjat hans svaghet och lurat honom att bryta sina löften till Ebba. Han hade lovat att älska Ebba i nöd och lust, tills döden skilde dem åt. Att han nu förstått att det var hon som bar skulden till det som hänt ändrade ingenting. Han älskade henne och ville förlåta henne. I finkostymen hade han stått framför henne och sagt att han skulle vara henne trogen. Hon hade varit så vacker i sin enkla, vita klänning, och hon hade tittat honom rakt i ögonen, hört hans ord och bevarat dem i sitt hjärta. Nu hade Anna förstört allt.

Hon grymtade till och borrade ner huvudet i kudden. Ebbas kudde. Mårten ville slita bort den, så att hennes lukt inte skulle besudla den. Ebba hade alltid använt samma schampo och örngottet brukade dofta som hennes hår. Han knöt nävarna där han satt i sängen. Det skulle ha varit Ebba som låg där, hennes vackra ansikte som månljuset lyste på så att skuggor skapades kring näsa och ögon. Det skulle ha varit Ebbas bröst som höjdes och sänktes, nakna ovanför täckets kant. Han stirrade på Annas bröst. De var så olika Ebbas, som bara var som små knoppar, och strax nedanför dem ringlade sig ärren ner mot magen. Tidigare i natt hade de känts skrovliga under hans händer, och nu äcklades han av synen. Försiktigt sträckte han ut handen, tog tag i täcket och drog upp det för att skyla kroppen. Hennes vidriga kropp, som tryckt sig mot hans och suddat ut minnet av Ebbas hud.

Tanken gav honom kväljningar. Han måste göra det ogjort så att Ebba kunde komma tillbaka. En stund satt han alldeles stilla. Sedan tog han sin egen kudde och sänkte den långsamt mot Annas ansikte.

Fjällbacka 1951

Det skedde högst oväntat. Hon hade inte varit avogt inställd till barn, men allteftersom åren gick och inget hände hade hon lugnt konstaterat att hon inte skulle få några. Sigvard hade redan ett par vuxna pojkar, så inte heller han tycktes bekymra sig över att hon var infertil.

Men så för ett år sedan hade hon blivit förfärligt och oförklarligt trött. Sigvard befarade det värsta och skickade henne till husläkaren för en grundlig undersökning. Även hon själv tänkte tanken att det kunde vara kräfta eller något annat dödligt, men så visade det sig att hon vid trettio års ålder plötsligt hade blivit med barn. Läkaren hade ingen förklaring, och det tog Laura flera veckor att smälta nyheten. Hennes liv var händelsefattigt och det passade henne utmärkt. Hon ville helst bara vara hemma, i huset där hon var härskarinna och allt var genomtänkt och noga utvalt. Nu skulle något rubba den perfekta ordning hon så omsorgsfullt hade skapat.

Grossessen hade fört med sig märkliga krämpor och ovälkomna kroppsliga förändringar, och insikten om att hon hade något i sin kropp som hon inte kunde styra över gjorde henne närmast panikslagen. Förlossningen blev fruktansvärd och hon bestämde sig för att hon aldrig skulle utsätta sig för något liknande igen. Hon ville aldrig mer uppleva smärtan, maktlösheten och det djuriska i att föda ett barn, så Sigvard fick flytta in i gästrummet för gott. Han verkade inte ha så mycket emot det, utan var nöjd med sin tillvaro.

Den första tiden med Inez hade varit chockartad. Sedan hittade hon Nanna, välsignade, underbara Nanna som lyfte ansvaret för bebisen från hennes axlar och lät henne fortsätta med sitt vanliga liv. Nanna flyttade genast in hos dem och hennes rum gränsade till barnkammaren så att hon snabbt kunde gå in till Inez på nätterna eller närhelst det behövdes. Alla sysslor skötte hon och Laura var fri att komma och gå som det passade henne. Oftast tittade hon bara in i barnkammaren en kort stund då och då, och vid dessa tillfällen kunde hon glädjas åt flickan. Inez var snart ett halvår gammal och kunde vara bedårande söt när hon inte skrek för att hon var hungrig eller våt. Men sådant var Nannas bekymmer och Laura tyckte att allt hade ordnat sig riktigt bra, trots den oväntade vändning hennes liv hade tagit. Förändringar var inget hon uppskattade och ju mindre flickans födelse ändrade hennes liv, desto lättare kunde hon ta henne till sig.

Laura rättade till fotoramarna på byrån. Det var bilder av henne och Sigvard och av Sigvards två pojkar med familjer. Ännu hade de inte kommit sig för med att rama in något foto av Inez och hon skulle aldrig ställa fram något av mor. Vem hennes mor och mormor var fick gärna falla i glömska.

Till Lauras lättnad verkade mor nu ha försvunnit för gott. Det var två år sedan hon sist hörde av sig och ingen hade heller sett till henne i trakten. Deras sista möte hade Laura fortfarande i färskt minne. Mor hade blivit utsläppt från mentalsjukhuset redan ett år tidigare men inte dristat sig till att dyka upp hos henne och Sigvard. Det sades att hon raglade runt på byn, precis som hon gjort när Laura var liten. När hon slutligen stod där på trappan – tandlös, smutsig och med kläder som trasor på kroppen – var hon lika tokig som alltid, och Laura förstod inte hur läkarna hade kunnat släppa ut henne. På sjukhuset hade hon i alla fall fått medicin och de hade inte låtit henne röra spriten. Även om Laura helst hade velat be mor gå sin väg hade hon snabbt släppt in henne i hallen innan grannarna såg henne.

"Så fin man har blivit då", sa Dagmar. "Det är till att ha kommit sig upp här i världen."

Laura knöt nävarna bakom ryggen. Allt det hon jagat bort och som endast visade sig i hennes drömmar, hade nu hunnit i kapp henne.

"Vad vill du?"

"Jag behöver hjälp." Dagmars röst var gråtmild. Hon rörde sig märkligt och stelt och det ryckte i hennes ansikte.

"Behöver du pengar?" Laura sträckte sig efter sin väska.

"Inte till mig", sa Dagmar utan att ta blicken från väskan. "Jag vill ha pengar för att åka till Tyskland."

Laura stirrade på henne. "Tyskland? Vad ska du dit och göra?"

"Jag fick aldrig ta farväl av din far. Jag fick aldrig ta farväl av min Hermann."

Dagmar började gråta och Laura såg sig nervöst omkring. Hon ville inte att Sigvard skulle höra något och komma ut i hallen för att ta reda på vad det var som hände. Han fick inte se hennes mor här.

"Hyssj! Du ska få pengar av mig. Men lugna dig, för guds skull!" Laura sträckte fram en bunt sedlar. "Här! Det borde räcka till en biljett till Tyskland!"

"Åh, tack!" Dagmar kastade sig fram och tog både pengarna och Lauras hand i sina. Hon kysste dotterns händer och Laura ryckte äcklat till sig dem och torkade av sig mot kjolen.

"Gå nu", sa hon. Det enda hon ville var att få mor ut ur huset, ut ur sitt liv, så att det blev perfekt igen. När Dagmar tog pengarna och gick sjönk hon lättad ner på en stol i hallen.

Nu hade ett par år gått och troligtvis levde mor inte längre. Laura tvivlade på att hon hade tagit sig särskilt långt för pengarna hon fått, särskilt inte i kaoset efter kriget. Om hon dessutom hade yrat om att hon skulle ta farväl av Hermann Göring hade hon säkert tagits för den tokiga käring hon var och blivit stoppad någonstans på vägen. Göring var ingen man talade högt om att man hade känt. Hans brott hade inte blivit mindre för att han tog livet av sig i fängelset ett år efter krigsslutet. Laura rös vid tanken på att mor hade fortsatt sprida ut i trakten att han var far till hennes barn. Det var inget att skryta med längre. Hon kom bara vagt ihåg besöket hos hans hustru i Stockholm men mindes skammen och blicken hon fått av Carin Göring. Den hade varit full av medlidande och värme, och det var nog för Lauras skull hon inte hade ringt efter hjälp, trots att hon måste ha varit livrädd.

Nåväl, allt det var överspelat nu. Mor var borta och ingen pratade längre om hennes vansinniga fantasier. Och Nanna såg till att Laura kunde leva sitt liv som hon var van vid. Ordningen var återställd och allt var perfekt. Precis som det skulle vara.

Gösta synade Patrik som trummade med händerna mot ratten och sammanbitet höll blicken riktad på bilarna framför. Sommartrafiken var tät och de smala landsvägarna var inte gjorda för alla möten, så han fick ligga långt ute i vägrenen.

"Du var väl inte för sträng mot henne?" Gösta vände bort huvudet och tittade ut genom fönstret på sin sida.

"Jag tycker att ni har betett er idiotiskt, och det står jag för", sa Patrik men han lät betydligt lugnare än under gårdagen.

Gösta teg. Han var för trött för att argumentera mera. Han hade suttit uppe så gott som hela natten och gått igenom materialet igen. Men det var inget han ville säga till Patrik, som nog inte skulle uppskatta några fler egna initiativ just nu. Han dolde en gäspning med handen. Besvikelsen över nattens tröstlösa arbete ville inte riktigt släppa. Han hade inte hittat något nytt, inget som väckte hans intresse, bara samma gamla uppgifter som gäckat honom så länge. Samtidigt kunde han inte skaka av sig känslan att svaret fanns där, mitt framför näsan på honom, gömt i någon av alla pappershögar. Tidigare hade det irriterat honom att han inte hittade det, och det var av nyfikenhet eller möjligen yrkesstolthet som han velat få reda på vad som hänt. Nu var oron drivkraften. Ebba befann sig inte längre i säkerhet och hennes liv hängde på om de lyckades få fast den som bar ansvaret för det hon drabbats av.

"Kör in där till vänster." Han pekade på en avtagsväg lite längre fram.

"Jag vet var det ligger", sa Patrik och gjorde en dödsföraktande vänstersväng.

"Du har inte fått körkort än, märker jag", muttrade Gösta och höll sig i handtaget ovanför dörren.

"Jag kör alldeles utmärkt."

Gösta fnös. De närmade sig Skrot-Olles gård och Gösta nickade mot den.

"Det blir inte roligt för hans barn den dagen de ska röja här."

Stället liknade mer ett skrotupplag än ett hem. I trakten var det väl känt att man ringde Olle om man ville bli av med något. Han stod gärna till tjänst och hämtade vad det än var, så nu stod bilar, kylskåp, släpvagnar, tvättmaskiner och allt man kunde tänka sig uppställda omkring ett par utspridda hus och lagerlokaler. Till och med en torkhuv från en frisersalong, noterade Gösta när Patrik parkerade mellan en frysbox och en gammal Amazon.

En liten skinntorr gubbe i snickarbyxor kom dem till mötes.

"Det hade ju varit bra om ni hade kunnat komma lite tidigare. Halva dagen har ju gått nu."

Gösta tittade på klockan. Den var fem över tio.

"Hej, Olle. Du hade lite grejer till oss."

"Det var en jädrans tid ni tog på er. Jag förstår inte vad ni sysslar med hos polisen. Ingen har ens frågat efter sakerna, så då lät jag dem vara. De står här borta tillsammans med tokgrevens grejer."

De följde efter Skrot-Olle in i en mörk lada.

"Tokgreven?" sa Patrik.

"Jag vet egentligen inte om han var greve, men han hade i alla fall något adligt namn."

"Du menar von Schlesinger?"

"Ja, just det. Han var ju ökänd i bygden för att han sympatiserade med Hitler, och hans son gav sig av och stred på tyskarnas sida. Pojkkraken hann knappt ner dit förrän han fick en kula i huvudet." Olle började rota runt bland bråten. "Och om inte gubben var tokig innan, blev han det då. Han trodde att de allierade skulle komma och anfalla honom ute på ön, och ni skulle inte tro mig om jag berättade om allt märkligt han fick för sig att göra där ute. Till slut fick han slaganfall och dog." Skrot-Olle stannade upp, plirade mot dem i det skumma ljuset medan han kliade sig i håret. "Det var 1953, om jag inte minns fel. Sedan var det en hel rad olika ägare ända tills den där Elvander köpte det. Herregud, vilken idé. Ha internatskola där ute och dra dit en massa fisförnäma ungar. Det förstod ju vemsomhelst att det skulle gå galet."

Han rotade vidare medan han mumlade för sig själv. Ett moln av damm steg upp och både Gösta och Patrik började hosta.

"Här har vi det. Det är fyra kartonger med grejer. Möblerna fick stå kvar när huset hyrdes ut, men en del löst lyckades jag ta vara på. Man kan inte bara slänga saker hursomhelst, och dessutom visste man ju inte om de kanske skulle komma tillbaka. Även om de flesta, precis som jag, trodde att de låg döda någonstans."

"Det slog dig inte att själv kontakta polisen och säga att du hade grejerna?" sa Patrik.

Skrot-Olle rätade på ryggen och lade armarna i kors över bröstet. "Jag sa det ju till Henry."

"Vad? Menar du att Henry visste att grejerna fanns här?" sa Gösta. I och för sig var det inte det enda som Henry hade missat och det var ingen idé att bli arg på någon som inte var i livet och kunde försvara sig.

Patrik synade kartongerna. "De här borde vi väl få plats med i bilen, eller vad tror du?"

Gösta nickade. "Jo, om inte annat borde det gå om vi fäller ner sätet."

"Ja, jag säger då det", skrattade Olle. "Över trettio år har det tagit er att komma och hämta det här."

Gösta och Patrik blängde på honom men avstod från att säga något. Somligt var det lika bra att bemöta med tystnad.

"Vad ska du göra av alla saker du har, Olle?" Gösta kunde inte låta bli att fråga. Själv greps han nästan av panik vid anblicken av den överväldigande mängden föremål. Hans lilla hus var kanske inte så modernt, men han var stolt över att han hade hållit det rent och fint och inte blivit en sådan där gubbe som trampade runt bland en massa skräp.

"Man vet aldrig när saker och ting kan komma till användning. Om alla var lika sparsamma som jag skulle världen se annorlunda ut. Det kan ni ge er på."

Patrik böjde sig ner och försökte lyfta en av kartongerna men gav med ett stön upp.

"Vi får ta den här tillsammans, Gösta. Den är för tung."

Gösta gav honom en förfärad blick. En sträckning kunde förstöra resten av golfsäsongen.

"Jag ska helst inte bära för tungt. Måste tänka på min rygg."

"Ta i och lyft nu."

Gösta insåg att han var genomskådad, och motvilligt böjde han på knäna och tog tag under kartongens ena långsida. Dammet kittlade i näsan och han nös flera gånger på raken.

"Prosit", sa Skrot-Olle och log så brett att man såg att tre tänder saknades i överkäken.

"Tack", sa Gösta. Under viss klagan hjälpte han Patrik att ställa in alla kartongerna i bagageutrymmet. Samtidigt kände han hur han fylldes av förväntan. Kanske fanns det något i lådorna som skulle ge dem en behövlig ledtråd, men framför allt gladde det honom att få berätta för Ebba att familjens saker återfunnits. Om han knäckte ryggen fick det vara värt det.

För ovanlighetens skull hade han och Carina tagit sovmorgon. Han hade jobbat sent i går och tyckte att han var värd det.

"Herregud", sa Carina och lade en hand på hans axel. "Jag är fortfarande sömnig."

"Jag med, men vem har sagt att vi måste gå upp nu." Kjell kröp närmare och drog henne tätt intill sig.

"Mmm ... jag är för trött."

"Jag vill bara kramas lite."

"Och det ska jag tro på", sa hon men sträckte njutningsfullt på halsen.

Kjells mobil ringde gällt i fickan på byxorna som hängde vid fotändan av sängen.

"Svara inte." Carina tryckte sig mot honom.

Men mobilen ringde och ringde och till slut stod han inte ut längre. Han satte sig upp, slet till sig byxorna och fick fram mobilen. Sven Niklasson stod det på displayen och han fumlade med knapparna för att svara.

"Hallå, Sven? Ja, nej då, jag låg inte och sov." Kjell tittade på klockan. Den var över tio. Han harklade sig. "Har du kommit någon vart?"

Sven Niklasson pratade länge och Kjell lyssnade med stigande förvåning. Den enda respons han gav var hummanden och mummel, och han såg hur Carina studerade honom där hon låg på sidan med huvudet lutat mot armen.

"Jag kan möta dig på Malöga", sa han till slut. "Jag uppskattar att du låter mig vara med på ett hörn. Det är inte alla kollegor som skulle agera så. Är Tanumspolisen vidtalad? ... Göteborg? Ja, det är kanske bättre med tanke på läget. Ja, det var ju presskonferens i går och de har fullt upp med sitt. Du har säkert redan hört det mesta från er kille som var där. Vi kan prata mer när jag hämtar dig. Ses snart."

Kjell var nästan andfådd när han lade på. Carina såg leende på honom.

"Jag gissar att det är något stort på gång om Sven Niklasson är på väg hit."

"Du skulle bara veta." Kjell klev upp ur sängen och började klä på sig. Tröttheten var som bortblåst. "Du skulle bara veta", upprepade han. Mest för sig själv den här gången.

Snabbt röjde hon undan sängkläderna i gästrummet. Ebba hade gett sig av. Hon hade velat ta med sig släktmaterialet, men Erica hade bett att få göra kopior till henne i stället, vilket hon naturligtvis borde ha tänkt på från början.

"Noel! Slå inte Anton!" ropade hon ut mot vardagsrummet utan att ens behöva se efter vem som var orsak till tumultet. Ingen verkade lyssna och gråten eskalerade.

"Mamma! Mammaaaa! Noel slåss", ropade Maja.

Med en djup suck lade Erica ifrån sig sängkläderna. Längtan efter att få slutföra en uppgift utan att något barn skrek och krävde uppmärksamhet var nästan fysisk. Hon behövde egen tid. Hon behövde få vara vuxen. Barnen var det viktigaste i hennes liv, men ibland kändes det som om hon tvingades försaka allt det som hon själv ville göra. Även om Patrik hade varit pappaledig några månader var det hon som var projektledaren som såg till att allting fungerade. Patrik hjälpte till mycket, men det var just det: han hjälpte till. Och när något av barnen blev sjukt var det hon som fick skjuta på en deadline eller avboka en intervju så att Patrik kunde gå till jobbet. Trots att hon kämpade emot började hon känna sig bitter över att hennes behov och arbete alltid kom i sista hand.

"Sluta nu, Noel", sa hon och ryckte bort honom från hans tvillingbror, som låg och snyftade på golvet. Genast började Noel också gråta och Erica fick dåligt samvete för att hon hade tagit honom för hårt i armen.

"Mamma dum", sa Maja och blängde på Erica.

"Ja, mamma är dum." Erica satte sig på golvet och tog de hulkande tvillingarna i famnen.

"Hallå?" hördes en röst från hallen.

Erica ryckte till men insåg nästan genast vem det var. Det fanns bara en person som klev på hemma hos dem utan att ringa på dörren.

"Hej, Kristina", sa hon och reste sig mödosamt upp. Tvillingarna hade tvärt slutat gråta och sprang fram till farmor.

"Order från chefen. Jag ska ta över här nu", sa Kristina och torkade Antons och Noels kinder som var våta av tårar.

"Ta över?"

"Du ska tydligen till stationen." Kristina såg på henne med en min som om det var alldeles självklart. "Ja, mer än så vet jag inte. Jag är bara pensionären som förväntas kunna ställa upp med en minuts varsel. Patrik ringde och frågade om jag kunde åka över direkt, och det var bara ren tur att jag var hemma, för jag hade lika gärna kunnat ha något annat viktigt för mig, ja, vem vet, kanske till och med en dejt eller vad det kallas nuförtiden, men jag sa till Patrik att det fick gå för den här gången, annars förväntar jag mig lite bättre framförhållning. Jag har faktiskt ett eget liv även om ni säkert tycker att jag är väl gammal för det." Hon hämtade andan för ett ögonblick och såg på Erica. "Vad väntar du på? Du ska till stationen, sa Patrik."

Erica förstod fortfarande ingenting men bestämde sig för att inte ställa några fler frågor. Vad det än gällde skulle hon få en stunds respit, och det var allt hon begärde just nu.

"Som jag sa till Patrik kan jag bara stanna över dagen, för i kväll är det Sommarkrysset och det vill jag för allt i världen inte missa. Och innan dess ska jag hinna tvätta och handla, så längre än till fem kan jag inte vara kvar, för då hinner jag inte med det jag ska, och jag måste få lite gjort hemma också. Jag kan inte bara serva er, även om gudarna ska veta att det finns att göra här."

Erica slängde igen dörren efter sig och log brett. Frihet.

När hon satte sig i bilen blev hon åter fundersam. Vad kunde vara så bråttom? Det enda hon kunde tänka sig var att det hade med Patriks och Göstas besök hos Skrot-Olle att göra. De måste ha hittat familjens tillhörigheter. Småvisslande började hon köra mot Tanumshede. Med ens ångrade hon sina tankar om Patrik, åtminstone till viss del. Om han lät henne vara med och gå igenom sakerna, skulle hon utan att knota sköta hemmet på egen hand i en månad.

Hon svängde in på parkeringen vid stationen och småsprang in i den fula, låga byggnaden. Det var tomt i receptionen.

"Patrik?" ropade hon inåt korridoren.

"Vi är här inne. I mötesrummet."

Hon följde hans röst men tvärstannade i dörröppningen. Över hela bordet och golvet låg saker utspridda.

"Det var inte min idé", sa Patrik med ryggen åt henne. "Det var Gösta som tyckte att du förtjänade att få vara med."

Hon kastade en slängpuss till Gösta som rodnande vände sig bort.

"Har ni hittat något intressant än?" sa hon och tittade sig omkring.

"Nej, vi håller på att plocka upp allt och har inte kommit så mycket längre." Patrik blåste bort dammet från några fotoalbum som han placerade på bordet framför sig.

"Ska jag hjälpa till med det eller ska jag börja gå igenom sakerna?"

"Kartongerna är snart tömda, så börja kika du." Han vände sig om och tittade på henne. "Kom mamma?"

"Nej, barnen är så stora nu att jag tyckte att de kunde klara sig själva en stund." Hon skrattade. "Det är klart att Kristina kom, annars hade jag ju inte vetat att jag skulle hit."

"Jag försökte faktiskt få tag på Anna först, men hon svarade varken hemma eller på mobilen."

"Gjorde hon inte? Det var konstigt." Erica rynkade pannan. Anna brukade sällan röra sig längre än en meter från sin mobiltelefon.

"Dan och barnen är ju borta, så hon ligger väl och slumrar i en solstol och har det skönt."

"Det har du rätt i." Hon skakade av sig oron och tog itu med alla de utspridda sakerna framför sig.

De jobbade under tystnad en lång stund. Det mesta som hade legat i lådorna var helt vanliga saker som alla människor hade: böcker, pennor, hårborstar, skor och kläder som nu luktade unket och möghgt.

"Vad hände med alla möbler och prydnadssaker?" frågade Erica.

"De blev kvar i huset. Jag misstänker att det mesta försvunnit under åren med alla olika hyresgäster. Det får vi fråga Ebba och Mårten om. Det måste ju ha funnits åtminstone något kvar när de flyttade in i våras."

"Anna skulle förresten åka ut till Mårten i går. Hon lånade snipan. Undrar om hon kom hem ordentligt?"

"Det är säkert ingen fara med henne, men ring Mårten om du är orolig och hör när hon åkte hem."

"Jag tror faktiskt att jag gör det."

Hon plockade upp sin mobiltelefon ur väskan och letade fram Mårtens nummer. Samtalet blev kort och när hon hade avslutat det såg hon på Patrik.

"Anna var bara där någon timme i går kväll och det var helt lugnt på sjön när hon gav sig av hemåt."

Patrik torkade av sina dammiga händer mot byxbenen. "Då så."

"Ja, det var skönt att höra." Erica nickade men innerst inne gnagde tvivlet. Någonting kändes fel. Samtidigt visste hon att hon var överbeskyddande och lätt överreagerade, så hon tvingade bort tankarna och fortsatte plocka.

"Vad märkligt det här är egentligen", sa hon och höll upp en inköpslista. "Den här måste Inez ha skrivit. Det känns overkligt att hon faktiskt levt ett vardagsliv där hon skrev inköpslistor: mjölk, ägg, socker, sylt, kaffe …" Erica gav listan till Patrik.

Han tittade på den, suckade och lämnade tillbaka den till Erica. "Vi har inte tid med sådant där nu. Vi måste koncentrera oss på att hitta sådant som kan vara relevant för fallet."

"Okej", sa Erica och lade tillbaka papperet på bordet.

Metodiskt fortsatte de att gå igenom allt.

"Ordentlig kille den där Rune." Gösta visade en skrivbok som verkade innehålla en förteckning över alla utgifter. Handstilen var så prydlig att det nästan såg ut som om texten var skriven på maskin.

"Ingen utgift var tydligen för liten för att bokföras", sa Gösta och bläddrade bland sidorna.

"Det förvånar mig inte efter det jag har hört om Rune", sa Erica.

"Kolla här då. Det verkar som om någon trånade efter Leon." Patrik höll upp ett välklottrat blad ur en anteckningsbok.

"A hjärta L", läste Erica högt. "Och så har hon övat på sin framtida namnteckning, Annelie Kreutz. Så Annelie var kär i Leon. Det stämmer också med det jag har hört."

"Undrar vad pappa Rune tyckte om det?" sa Gösta.

"Med tanke på hans kontrollbehov, skulle det ju ha kunnat utlösa en katastrof om de hade en relation", sa Patrik.

"Frågan är väl om det var besvarat." Erica satte sig på bordskanten. "Annelie var förtjust i Leon, men var Leon lika förtjust i henne? Enligt John var han inte det, men han kan ju i och för sig ha hållit det hemligt för de andra."

"De nattliga ljuden", sa Gösta. "Du berättade ju att Ove Linder sa att han hörde ljud på natten. Kan det ha varit Leon och Annelie som smög omkring?"

"Det kanske var spöken?" sa Patrik.

"Äh", sa Gösta och ryckte till sig en bunt räkningar och började syna dem. "Har Ebba åkt ut till ön igen?"

"Ja, hon liftade med postbåten", sa Erica frånvarande. Hon hade tagit ett av fotoalbumen från bordet och granskade bilderna ingående. Där fanns ett foto av en ung kvinna med långt, rakt hår och ett litet barn på armen. "Hon ser inte direkt lycklig ut."

Patrik kikade över hennes axel. "Inez och Ebba."

"Ja, och det här måste vara Runes andra barn." Hon pekade på tre barn i varierande ålder och längd som till synes motvilligt stod uppradade vid en vägg.

"Ebba kommer att bli överlycklig över det här", sa Erica och vände blad. "Det kommer att betyda jättemycket för henne. Titta, det här måste vara hennes mormor, Laura."

"Tanten ser livsfarlig ut", sa Gösta som hade ställt sig på Ericas andra sida för att kika han också.

"Hur gammal var hon när hon dog?" frågade Patrik.

Erica tänkte efter. "Hon måste ha varit femtiotre år gammal. De hittade henne död bakom huset tidigt en morgon."

"Inget skumt med dödsfallet?" sa Patrik.

"Nej, inte vad jag vet. Har du hört något sådant, Gösta?"

Han skakade på huvudet "Doktorn åkte dit och konstaterade att hon av någon anledning måste ha gått ut på natten, fått en hjärtinfarkt och dött. Det fanns ingen misstanke om att det inte var en naturlig död."

"Var det hennes mamma som försvann?" frågade Patrik.

"Ja, Dagmar försvann 1949."

"Gammal fyllkaja", sa Gösta. "Det är vad jag har hört i alla fall."

"Ett under att Ebba har blivit så normal med den släkten."

"Kanske har det att göra med att hon fick växa upp på Rosenstigen i stället för på Valö", sa Gösta.

"Jo, säkert", sa Patrik och fortsatte rota bland sakerna.

Två timmar senare hade de gått igenom allt och besvikna såg de på varandra. Även om Ebba skulle uppskatta att få fler fotografier och personliga tillhörigheter från sin familj, hade de inte hittat något som kunde vara till hjälp i utredningen. Erica kände sig nästan gråtfärdig. Hon hade haft så stora förhoppningar, men nu stod de här i ett mötesrum som var belamrat med prylar som de inte hade någon som helst nytta av.

Erica betraktade sin man. Det var något som bekymrade honom men som han inte kunde sätta fingret på. Hon hade sett minen förut.

"Vad tänker du på?"

"Jag vet inte. Det är något som ... strunt samma, jag kommer nog på det senare", sa han irriterat.

"Jaha, då får vi väl packa ihop allt igen", sa Gösta och började lägga ner saker i kartongen närmast honom.

"Ja, det är inte mycket annat att göra."

Även Patrik började städa och Erica stod en stund utan att göra någon ansats att börja hjälpa till. Hon svepte med blicken över rummet i ett sista försök att hitta något intressant, och hon var precis på väg att ge upp när hennes ögon föll på några små, svarta häften som hon kände väl igen. Det var familjens pass som Gösta prydligt hade lagt i en hög för sig på bordet. Hon kisade, klev närmare för att se bättre och räknade tyst för sig själv. Sedan lyfte hon upp högen och lade ut passen på rad bredvid varandra.

Patrik slutade packa och tittade upp på henne. "Vad gör du?"

"Ser du inte?" Hon pekade på passen.

"Nej, vad då?"

"Räkna dem."

Tyst gjorde han som hon sa, och hon såg hur han spärrade upp ögonen.

"Det finns fyra pass", sa hon. "Borde det inte vara fem?"

"Jo, om vi antar att Ebba inte hade hunnit få något."

Patrik gick fram och plockade upp passen. Han slog upp dem ett efter ett och kontrollerade namn och bild. Sedan vände han sig till sin fru.

"Nå? Vem är det som saknas?" sa hon.

"Annelie. Det är Annelies pass som saknas."

Fjällbacka 1961

Mamma visste bäst. Det var en sanning Inez hade växt upp med och tog för given. Pappa mindes hon inte ens. Hon var bara tre år när han fick ett slaganfall och dog efter några veckor på sjukhus. Sedan dess hade det bara varit hon, mamma och Nanna.

Ibland funderade hon på om hon älskade mamma. Hon var inte riktigt säker på den saken. Hon älskade Nanna och nallen hon haft i sängen sedan hon var liten, men hur var det med mamma? Hon visste att hon borde älska henne, såsom de andra barnen i skolan älskade sina mammor. De få gånger hon fått följa med en annan flicka hem för att leka, hade hon sett hur mor och dotter mötte varandra med glädje i blicken och hur flickan slängt sig i famnen på sin mamma. Inez hade känt en hård klump i magen när hon såg klasskamraterna med sina mammor. Sedan hade hon gjort likadant när hon kom hem. Hon hade kastat sig i Nannas varma famn som alltid var öppen för henne.

Mamma var inte elak och hade aldrig höjt rösten vad Inez kunde minnas. Det var Nanna som gav henne bannor om hon hade varit olydig. Men mamma var bestämd med hur saker och ting skulle vara och Inez fick absolut inte säga emot.

Viktigast av allt var att man gjorde saker och ting riktigt. Det sa alltid mamma: "Allt som är värt att göras, är värt att göras ordentligt." Inez fick aldrig fuska med något. Skrivläxan skulle skrivas med bokstäverna prydligt på linjerna och talen i matteboken skulle fyllas i rätt. De svaga avtrycken som felaktiga siffror gav på papperet var förbjudna, även om de var bortsuddade. Om hon var osäker fick hon först skriva på ett kladdpapper innan hon skrev det rätta talet i boken.

Det var också viktigt att man inte stökade ner, för ifall det var stökigt hemma kunde något hemskt hända. Vad visste hon inte riktigt, men hennes rum måste alltid vara perfekt städat. Man kunde aldrig veta när Laura skulle titta in, och om det inte var ordning och reda såg hon så där besviken ut och sa att hon ville prata med henne. Inez avskydde de där samtalen. Hon ville inte göra mamma ledsen och samtalen brukade ofta handla om det: att Inez hade gjort mamma besviken.

Hon fick heller inte stöka till i Nannas rum eller i köket. I husets övriga rum – mammas sovrum, vardagsrummet, gästrummet och salongen – hade hon inte tillåtelse att vara. Det kunde gå sönder något då, sa mamma. Barn hörde inte hemma där. Hon lydde eftersom livet var enklast då. Hon tyckte inte om bråk och hon tyckte inte om mammas samtal. Om hon gjorde som mamma sa slapp hon båda.

I skolan höll hon sig för sig själv och gjorde noggrant det hon skulle. Det var tydligt att lärarinnan tyckte om det. Vuxna verkade tycka om att man lydde dem.

De andra barnen brydde sig inte om henne, som om det inte ens var värt besväret att bråka med henne. Några få gånger hade de retats med henne och sagt något om hennes mormor, vilket Inez tyckte var underligt för hon hade ju ingen. Hon hade frågat mamma om det, men i stället för att svara hade mamma bestämt att de skulle ha ett sådant där samtal. Inez hade till och med frågat Nanna, men hon hade oväntat snörpt på munnen och sagt att det inte var hennes sak att prata om det. Så Inez frågade inte mer. Det var inte tillräckligt viktigt för att riskera ännu ett samtal och mamma visste ju bäst.

Ebba hoppade i land på bryggan på Valö och tackade översvallande för skjutsen. För första gången sedan de kom hit kände hon förväntan och glädje när hon följde stigen mot huset. Det var så mycket hon såg fram emot att berätta för Mårten.

Då hon närmade sig slog det henne hur vackert huset var. Visst skulle det krävas en hel del innan det blev klart – trots allt slit hade de bara börjat – men det hade potential. Som ett vitt smycke låg det mitt i allt det gröna, och även om man inte såg vattnet kände man det omkring sig.

Det skulle ta tid för henne och Mårten att hittat tillbaka till varandra igen, och deras liv skulle bli annorlunda. Men det behövde inte betyda ett sämre liv. Kanske kunde deras förhållande i stället stärkas. Hon hade knappt vågat tänka tanken tidigare, men kanske kunde det också finnas plats för ett barn i deras liv. Inte så länge allt var nytt och skört och de hade så mycket arbete kvar, både med huset och med sig själva, men senare kunde kanske Vincent få ett syskon. Det var så hon såg det. Ett syskon till deras änglabarn.

Hon hade lyckats lugna mamma och pappa också. Hon hade bett om ursäkt för att de inte hade fått veta allt som hade hänt och övertalat dem att inte störta iväg till Fjällbacka. Dessutom hade hon ringt dem på kvällen igen för att berätta det hon fått reda på om sin familj, och hon visste att de gladde sig för hennes skull och förstod hur mycket det betydde för henne. De ville däremot inte att hon skulle åka tillbaka till ön förrän det stod klart vad som pågick. Så hon hade serverat dem en vit lögn, sagt att hon skulle sova hos Erica och Patrik en natt till och med det hade de låtit sig nöja.

Även hon skrämdes av tanken på att någon ville dem illa, men Mårten hade valt att stanna och hon hade nu valt att vara med honom. För andra gången i sitt liv valde hon Mårten. Skräcken att förlora honom var större än skräcken för det okända som hotade dem. Allt här i livet gick inte att styra, det hade Vincents död lärt henne, och hennes öde var att stanna här med Mårten oavsett vad som hände.

"Hallå?" Ebba slängde ifrån sig väskan i hallen. "Mårten, var är du?"

Det var alldeles tyst i huset och hon lyssnade efter ljud medan hon sakta gick uppför trappan. Kunde han ha åkt in till Fjällbacka för att göra något ärende? Nej, hon hade sett båten vid bryggan. Det hade också legat en annan båt förtöjd där. Kanske hade de besök?

"Hallå?" ropade hon igen men möttes bara av sin egen röst som studsade mellan de kala väggarna. Solen sken starkt in genom fönstren och belyste dammet som virvlade upp i luften när hon rörde sig. Hon gick in i sovrummet.

"Mårten?" Hon tittade förbryllat på sin man, som satt på golvet med ryggen mot väggen och blicken fäst på en punkt framför sig. Han reagerade inte.

Oron tog överhanden och hon satte sig på huk och strök honom över håret. Han såg trött och härjad ut. "Hur är det?" sa hon.

Han vände blicken mot henne.

"Har du kommit hem?" sa han entonigt och hon nickade ivrigt.

"Ja, jag har så mycket att berätta att du inte kan ana. Och jag har hunnit fundera lite också medan jag var hos Erica. Jag har insett det som jag tror att du redan har förstått: att vi bara har varandra nu, att vi måste försöka. Jag älskar dig, Mårten. Vi kommer alltid bära med oss Vincent här", hon satte en hand för hjärtat, "men vi kan inte leva som om vi också vore döda."

Hon tystnade och väntade på en reaktion, men han teg.

"Det var så många bitar som föll på plats när Erica berättade för mig om min familj." Hon slog sig ner bredvid honom och började entusiastiskt återge historierna om Laura, Dagmar och Änglamakerskan.

När hon var klar nickade Mårten. "Skulden har gått i arv."

"Vad menar du?"

"Skulden har gått i arv", upprepade han och rösten gick upp i falsett.

Ryckigt drog han handen genom håret så att det ställde sig på ända. Hon sträckte sig fram för att släta till det, men han slog bort hennes hand.

"Du har aldrig velat erkänna din skuld."

"Vilken skuld?" En obehaglig känsla kom krypande, men hon försökte skaka den av sig. Han var ju Mårten, hennes man.

"Till att Vincent dog. Hur ska vi kunna gå vidare om du aldrig erkän-

279

ner? Men nu förstår jag varför. Du har det i dig. Din mormors mormor var en barnamörderska, och du mördade vårt barn."

Ebba ryggade tillbaka som om han hade slagit henne. Och han hade lika gärna kunnat göra det, så fruktansvärda var hans ord. Skulle hon ha mördat Vincent? Förtvivlan växte i bröstet och hon ville skrika åt honom, men hon förstod att något inte var som det skulle med honom. Han visste inte vad han sa, det var enda förklaringen. Annars skulle han inte säga något så förfärligt till henne.

"Mårten", sa hon så lugnt hon kunde, men han pekade bara på henne och fortsatte:

"Det var du som mördade honom. Du bär skulden. Du har alltid burit på den."

"Snälla, vad pratar du om? Du vet att det inte var så det gick till. Jag mördade inte Vincent. Det var ingens fel att han dog och det vet du!" Hon tog tag om Mårtens axlar och försökte skaka tillbaka något slags vett i ögonen på honom.

Hon såg sig omkring och upptäckte plötsligt att sängen var stökig och obäddad, och på en bricka på golvet stod tallrikar med matrester och två glas som det verkade ha varit rödvin i.

"Vem är det som har varit här?" sa hon men fick inget svar. Han såg bara på henne med iskalla ögon.

Sakta började hon hasa sig bakåt. Hon kände instinktivt att hon borde ta sig därifrån. Det här var inte Mårten, det var någon annan, och för en sekund undrade hon hur länge han hade varit den person hon nu såg framför sig. Hur länge hade kylan funnits i hans ögon utan att hon hade märkt det?

Hon fortsatte att backa, och med stela rörelser och utan att ta blicken från henne reste han sig. Skräckslagen rörde hon sig snabbare och försökte ta sig upp på fötter, men han sträckte ut handen och puttade ner henne på golvet igen.

"Mårten?" upprepade hon.

Han hade aldrig burit hand på henne, aldrig någonsin. Han var den som protesterade om hon ville slå ihjäl en spindel och som i stället insisterade på att varsamt bära ut djuret i frihet. Långsamt gick det upp för henne att den Mårten inte längre fanns. Kanske hade han gått sönder redan när Vincent dog. Hon hade bara varit för upptagen med sin egen sorg för att märka det och nu var det för sent.

Mårten lade huvudet på sned och studerade henne som om hon var en fluga som fastnat i hans nät. Hjärtat slog hårt i bröstet på henne, men hon förmådde inte kämpa emot. Vart skulle hon fly? Det enklaste var att ge upp. Hon skulle få komma till Vincent och det fanns inget med döden som skrämde henne. Nu kände hon bara sorg. Sorg över det som hade gått sönder i Mårten, över att hoppet om en framtid så snart hade krossats.

När Mårten böjde sig ner och lade händerna om hennes hals mötte hon lugnt hans blick. Hans händer var varma och hon kände igen beröringen, de hade smekt hennes hud så många gånger. Han pressade allt hårdare och hon kände hjärtat rusa. Det började spraka av ljus bakom ögonlocken och kroppen kämpade emot, kämpade för att få syre igen, men med viljans kraft lyckades hon få den att slappna av. Medan mörkret föll över henne förlikade hon sig med sitt öde. Vincent väntade på henne.

Gösta satt kvar i mötesrummet. Upphetsningen han hade känt då de insåg att ett av passen saknades hade börjat lägga sig. Möjligen var han bara en gammal skeptiker, men han kunde inte låta bli att tänka att det fanns många olika förklaringar till ett förlorat pass. Kanske hade Annelies pass gått sönder eller tappats bort, eller så kanske det hade förvarats på ett annat ställe än de andra och försvunnit när huset tömdes. Samtidigt var det inte osannolikt att det hade betydelse, men det fick Patrik börja reda ut. Själv kände Gösta ett inre tvång att minutiöst gå igenom alltihop igen. Han var skyldig Ebba att vara noggrann. Det kunde finnas något de hade sett men inte förstått vikten av, något som de inte undersökt tillräckligt grundligt.

Maj-Britt skulle aldrig ha förlåtit honom om han inte gjorde allt han kunde för att hjälpa tösen. Ebba hade återvänt till Valö. Något mörkt och hotfullt väntade på henne där ute och han måste göra allt han kunde för att förhindra att hon kom till skada.

Hon hade haft en särskild plats i hans hjärta ända sedan hon klamrade sig fast vid honom den där gången då hon skulle fara ifrån dem. Det hade varit en av de värsta dagarna i hans liv. Morgonen då socialsekreteraren kom för att ta med Ebba till hennes nya familj var för alltid inpräntad i hans minne. Maj-Britt hade badat henne och gjort henne fin. Noga kammat hennes hår, satt upp det med en rosett och klätt henne i den fina vita klänningen med band i midjan som hon suttit uppe flera kvällar i rad och sytt. Han hade knappt kunnat titta på Ebba den där morgonen, så hjärtskärande söt hade hon varit.

Av rädsla för att hjärtat skulle brista hade han inte ens tänkt säga adjö till henne, men Maj-Britt hade sagt att de måste ta ett ordentligt avsked av flickan. Så han hade satt sig ner på huk och brett ut armarna och hon hade kommit springande, med rosetten fladdrande och kjolen som stod ut likt ett vitt segel bakom henne. Hon hade lagt armarna om hans hals och hållit hårt, som om hon kände på sig att det var sista gången de sågs.

Gösta svalde när han varsamt plockade upp Ebbas babykläder ur en kartong som Patrik nyss packat.

"Gösta." Patrik stod i dörröppningen.

Han ryckte till och vände sig om. I händerna höll han fortfarande en vit babytröja.

"Hur kommer det sig att du visste adressen till Ebbas föräldrar i Göteborg?" sa Patrik.

Gösta teg. Tankarna for runt i huvudet på honom och han försökte komma på någon förklaring, att han sett adressen någonstans och lagt den på minnet. Han skulle säkert kunna få Patrik att tro honom, men i stället suckade han och sa:

"Det var jag som skickade korten."

"G", sa Patrik. "Jag måste vara väldigt trög som inte ens tänkte tanken att det var du."

"Jag borde ha berättat och jag har försökt några gånger." Han böjde skamset på nacken. "Men jag har bara skickat hälsningar på Ebbas födelsedag. Det där sista som Mårten kom med var inte från mig."

"Nej, jag förstår det. Ärligt talat har jag undrat över det där kortet hela tiden. Det avvek så drastiskt från de andra."

"Det var ingen särskilt bra imitation av handstilen heller." Gösta lade ifrån sig barntröjan och korsade armarna över bröstet.

"Nej, dina kråkfötter kan inte ha varit särskilt lätta att kopiera."

Gösta log, lättad över att Patrik hade valt att vara så förstående. Han var inte säker på att han själv skulle ha varit lika storsint.

"Jag vet att det här fallet är speciellt för dig", sa Patrik, som om han hade hört Göstas tankar.

"Det får inte hända henne något." Gösta vände sig om och började plocka i lådan igen.

Patrik stod kvar och Gösta vände sig mot honom igen. "Det skulle förändra allt om Annelie lever. Eller åtminstone levde. Har du kontaktat Leon och sagt att vi vill prata med honom igen."

"Jag vill hellre överraska honom. Om vi får honom ur balans är det större chans att vi får honom att prata." Patrik tystnade och verkade lite osäker på om han skulle fortsätta eller inte. Sedan sa han: "Jag tror faktiskt att jag kan gissa vem som skickade det där sista kortet."

"Vem?"

Patrik skakade på huvudet. "Det var bara en tanke som slog mig och jag har bett Torbjörn kolla en sak. Jag vet mer när jag får svar från honom. Innan dess vill jag helst inte säga något, men jag lovar att berätta det för dig först av alla."

"Det hoppas jag verkligen." Gösta vände ryggen till igen. Han hade mycket kvar att gå igenom. Något han redan sett pockade på hans uppmärksamhet och han skulle inte ge sig förrän han hittade vad det var.

Rebecka skulle troligen inte förstå, men Josef hade ändå lämnat ett brev till henne för att hon åtminstone skulle veta att han var tacksam över deras liv tillsammans, att han älskade henne. Han hade försakat både henne och barnen för sin dröm, det insåg han nu. Skammen och smärtan hade gjort honom blind för hur mycket de betydde för honom. Trots det hade de troget stått vid hans sida.

Han hade postat var sin hälsning till barnen också. De innehöll heller ingen förklaring, bara några avskedsord och instruktioner om vad han förväntade sig av dem. Det var viktigt att de inte glömde att de hade ett ansvar och en uppgift att fylla även om han inte kunde vara där och påminna dem om det.

Sakta åt han sitt lunchägg, kokt i exakt åtta minuter. I början av deras äktenskap hade Rebecka slarvat med det. Ibland hade det blivit sju minuter, ibland nio. Nu var det många år sedan hon hade misslyckats med äggen. Hon hade varit en god och plikttrogen hustru och hans föräldrar hade tyckt om henne.

Däremot var hon ibland för undfallande mot barnen, vilket oroade honom. Trots att de var vuxna behövde de fortfarande ledas med fast hand och han var inte övertygad om att Rebecka skulle kunna göra det. Han tvivlade också på att hon skulle hålla det judiska arvet levande för dem. Men vad hade han för val? Hans skam skulle klibba sig fast vid dem och förstöra deras möjligheter att gå genom livet med högburet huvud. Han var tvungen att offra sig själv för deras framtid.

I ett svagt ögonblick hade tanken på hämnd slagit honom, men han hade så gott som omedelbart avfärdat den. Av erfarenhet visste han att hämnden inte förde något gott med sig, bara ännu mera mörker.

Efter att ha ätit upp det sista av ägget torkade han sig omsorgsfullt om munnen och reste sig från bordet. När han lämnade sitt hem för sista gången såg han sig inte om.

Hon väcktes av ljudet av en tung dörr som sköts upp. Förvirrad kisade Anna mot ljusstrimman som bildades. Var befann hon sig? Huvudvärken bultade i tinningarna och med en kraftansträngning satte hon sig upp. Det var kallt och hon hade bara ett tunt lakan om kroppen. Skakande av köld slog hon armarna om sig medan hon kände paniken komma smygande.

Mårten. Han var det sista hon mindes. De hade legat i hans och Ebbas säng. De hade druckit vin och hon hade fyllts av en stark längtan. Minnet var tydligt nu och hon försökte skjuta det ifrån sig, men bilderna av hennes nakna kropp mot hans flimrade förbi i huvudet. De hade rört sig mot varandra i sängen, och månskenet hade lyst in på dem. Sedan var det bara svart och hon mindes inget mer.

"Hallå?" ropade hon mot dörren utan att få något svar. Allt kändes overkligt, som om hon hamnat i en annan värld, likt Alice i Underlandet som föll ner i kaninhålet. "Hallå?" Hon ropade igen och försökte ställa sig upp, men benen vek sig under henne och hon föll ihop på golvet.

Något stort kastades in genom dörren som sedan stängdes med en smäll. Anna satt blick stilla. Det hade blivit becksvart igen. Ingenstans kom det in något ljus, men hon insåg att hon måste ta reda på vad som låg där, så hon kröp sakta framåt och kände sig för med händerna. Golvet var så kallt att hennes fingrar domnade, och den skrovliga ytan rev hennes knän. Till slut nuddade hon vid något som kändes som tyg. Hon fortsatte söka med händerna och ryggade tillbaka när hon kände hud under fingertopparna. Det var en människa. Ögonen var slutna och först kände hon ingen andning, men kroppen var varm. Prövande lät hon fingrarna leta sig ner mot halsen där pulsen bultade svagt, och utan att tänka efter knep hon till om kvinnans näsa medan hon i samma rörelse drog huvudet uppåt och bakåt och lutade sig fram och placerade sin mun över hennes. För det var en kvinna. Det kände hon på lukten och håret, och när hon stötvis andades in i kvinnans mun tyckte hon att hon vagt kände igen hennes doft.

Anna visste inte hur länge hon fortsatte med upplivningsförsöket. Emellanåt satte hon den ena handen på den andra och tryckte till mot bröstet på kvinnan. Hon var inte helt säker på att hon gjorde rätt. Den enda gång hon sett det göras var i sjukhusserier på tv, och hon hoppades att de hade återgett verkligheten och inte en påhittad version av hjärt-lungräddning.

Efter vad som kändes som en evighet hostade kvinnan till. Det hördes ett kräkliknande ljud och Anna vände henne över på sidan och strök henne över ryggen. Hostandet lugnade ner sig och kvinnan drog in luft i långa, pipande andetag.

"Var är jag?" kraxade hon.

Anna smekte henne lugnande över håret. Rösten var så ansträngd att det var svårt att avgöra vem det var, men hon kunde gissa.

"Ebba, är det du? Det är så mörkt här att det inte går att se något."

"Anna? Jag trodde att det var jag som hade blivit blind."

"Nej, du är inte blind. Det är mörkt, och jag vet inte var vi är."

Ebba började säga något, men avbröts av en hostattack som fick hela hennes kropp att rista. Anna fortsatte stryka henne över håret tills Ebba gjorde en rörelse som om hon ville sätta sig upp. Med ett grepp om hen-nes arm hjälpte Anna henne och efter en stund slutade hon hosta.

"Jag vet inte heller var vi är", sa hon.

"Hur hamnade vi här?"

Ebba svarade först inte, sedan sa hon tyst: "Mårten."

"Mårten?" Anna såg åter bilden av deras nakna kroppar framför sig. Skuldkänslorna fick illamåendet att stiga i halsen och hon bekämpade en lust att kräkas.

"Han ..." Ebba hostade igen. "Han försökte strypa mig."

"Försökte han strypa dig?" upprepade Anna vantroget, men orden väckte en tanke djupt inom henne. Hon hade vagt anat att allt inte var som det skulle med Mårten, på samma sätt som ett djur kunde lukta sig till om något av de andra djuren i flocken var sjukt. Men det hade bara ökat attraktionen. Det farliga var något hon var van vid och kände väl igen, och i går hade hon känt igen Lucas i Mårten.

Illamåendet vällde upp igen och kylan från golvet spred sig genom hennes kropp. Skälvningarna blev värre och värre.

"Herregud, vad kallt det är. Var kan han ha låst in oss?" sa Ebba.

"Han måste väl släppa ut oss?" sa Anna men hörde tvivlet i sin egen röst.

"Jag kände inte igen honom. Han var som en annan människa. Jag såg det i hans ögon. Han ..." Hon hejdade sig och brast plötsligt i gråt. "Han sa att jag mördade Vincent. Vår son."

Utan ett ord lade Anna armarna om Ebba och lutade hennes huvud mot sin axel.

"Vad hände?" sa hon efter en stund.

Ebba grät så mycket att hon först inte kunde svara. Sedan började hon andas lugnare och snörvlade till.

"Det var i början av december. Vi hade otroligt mycket att göra. Mårten hade tre byggprojekt samtidigt och även jag jobbade långa dagar. Vincent kände nog av det där, för han var oerhört trotsig och testade oss hela tiden. Vi var helt slut." Hon snörvlade igen, och Anna hörde att hon torkade näsan mot tröjan. "Morgonen när det hände skulle vi iväg till jobbet båda två. Det var meningen att Mårten skulle lämna Vincent på dagis, men så ringde de från ett av byggena och sa att han måste komma på en gång. Som vanligt var det någon kris. Mårten bad mig att ta Vincent så att han kunde sticka direkt, men jag hade ett viktigt morgonmöte och blev förbannad för att han tyckte att hans jobb skulle gå före mitt. Vi började bråka och till slut gick Mårten sin väg och lämnade mig ensam med Vincent. Jag insåg att jag skulle bli sen till ännu ett möte och när Vincent fick ett av sina anfall orkade jag inte mera. Så jag låste in mig på toaletten och satte mig och grinade. Vincent grät och bankade på dörren men efter någon minut blev det tyst och jag antog att han hade gett upp och gått in på sitt rum. Så jag lät det gå några minuter till medan jag tvättade ansiktet och lugnade ner mig."

Ebba pratade så fort att orden nästan trillade över varandra. Anna ville sätta händerna för öronen för att slippa höra resten. Samtidigt var hon skyldig Ebba att lyssna.

"Jag hade precis kommit ut från toaletten när det hördes en smäll utifrån uppfarten. Sedan dröjde det inte länge förrän jag hörde Mårten skrika. Jag har aldrig hört ett sådant skrik. Det lät inte mänskligt. Snarare som ett skadskjutet djur." Ebbas röst bröts men hon fortsatte: "Jag förstod direkt vad som hade hänt. Jag visste att Vincent var död, jag kände det i hela kroppen. Ändå rusade jag ut och där låg han bakom vår bil. Han hade inga ytterkläder på sig, och trots att jag såg att han var död kunde jag inte sluta tänka på att han var ute i snön utan overall. Att han skulle bli förkyld. Det var det jag tänkte på när jag såg honom ligga där, att han skulle bli förkyld."

"Det var en olycka", sa Anna tyst. "Det var inte ditt fel."

"Jo, Mårten har rätt. Jag dödade Vincent. Om jag bara inte hade gått in på toaletten, om jag bara hade struntat i att jag kom sent till det där mötet, om jag bara inte ..." Gråten övergick i ett ylande och Anna drog henne ännu närmare intill sig, lät henne gråta medan hon sakta strök hennes hår och mumlade tröstande ord. Hon kände Ebbas sorg i hela sin kropp och för en stund trängde den undan rädslan för vad som skulle hända med dem. För en stund var de bara två mödrar som hade förlorat var sitt barn.

När gråten klingat ut gjorde Anna ett nytt försök att ställa sig upp. Nu var benen stadigare. Hon reste sig sakta, osäker på om hon skulle slå i huvudet, men hon kunde stå raklång. Prövande tog hon ett steg framåt. Något strök mot hennes ansikte och hon skrek rakt ut.

"Vad är det?" Ebba klamrade sig fast vid Annas ben.

"Jag kände något mot ansiktet, men det var nog bara spindelväv." Darrande höjde hon handen i luften framför sig. Det var något som hängde där, och hon fick försöka flera gånger innan hon fick tag i det. Ett snöre. Prövande drog hon i det. Ljuset som tändes bländade henne så att hon var tvungen att blunda.

Hon provade att öppna ögonen igen och häpet såg hon sig omkring. Nedifrån golvet hörde hon hur Ebba drog efter andan.

Han hade njutit av makten i så många år, även i de fall då han valt att inte utöva den. Att kräva något av John skulle ha varit för farligt. John var inte längre den person Sebastian hade känt på Valö. Nu verkade han så full av hat, även om han dolde det väl, att det skulle ha varit dumdristigt att utnyttja möjligheten som ödet gett honom.

Inte heller hade han krävt något av Leon, helt enkelt för att Leon var den enda människa förutom Lovart som han någonsin hyst respekt för. Efter det som hände hade han snabbt försvunnit, men Sebastian hade följt honom i tidningarna och via de rykten som nådde fram till Fjällbacka. Nu hade Leon blandat sig i den lek som Sebastian hittills lett, men Sebastian hade hunnit få ut det han kunnat. Josefs dåraktiga projekt var ett minne blott. Marken och graniten var det enda av värde, och dem hade han omvandlat till sköna slantar enligt det avtal Josef skrivit under utan att ens ögna igenom det.

Och Percy. Sebastian skrockade för sig själv medan han rattade den gula Porschen på Fjällbackas smala gator och hejade på var och varannan människa. Percy hade levt med myten om sig själv så länge att han inte trodde att han kunde förlora allt. Visst hade han varit orolig innan Sebastian kom som en räddande ängel, men han hade nog aldrig på allvar tänkt tanken att han kunde mista det hans födslorätt gett honom. Nu ägdes slottet av Percys yngre syskon, vilket var hans eget fel. Han hade inte förvaltat sitt arv, och Sebastian hade bara sett till att katastrofen inträffade lite tidigare än den skulle ha gjort annars.

Även på den affären hade han tjänat bra med pengar, men det var snarast en bonus. Makten var det som gav honom mest tillfredsställelse. Det lustiga var att varken Josef eller Percy tycktes ha insett det förrän det var för sent. De verkade trots allt ha hoppats på hans goda vilja och trott att han faktiskt hade velat hjälpa dem. Vilka idioter. Nåja, Leon skulle avsluta leken nu. Troligtvis var det därför han ville att de skulle samlas. Frågan var hur långt han tänkte gå? Egentligen var Sebastian inte orolig. Hans rykte var redan sådant att folk knappast skulle bli förvånade. Däremot var han nyfiken på hur de andra skulle reagera. Framför allt John, som hade mest att förlora av dem alla.

Sebastian parkerade och blev sittande en liten stund. Sedan klev han ut ur bilen, kände så att nyckeln låg i byxfickan och gick fram till dörren och ringde på. Det var showtime.

Erica smuttade på kaffet medan hon läste. Det smakade illa och hade stått på alldeles för länge, men hon hade inte orkat brygga en ny kanna.

"Är du fortfarande kvar?" Gösta kom in i köket och hällde upp en kopp kaffe.

Hon slog ihop mappen hon hade suttit och bläddrat i.

"Ja, jag fick på nåder lov att stanna en stund till och läsa igenom den gamla utredningen. Och jag sitter här och funderar över vad det betyder att Annelies pass saknas."

"Hur gammal var hon? Sexton?" sa Gösta och satte sig ner vid bordet.

Erica nickade. "Ja, sexton år och tydligen dödskär i Leon. Kanske blev det något bråk som ledde till att hon gav sig av. Det skulle ju inte vara första gången en tonårskärlek orsakat en tragedi i så fall. Samtidigt har jag svårt att tro att en sextonårig flicka på egen hand kan ha mördat sin familj."

"Nej, det låter inte troligt. I så fall måste hon ha haft hjälp. Kanske av Leon om de hade en relation? Pappa sa nej, de blev rasande ..."

"Jo, så skulle det ha kunnat gå till, men det står ju här att Leon var ute och fiskade tillsammans med de andra. Varför skulle de ge honom alibi i så fall? Vad skulle de vinna på det?"

"De kan väl knappast ha haft ihop det med Annelie allihop", sa Gösta fundersamt.

"Nej, så avancerade lekar höll de nog inte på med."

"Även om man skulle anta att det handlar om Annelie, och eventuellt Leon, finns det väl heller inget rimligt motiv till varför hela familjen i så fall skulle dödas? Det borde väl ha räckt med att ha ihjäl Rune."

"Ja, jag har tänkt precis samma sak." Erica suckade. "Så nu sitter jag här och kollar igenom förhörsmaterialet. Det måste finnas något i pojkarnas redogörelser som inte hänger ihop, men de sa samma sak allihop. De var ute och fiskade makrill och när de kom tillbaka var familjen borta."

Gösta hejdade sig med kaffekoppen halvvägs mot munnen.

"Sa du makrill?"

"Ja, det står så i förhören."

"Hur fasen kan jag ha missat något så självklart?"

"Vad menar du?"

Gösta ställde ner koppen och drog en hand över ansiktet. "Man kan tydligen läsa igenom en polisrapport hur många gånger som helst utan att se det uppenbara."

Han tystnade en stund men sedan log han triumferande mot Erica.

"Vet du. Jag tror att vi precis har spräckt pojkarnas alibi."

Fjällbacka 1970

Inez ville vara mamma till lags. Hon visste att modern hade hennes bästa för ögonen och ville försäkra sig om att Inez skulle få en trygg framtid. Ändå kunde hon inte förneka att olusten kröp i henne där de satt på finsoffan i salongen. Han var ju så gammal.

"Ni kommer att lära känna varandra med tiden." Laura tittade bestämt på sin dotter. "Rune är en bra och pålitlig man och kommer att ta väl hand om dig. Du vet att min hälsa är klen, och när jag inte längre är i livet har du ingen. Jag vill inte att du ska behöva bli lika ensam som jag har varit."

Mamma lade sin torra hand över hennes. Beröringen kändes ovan. Inez kunde bara minnas några få tillfällen när mamma hade rört vid henne på det sättet.

"Jag förstår att det kommer lite hastigt på", sa mannen mittemot henne och synade henne som om hon var en prisbelönt häst.

Det var kanske orättvist tänkt, men det var så Inez kände sig. Och, ja, allt hade kommit hastigt på. Mamma hade legat på sjukhus tre dagar för sitt hjärta, och när hon kom hem hade hon kommit med sitt förslag: att Inez skulle gifta sig med Rune Elvander som hade blivit änkling ett år tidigare. Nu när Nanna inte längre var i livet var det ju bara hon och mamma kvar.

"Min kära hustru sa att jag måste hitta någon som kan hjälpa mig att fostra barnen. Och din mor säger att du är en duktig flicka", fortsatte mannen.

Inez hade en vag aning om att det inte var så här det gick till. Sjuttiotalet hade precis börjat och kvinnor hade helt andra möjligheter att välja sitt eget liv. Men hon hade aldrig varit en del av den riktiga världen, bara av den perfekta värld mamma skapat. Där var mammas ord lag och om hon nu sa att det bästa för Inez var att gifta sig med en drygt femtioårig änkling med tre barn, var det var inget hon kunde förmå sig att ifrågasätta.

"Jag har planer på att köpa den gamla barnkolonin ute på Valö och grunda en internatskola för pojkar. Jag behöver ha någon vid min sida som kan hjälpa till även där. Du är visst bra på att laga mat?"

Inez nickade. Hon hade tillbringat många timmar i köket med Nanna, som lärt henne allt hon kunde.

"Ja, men då var det bestämt", sa Laura. "Vi bör naturligtvis ha en lämpligt lång förlovningsperiod, så vad sägs om ett stillsamt bröllop till midsommar?"

"Det låter alldeles utmärkt", sa Rune.

Inez teg. Hon studerade sin blivande make och noterade rynkorna som hade börjat bildas kring ögonen och den smala, bestämda munnen. Grå hårstrån syntes här och var i hans mörka hår och hårfästet var på väg att krypa bakåt. Det här var alltså mannen hon skulle gifta sig med. Barnen hade hon ännu inte mött, hon visste bara att de var femton, tolv och fem år gamla. Hon hade inte träffat så många barn i sitt liv, men det skulle nog gå bra. Det var vad mamma sa.

Percy satt kvar i bilen och tittade ut över inloppet till Fjällbacka, men han såg knappt vågorna eller båtarna. Det enda han såg var sitt eget öde, hur det förflutna fogades samman med nutiden. Syskonen hade varit avmätt artiga när de ringde. Det hörde till god ton att man uppförde sig väl även mot den man hade besegrat. Percy visste så väl vad som doldes under deras beklagande fraser. Skadeglädjen var densamma, oberoende av om man var fattig eller rik.

De hade köpt slottet, berättade de, men det var ingen nyhet för honom. Av advokat Buhrman hade han redan fått veta att Sebastian gått bakom ryggen på honom. Med samma ord och fraser som Sebastian hade använt förklarade de att slottet skulle bli en exklusiv konferensanläggning. Det var beklagligt att det hade blivit så här, men de ville att han skulle flytta ut senast vid månadsskiftet. Naturligtvis skulle det ske under överinseende av deras advokat, så att Percy inte råkade få med sig sådant som ingick i köpet av egendomen.

Det förvånade honom att Sebastian faktiskt hade dykt upp i dag. Percy hade sett honom köra förbi och uppför backen till Leons hus. Solbränd, uppknäppt skjorta, dyra solglasögon och bakåtslickat hår. Han såg ut precis som vanligt. Och säkert var allt som vanligt för honom. Det var ju bara business, som han troligtvis skulle säga.

Percy kastade en sista blick på sig själv i spegeln i solskyddet. Han såg för jäklig ut. Ögonen var blodsprängda efter för lite sömn och för mycket whisky. Hyn var grådaskig och svampig. Men slipsen var perfekt knuten. Det var en hederssak. Han fällde upp solskyddet med en smäll och klev ur bilen. Det fanns ingen anledning att skjuta upp det oundvikliga.

Ia lutade huvudet mot den svala sidorutan. Taxiresan till Landvetter skulle ta strax under två timmar, kanske mer beroende på trafiken, och hon skulle försöka sova en stund.

Hon hade kysst honom innan hon åkte. Det skulle bli ett helvete för honom att klara sig på egen hand, men hon tänkte inte vara där när allt exploderade. Leon hade försäkrat henne att det skulle gå bra. Han var tvungen att göra det här, sa han. Annars skulle han aldrig få ro.

Än en gång tänkte hon på den där bilresan, då de hade färdats på de branta vägarna i Monaco. Han hade varit på väg att lämna henne. Orden hade strömmat ur hans mun. Han hade svamlat om att saker hade förändrats och att hans behov inte längre var desamma, att de haft många fina år tillsammans men att han träffat någon som han hade råkat bli förälskad i, att hon också skulle hitta någon att bli lycklig med. Hon hade släppt den slingriga vägen med blicken för att se honom i ögonen, och medan han fortsatte att vräka ur sig plattityder hade hon tänkt på allt hon offrat för sin kärlek till honom.

När bilen vinglade till såg hon hur han spärrade upp ögonen. Flödet av meningslösa ord upphörde.

"Du måste titta på vägen när du kör", hade han sagt. Oron avspeglades i hans vackra ansikte och hon kunde knappt tro det. För första gången någonsin under deras liv tillsammans var Leon rädd. Känslan av makt berusade henne och hon tryckte ner gaspedalen, kände hur kroppen pressades bakåt mot sätet av accelerationen.

"Sakta ner, Ia", vädjade Leon. "Det går för fort!"

Hon hade inte svarat, bara ökat trycket på gaspedalen. Den lilla sportbilen höll sig knappt kvar på vägen. Det kändes som om de svävade och just i det ögonblicket var hon fullkomligt fri.

Leon hade försökt ta tag i ratten, men det fick bara bilen att kränga ännu mer och han släppte den igen. Gång på gång bad han henne att lätta på gasen, och skräcken i hans röst gjorde henne lyckligare än på mycket länge. Nu nästan flög bilen.

Längre fram såg hon trädet och det var som om en yttre kraft tog henne i besittning. Lugnt vred hon ratten lite åt höger och styrde mot det. På avstånd hörde hon Leons röst, men bruset i hennes egna öron överröstade allt. Sedan blev det tyst omkring henne. Fridfullt. De skulle inte skiljas åt. De skulle vara tillsammans för alltid.

När hon upptäckte att hon levde reagerade hon med förvåning. Bredvid henne satt Leon med ögonen slutna och ansiktet täckt av blod. Elden tog sig fort. Lågorna började slicka deras säten och sträcka sig efter dem. Lukten stack i hennes näsborrar. Hon var tvungen att fatta ett snabbt beslut, om hon skulle ge efter och låta dem uppslukas av elden eller om hon skulle rädda dem. Hon betraktade Leons vackra ansikte. Elden hade nått hans ena kind och fascinerad såg hon hur den fick fäste i hans hud. Så bestämde hon sig. Han var hennes nu. Och så hade det varit sedan dagen då hon dragit ut honom ur den brinnande bilen.

Ia blundade och kände kylan från rutan mot pannan. Hon ville inte vara en del av det Leon skulle göra nu, men hon längtade efter stunden när de skulle återförenas.

Anna tittade sig omkring i det kala rummet som nu lystes upp av en naken glödlampa. Det luktade jord och något annat, mer svåridentifierat. Både hon och Ebba hade förgäves provat att rycka i dörren. Den var låst och gick inte att rubba.

Längs ena väggen stod fyra stora kistor med järnbeslag och ovanför dem hängde flaggan, som var det första de hade sett när de tände ljuset. Den hade mörknat av fukt och mögel, men svastikan avtecknade sig fortfarande tydligt mot den röda och vita bakgrunden.

"Det kanske finns något i de där som du kan sätta på dig?" sa Ebba och såg på henne. "Du skakar ju."

"Ja, vadsomhelst. Jag håller på att frysa ihjäl." Anna skämdes för sin nakenhet som kunde anas genom lakanet. Hon tillhörde dem som inte ens tyckte om att visa sig naken i omklädningsrum, och nu efter olyckan hade det blivit ännu värre, med alla ärren som löpte över kroppen. Och även om blygsel kändes som det minsta av hennes bekymmer just nu, var känslan så stark att den trängde sig igenom rädslan och kylan.

"De där tre är låsta, men den här är öppen." Ebba pekade på kistan närmast dörren. Hon lyfte på locket och överst låg en tjock, grå yllefilt. "Här!" sa hon och kastade filten till Anna som svepte den om sig ovanpå lakanet. Den luktade vidrigt, men hon var glad för värmen och skyddet den gav.

"Det finns konserver också", sa Ebba och lyfte upp några dammiga burkar ur kistan. "I värsta fall kan vi nog klara oss här ett tag."

Anna synade henne. Ebbas nästan glättiga tonfall rimmade illa både med situationen och hur hon tidigare verkat må, och hon insåg att det troligtvis var ett slags försvar.

"Vi har inget vatten", påpekade hon och lät meningen hänga i luften. Utan vatten skulle de inte klara sig länge, men Ebba fortsatte gräva i kistan och tycktes inte lyssna.

"Kolla!" sa hon och höll upp ett plagg framför sig.

"En nazistuniform? Var kommer de här grejerna ifrån?"

"Tydligen var det någon galen gubbe som ägde huset under kriget. Det måste vara hans."

"Vad sjukt", sa Anna. Hon skakade fortfarande. Värmen från filten hade sakta börjat sippra in i kroppen, men hon frös ända in i märgen och det skulle ta en stund för henne att bli varm.

"Hur kommer det sig att du är här?" sa Ebba plötsligt och vände sig mot Anna. Det var som om hon först nu insåg det märkliga i att de befann sig här tillsammans.

"Mårten måste ha attackerat mig också." Anna svepte filten tätare om sig.

Ebba rynkade ögonbrynen.

"Varför då? Var det utan anledning eller hände det något som …?" Hon slog handen för munnen och blicken blev hård. "Jag såg brickan i sovrummet. Varför åkte du egentligen ut i går? Stannade du på middag? Vad hände?"

Orden smattrade som kulor mot de hårda väggarna och vid varje fråga ryckte Anna till som om hon fått en örfil. Hon behövde inte säga något. Hon visste att svaret stod skrivet i hennes ansikte.

Ebbas ögon fylldes med tårar. "Hur kunde du? Du vet vad vi har varit med om, hur vi har det."

Anna svalde och svalde, men munnen var torr som fnöske och hon visste inte hur hon skulle kunna förklara sitt handlande och be om förlåtelse. Med tårfyllda ögon fortsatte Ebba att titta på henne en lång stund. Sedan tog hon ett djupt andetag och släppte sakta ut luften. Lugnt och behärskat sa hon:

"Vi pratar inte om det nu. Vi måste hålla ihop för att ta oss ut. Kanske kan vi hitta något i kistorna som vi kan använda för att bända upp dörren?" Hon vände ryggen till och hela hennes kropp var stel av återhållen vrede.

Anna tog tacksamt emot erbjudandet om tillfällig fred. Om de inte tog sig härifrån skulle det ändå inte finnas någon anledning för dem att reda ut något. Ingen skulle sakna dem på ett tag. Dan och barnen var bortresta och Ebbas föräldrar skulle inte bli oroliga förrän om flera dagar. Återstod Erica som brukade kunna hetsa upp sig om hon inte fick tag på Anna. Vanligtvis retade det gallfeber på henne, men nu ville hon att Erica skulle oroa sig och ställa frågor och bli så där enveten som hon kunde bli om hon inte fick rätt svar. Snälla älskade Erica, var lika jobbigt nyfiken och ängslig som du brukar vara, bad Anna tyst i ljuset från den nakna lampan.

Ebba hade börjat sparka på låset till kistan som stod bredvid den öppnade. Hänglåset såg inte ut att rubbas en millimeter, men hon fortsatte sparka och slutligen började fästet ge med sig.

"Kom och hjälp till här", sa hon och med gemensamma krafter slet de bort låset. De böjde sig ner och tog tag i var sin ände av locket och tvingade det uppåt. Av dammet och smutsen att döma hade det varit stängt i många år och de fick ta i med all kraft. Till sist for det upp med ett ryck.

De tittade ner i kistan och sedan stirrade de på varandra. Anna såg sin egen fasa speglas i Ebbas ansikte. Ett skrik ekade mellan väggarna i det kala rummet. Hon visste inte om det kom från henne eller Ebba.

"Hej, är det du som är Kjell?" Sven Niklasson kom emot honom med utsträckt hand och presenterade sig.

"Är det ingen fotograf med?" Kjell såg sig omkring i det lilla utrymmet vid bagagebandet.

"Det kommer en kille från Göteborg. Han kör egen bil och möter oss där."

Sven drog en liten kabinväska efter sig ut på parkeringsplatsen. Kjell misstänkte att han var van vid att packa snabbt och resa lätt.

"Tycker du att vi ska informera polisen i Tanum trots allt?" sa Sven när han satte sig i passagerarsätet i Kjells stora kombi.

Kjell tänkte efter medan han körde ut från parkeringen och svängde höger efter raksträckan.

"Jo, jag tycker nog det. Men då ska du prata med Patrik Hedström. Ingen annan." Han sneglade på Sven. "Ni brukar väl inte bekymra er om vilka polisdistrikt som är informerade?"

Sven log och blickade ut över landskapet genom sidorutan. Han hade tur. Trollhättebron var som vackrast i sommarsol.

"Man vet aldrig när man behöver en tjänst från någon på insidan. Jag har redan en överenskommelse med göteborgarna om att vi får vara med när tillslaget sker, eftersom vi har försett dem med information. Se det som en ren artighet att Tanumspolisen också får veta vad som är på gång."

"Göteborgspolisen har nog inte tänkt visa samma artighet, så jag får väl påpeka för Hedström någon gång hur generös du är." Kjell flinade. Själv var han djupt tacksam över att Sven Niklasson lät honom vara med på ett hörn. Det här var inte bara ett scoop utan något som skulle röra om i svensk politik och chocka hela befolkningen. "Tack för att jag fick hänga med", mumlade han och kände sig plötsligt generad.

Sven ryckte på axlarna. "Vi hade inte kunnat avsluta det här om jag inte hade fått de där uppgifterna av dig."

"Så ni lyckades tyda siffrorna?" Kjell höll på att spricka av nyfikenhet. Sven hade inte hunnit berätta alla detaljer när de pratade i telefon.

"Det var ett löjligt enkelt chiffer." Sven skrattade. "Mina ungar hade kunnat knäcka det på en kvart."

"Hur då?"

"Ett motsvarar A, två motsvarar B. Och så vidare."

"Du skojar." Kjell tittade på Sven och höll på att köra av vägen.

"Nej, även om jag önskar att jag gjorde det. Det säger en del om hur korkade de tror att vi är."

"Vad fick ni fram då?" Kjell försökte se kombinationen framför sig, men hans sifferminne hade varit dåligt redan i skolan. Nu kunde han knappt minnas sitt eget telefonnummer.

"Stureplan. Det stod för Stureplan. Följt av ett datum och en tidpunkt."

"Herrejävlar", sa han och svängde höger i rondellen vid Torp. "Det kunde ju ha gått helt åt helvete."

"Ja, men polisen slog till tidigt i morse mot dem som skulle utföra attentatet. Nu har de inga möjligheter att kommunicera med någon och röja att vi och polisen känner till allt. Det var därför det blev så bråttom. Det kommer inte att dröja länge förrän de ansvariga i partiet märker att de varken hör av eller kan få tag i dem, och då kommer de raskt att dra öronen åt sig. De här snubbarna har ju kontakter över hela världen och skulle inte ha några problem med att försvinna. Och då får vi ingen mer chans."

"Planen var på sätt och vis genialt uttänkt", sa Kjell. Han kunde inte släppa tanken på vad som hade hänt om den genomförts. Bilderna i huvudet var skarpa. Det skulle ha blivit en tragedi.

"Jo, vi ska nog trots allt vara tacksamma för att de visar sitt rätta ansikte nu. Det här kommer att bli ett helvetes uppvaknande för många som har trott på John Holm. Tack och lov. Sedan hoppas jag att det dröjer innan vi får se sådant här igen. Tyvärr tror jag att vi människor har alldeles för kort minne ibland." Han suckade och vände sig frågande mot Kjell. "Ville du ringa den där Hedman?"

"Hedström. Patrik Hedström. Jo, det kan jag göra." Med ett öga på vägen slog han numret till Tanums polisstation.

"Vilket liv ni för!" sa Patrik med ett flin när han kom in i köket. Erica hade ropat högt på honom och han hade genast skyndat dit.

"Sätt dig", sa Gösta. "Du vet hur många gånger jag har tröskat igenom det här gamla utredningsmaterialet. Pojkarna var ju väldigt samstämmiga men jag har hela tiden tyckt att något kändes märkligt."

"Och nu har vi kommit på vad det var." Erica lade med en nöjd min armarna i kors över bröstet.

"Vad då?"

"Det där med makrillen."

"Makrillen?" Patrik kisade mot henne. "Förlåt, men kan ni möjligtvis förklara lite bättre?"

"Jag såg aldrig fisken som pojkarna hade med sig in", sa Gösta. "Och av någon outgrundlig anledning tänkte jag inte på det vid förhören."

"Tänkte på vad?" sa Patrik otåligt.

"Att man inte kan fiska makrill förrän efter midsommar", sa Erica tydligt, som om hon talade till ett barn.

Sakta började Patrik inse vad det betydde. "I förhören säger alla pojkarna att de har fiskat makrill."

"Ja, precis. En av dem kunde väl ha råkat säga fel, men att allihop påstår samma sak visar ju att de pratade ihop sig. Och eftersom de inte hade tillräcklig kunskap om fiske valde de fel fisk."

"Det var tack vare Erica jag kom på det", sa Gösta och såg lite skamsen ut.

Patrik kastade en slängpuss till henne. "Du är bäst!" sa han och menade det.

I samma stund ringde telefonen och han såg på displayen att det var Torbjörn.

"Jag måste ta det, men jättebra jobbat av er båda!" Han gjorde tummen upp, gick till sitt rum och stängde dörren efter sig.

Uppmärksamt lyssnade han på det som Torbjörn hade att säga och slängde ner några anteckningar på första bästa papper på skrivbordet. Hur märklig hans misstanke än varit hade den nu bekräftats. Medan han lyssnade på Torbjörn tänkte han på vad det skulle innebära. När de avslutade samtalet visste han mer, men var samtidigt ännu mer förvirrad än tidigare.

Ljudet av tunga steg trängde in genom dörren och han öppnade och tittade ut i korridoren. Paula kom gående mot honom med den stora magen i vädret.

"Jag orkar inte sitta hemma och vänta längre. Tjejen jag pratade med på banken lovade att höra av sig i dag men än har hon inte ringt ..." Hon var tvungen att göra ett avbrott för att hämta andan.

Patrik lade en lugnande hand på hennes axel. "Andas, för guds skull", sa han och väntade tills hennes andhämtning lugnat ner sig lite. "Orkar du vara med på en genomgång?"

"Klart att jag gör."

"Vart fan tog du vägen?" Mellberg dök plötsligt upp bakom henne. "Rita blev så orolig när du bara gick iväg att hon tvingade mig att följa efter." Han torkade svetten ur pannan.

Paula himlade med ögonen. "Det är ingen fara med mig."

"Det är lika bra att du är här också. Vi har en del vi måste gå igenom."

Patrik gick mot mötesrummet och på vägen dit bad han Gösta komma. Efter några sekunders tvekan vände han och gick tillbaka till köket.

"Du kan också följa med", sa han och nickade åt Erica. Som förväntat skuttade hon upp från stolen.

Det var trångt i rummet, men Patrik hade en tanke med att de skulle ha genomgången här, mitt bland familjen Elvanders tillhörigheter. Sakerna blev ett slags påminnelse om varför det var så viktigt att de lyckades knyta ihop alla trådarna.

Kort förklarade han för Paula och Mellberg att de hämtat lådorna hos Skrot-Olle och redan ägnat en god stund åt att gå igenom allt.

"Några bitar har fallit på plats, och vi måste hjälpas åt att komma vidare. Först kan jag berätta att den mystiske 'G' som skickade korten till Ebba är vår egen Gösta Flygare." Han pekade på Gösta som rodnade.

"Men Gösta då ...", sa Paula.

Mellberg blev högröd i ansiktet och såg ut som om han skulle explodera.

"Ja, jag vet att jag borde ha sagt något, men det där har jag redan rett ut med Hedström." Gösta blängde på Mellberg.

"Det sista kortet vill inte Gösta kännas vid, och det avviker onekligen från de andra", sa Patrik och lutade sig mot bordskanten. "Jag fick en idé om hur det kunde komma sig, och jag pratade precis med Torbjörn som bekräftade mina misstankar. Fingeravtrycket som Torbjörn säkrade på undersidan av frimärket, och som rimligtvis borde tillhöra den som klistrade dit frimärket och skickade kortet, matchade ett av fingeravtrycken som fanns på påsen som det låg i när Mårten gav det till oss."

"Men påsen har väl inga andra än ni och Mårten tagit i? Då är det alltså ..." Erica blev blek och Patrik såg hur det snurrade i huvudet på henne.

Febrilt började hon leta efter mobiltelefonen i väskan, och med allas blickar riktade mot sig slog hon ett snabbnummer. Det var tyst i rummet medan signalerna gick fram, sedan hördes en röst som tydligt lät som en telefonsvarare.

"Helvete", utbrast Erica och slog ett nytt nummer. "Jag ringer Ebba nu." Signal efter signal gick fram utan att någon svarade.

"Det var då själva fan", svor hon och slog ett tredje nummer.

Patrik gjorde ingen ansats att fortsätta innan hon var klar. Han hade själv börjat bli orolig över att Anna inte hade svarat i telefon på hela dagen.

"När åkte hon dit?" frågade Paula.

Erica höll fortfarande telefonen mot örat. "I går kväll, och sedan dess har jag inte fått tag på henne. Men jag ringer postbåten nu. De körde ut Ebba i förmiddags och vet kanske något ... Hallå? Ja, hej, det här är Erica Falck. ... Just det. Ni körde ut Ebba ... Och ni släppte av henne? Såg du om det låg någon mer båt där? ... En träsnipa? ... Den låg alltså förtöjd vid barnkolonins brygga då ... Okej. Tack."

Erica avslutade samtalet och Patrik såg att handen darrade lätt.

"Vår båt, som Anna körde ut med i går, ligger fortfarande kvar där. Så både hon och Ebba är på Valö med Mårten och ingen av dem svarar."

"Det är nog ingen fara. Och Anna kanske har kört hem sedan dess", sa Patrik och försökte få rösten att låta lugnare än han kände sig.

"Men Mårten sa ju att hon bara hade stannat en timme. Varför ljög han om det?"

"Det finns säkert någon bra förklaring. Vi åker ut och kollar så fort vi är klara här."

"Av vilken anledning skulle Mårten skicka hotbrev till sin egen fru?" sa Paula. "Betyder det att han står bakom mordförsöken också?"

Patrik skakade på huvudet. "Just nu vet vi ingenting om det. Det är därför vi måste gå igenom allt vi har fått reda på och se om det finns några luckor som vi kan fylla i. Gösta, du kan väl berätta vad du har kommit fram till om pojkarnas vittnesmål?"

"Visst", sa Gösta. Han berättade om makrillen och varför pojkarnas utsagor inte stämde.

"Det bevisar att de ljög", sa Patrik. "Och om de ljög om det, har de säkert ljugit om alltihop. Varför skulle de annars prata ihop sig och hitta på något sådant? Jag anser att vi kan utgå från att de var inblandade i familjens försvinnande, och nu har vi ytterligare en uppgift som gör att vi kan pressa dem."

"Men hur hänger det ihop med Mårten?" sa Mellberg. "Han var ju inte med då, men enligt Torbjörn var det ju samma vapen som användes 1974 som vid skottlossningen häromdagen."

"Jag vet inte, Bertil", sa Patrik. "Vi tar en sak i taget."

"Sedan har vi det saknade passet", sa Gösta och satte sig rakare upp på stolen. "Ja, Annelies pass saknas. Möjligen innebär det att hon på något sätt var inblandad men flydde utomlands efteråt."

Patrik kastade en blick på Erica som var blek i ansiktet. Han förstod att hon inte kunde släppa tankarna på Anna.

"Annelie? Den sextonåriga dottern?" sa Paula samtidigt som hennes mobiltelefon började ringa. Hon svarade och lyssnade med en min som uttryckte både förvåning och beslutsamhet. Till sist avslutade hon samtalet och såg på de andra i rummet.

"Ebbas adoptivföräldrar berättade ju för Patrik och mig att någon anonymt hade satt in pengar till Ebba varje månad ända tills hon fyllde arton år. De hade aldrig lyckats få reda på vem de kom ifrån, men vi tänkte så klart att det kunde ha med det som hände ute på Valö att göra. Så jag har försökt ta reda på mer …" Hon drog efter andan för att få luft, och Patrik mindes att Erica hade haft det likadant under sina graviditeter.

"Kom till saken!" Gösta satt nu ännu rakare på stolen. "Ebba hade ju ingen släkt som var intresserad av att ta hand om henne, och troligen inte av att skicka pengar heller. Så det enda jag kan tänka mig är att någon hade dåligt samvete och därför satte in pengar till tösen."

"Jag har ingen aning om vilket motivet var", sa Paula och såg ut att njuta av att ha upplysningar som ingen annan hade. "Men pengarna kom från Aron Kreutz."

Det blev så tyst att ljudet från bilarna på vägen utanför trängde in. Gösta bröt tystnaden först.

"Var det Leons pappa som skickade pengar till Ebba? Men varför …?"

"Det måste vi ta reda på", sa Patrik. Plötsligt kändes den frågan viktigare än alla andra om de skulle lösa gåtan med familjens försvinnande.

Det surrade i fickan och Patrik kikade på displayen för att se vem det var som ringde. Kjell Ringholm på Bohusläningen. Antagligen ville han ställa några följdfrågor efter presskonferensen. Det fick vänta. Patrik tryckte bort hans samtal och vände åter uppmärksamheten mot sina kollegor.

"Gösta. Du och jag sticker ut till Valö. Innan vi börjar förhören med de fem pojkarna, måste vi kolla så att Anna och Ebba är okej och ställa några frågor till Mårten. Paula, du kan väl fortsätta och se om du kan hitta något mer om Leons pappa." Han tystnade när blicken föll på Mellberg. Var skulle han göra minst skada? I och för sig gjorde Mellberg helst så lite som möjligt, men samtidigt var det viktigt att han inte kände sig undanskuffad. "Bertil, som vanligt är du den som är bäst lämpad att hantera trycket från medierna. Har du något emot att stanna här på stationen och vara tillgänglig om de söker oss?"

Mellberg sken upp. "Självklart. Jag har många års erfarenhet av pressen, så det är ingen match för mig."

Patrik suckade inombords. Det var ett högt pris han betalade för att få saker och ting att avlöpa smidigt.

"Kan inte jag få åka med ut till Valö?" sa Erica. Hon höll fortfarande mobiltelefonen i ett krampaktigt grepp.

Patrik skakade på huvudet. "Aldrig i livet."

"Men jag borde verkligen följa med, tänk om det har hänt något …"

"Det är ingenting att diskutera", sa Patrik och hörde själv att han lät onödigt skarp. "Förlåt, men det är bäst att vi får sköta det här", tillade han och kramade om henne.

Erica nickade motvilligt och gick sin väg för att köra hem. Han följde henne med blicken, tog upp telefonen och ringde Victor. Efter åtta signaler gick röstbrevlådan igång.

"Inget svar hos Sjöräddningen. Typiskt. Nu när vår båt verkar ligga kvar ute på Valö."

Det hördes en harkling från dörren.

"Jag kan tyvärr inte åka någonstans. Jag får inte igång bilen."

Patrik tittade tvivlande på sin fru. "Det var ju märkligt. Men du kanske kan skjutsa hem henne, Gösta, så hinner jag avsluta några saker här så länge. Vi måste ju ändå vänta på en båt."

"Jo", sa Gösta utan att titta på Erica.

"Bra, då ses vi i hamnen sedan. Fortsätter du att försöka få tag på Victor?"

"Visst", sa Gösta.

Det surrade åter i fickan och Patrik kollade reflexmässigt displayen. Kjell Ringholm. Lika bra att han tog det.

"Okej, då gör alla det de ska", sa han och tryckte på "svara" medan han såg de övriga lämna rummet. "Ja, det är Hedström", svarade han med en suck. Han gillade Kjell, men just nu hade han inte tid med journalister.

Valö 1972

Annelie hade hatat henne från allra första början. Claes likaså. I deras ögon dög hon ingenting till, inte i jämförelse med deras mor, som verkade ha varit ett helgon. Det var i alla fall så det lät på både Rune och hans barn.

Själv hade hon lärt sig mycket om livet. Den viktigaste läxan av alla var att mor inte alltid hade rätt. Giftermålet med Rune var hennes livs största misstag, men Inez såg ingen väg ut. Inte nu, när hon var gravid med hans barn.

Hon torkade svetten ur pannan och fortsatte sedan att skrubba köksgolvet. Rune hade höga krav och allt skulle vara skinande rent när skolan öppnade. Inget fick lämnas åt slumpen. "Det är mitt rykte det handlar om", sa han och delade ut nya order till henne. Hon slet från morgon till kväll medan magen växte, och hon var så trött att hon knappt orkade stå på benen.

Plötsligt stod han bara där. Skuggan föll över henne och hon ryckte till.

"Åh, förlåt, skrämde jag dig?" sa han med den där rösten som alltid sände rysningar längs med ryggraden på henne.

Hatet strömmade emot henne och som vanligt spände hon sig så att hon fick svårt att andas. Det fanns aldrig några bevis, inget hon kunde berätta för Rune, och han skulle ändå aldrig tro henne. Ord skulle stå mot ord och hon hade inga illusioner om att han skulle ställa sig på hennes sida.

"Du har missat en fläck", sa Claes och pekade på en punkt bakom henne. Inez bet ihop käkarna men vände sig om för att torka där han pekade. Hon hörde en skräll och kände hur benen blev blöta.

"Förlåt, jag råkade visst välta spannen", sa Claes med ett beklagande tonfall som inte stämde överens med hans blick.

Inez tittade bara på honom. Raseriet växte i henne för varje dag, varje otidighet och varje fult knep.

"Jag kan hjälpa dig."

Johan, Runes yngste son. Bara sju år men med kloka, varma ögon. Han hade tytt sig till henne från början. Redan första gången hon träffade honom hade han smugit in sin hand i hennes.

Med en ängslig blick på sin storebror ställde han sig på knä bredvid Inez. Han tog trasan ifrån henne och började svabba upp vattnet som flödade ut över hela golvet.

"Nu blir du också blöt", sa hon rörd när hon såg hans nedböjda huvud och luggen som hängde ner i ögonen på honom.

"Det gör inget", sa han och fortsatte torka.

Claes stod kvar bakom dem, med armarna korsade över bröstet. Det blixtrade till i hans ögon, men han vågade inte ge sig på sin lillebror.

"Mes", sa han och gick därifrån.

Inez andades ut. Det var löjligt egentligen. Claes var bara sjutton år. Även om hon inte var så många år äldre var hon ändå hans styvmor, och hon väntade ett barn som skulle bli hans syster eller bror. Hon borde inte vara rädd för en pojkvasker, men utan att hon kunde förklara varför reste sig håren på hennes armar om han kom för nära. Instinktivt förstod hon att hon skulle hålla sig undan och inte provocera honom.

Hon undrade hur det skulle bli när pojkarna snart anlände. Skulle stämningen bli mindre tryckt när huset fylldes av pojkar, vars röster skulle hjälpa till att fylla ut tomrummen? Hon hoppades det. Annars skulle hon kvävas.

"Du är fin du, Johan", sa hon och strök pojken över hans blonda kalufs. Han svarade inte, men hon såg att han log.

Han hade suttit länge vid fönstret innan de kom. Sett ut över vattnet och Valö, betraktat båtarna som passerade och semesterfirarna som njöt av några få veckors ledighet. Även om han aldrig hade kunnat leva så, avundades han dem. I all sin enkelhet var det en underbar tillvaro, fastän de kanske inte själva insåg det. När det ringde på dörren hade han rullat bort från fönstret efter att ha kastat en sista lång blick på Valö. Det var där allt hade börjat.

"Det är dags att vi avslutar det här." Leon såg på dem. Stämningen hade varit tryckt ända sedan de en efter en hade anlänt. Han noterade att varken Percy eller Josef tittade på Sebastian, som själv tycktes ta det hela med ro.

"Vilket öde att hamna i rullstol. Och ansiktet är ju helt förstört. Du som var så snygg", sa Sebastian och lutade sig tillbaka i soffan.

Leon tog inte illa upp. Han visste att orden inte var menade att såra. Sebastian hade alltid varit rättfram, utom när han ville blåsa någon. Då ljög han hämningslöst. Tänk att människor förändrades så lite. Även de övriga var sig precis lika. Percy såg klen ut och i Josefs ögon fanns samma allvar som då. Och John utstrålade samma charm.

Han hade hört sig för om dem innan han och Ia reste till Fjällbacka. En privatdetektiv hade för dyra pengar gjort ett utmärkt jobb och Leon visste allt om vilken inriktning deras liv hade fått. Men det var som om ingenting av det som hänt efter Valö hade någon betydelse nu när de alla var samlade igen.

Han svarade inte på Sebastians påstående utan upprepade bara: "Det är dags att vi berättar nu."

"Vad tjänar det till?" sa John. "Det tillhör det förflutna."

"Jag vet att det var min idé, men ju äldre jag har blivit, desto mer har jag insett att det var fel", sa Leon med blicken på John. Han hade gissat att John skulle bli svår att övertyga, men han tänkte inte låta sig hindras.

Oavsett om han fick alla med sig eller inte hade han bestämt sig för att avslöja allt, men han hade känsla för fair play och ville berätta för dem om sina planer innan han gjorde något som påverkade dem allihop.

"Jag håller med John", sa Josef med tonlös röst. "Det finns ingen anledning att röra i något som är glömt och begravet."

"Det var ju du som alltid pratade om vikten av det förflutna. Om att ta på sig ansvaret. Minns du inte det?" sa Leon.

Josef bleknade och vände bort ansiktet. "Det är inte samma sak."

"Det är det visst. Det som hände lever kvar. Jag har burit det med mig i alla år, och det vet jag att ni också har."

"Det är inte samma sak", insisterade Josef.

"Du pratade om att alla som bar skulden till dina förfäders lidande skulle ställas till svars. Borde inte även vi ställas till svars och erkänna vår skuld?" Leons röst var mjuk, men han såg hur illa berörd Josef blev av hans ord.

"Jag kommer inte att tillåta det." John knäppte händerna i knäet, där han satt bredvid Sebastian i soffan.

"Det kan inte du avgöra", sa Leon, fullt medveten om att han i och med det avslöjade att han redan hade fattat ett beslut.

"Gör vad fan du vill, Leon", sa Sebastian plötsligt. Han grävde med handen i byxfickan och ett ögonblick senare höll han upp en nyckel. Han reste sig och gav den till Leon, som dröjande tog emot den. Det hade gått så många år sedan han höll i den sist, så många år sedan den förseglade deras öde.

Det blev knäpptyst i rummet och de såg framför sig bilderna som etsat sig fast i minnet.

"Vi måste öppna dörren." Leon slöt handen om nyckeln. "Jag gör det helst tillsammans med er, men om ni inte vill gör jag det på egen hand."

"Och Ia …", började John, men Leon avbröt honom.

"Ia är på väg hem till Monaco. Jag kunde inte övertala henne att stanna."

"Ja, ni kan fly", sa Josef. "Åka utomlands medan vi måste vara kvar här med allt elände."

"Jag tänker inte åka förrän allt är utrett", sa Leon. "Och vi kommer tillbaka."

"Ingen kommer att åka någonstans", sa Percy. Hittills hade han inte sagt ett ljud utan bara suttit på en stol en bit ifrån de andra.

"Vad menar du?" Sebastian lutade sig lojt tillbaka i soffan igen.

"Ingen kommer att åka någonstans", upprepade Percy. Långsamt böjde han sig ner och rotade i sin portfölj som stod lutad mot stolsbenet.

"Skojar du?" sa Sebastian vantroget. Han glodde på pistolen som Percy hade lagt i knäet.

Percy lyfte den och riktade den mot honom. "Nej, vad har jag att skoja om? Du har tagit ifrån mig allt."

"Men det var ju bara business. Och skyll inte på mig. Det är du som har slösat bort allt du fått."

Ett skott smällde av och alla skrek till. Sebastian tog sig häpet för kinden och lite blod sipprade fram mellan fingrarna. Kulan hade snuddat vid hans vänstra kind och fortsatt genom rummet och ut genom det stora panoramafönstret mot havet. Det ringde i öronen efter smällen, och Leon insåg att han greppade armstöden på rullstolen så hårt att fingrarna nästan låste sig.

"Vad i helvete gör du, Percy?" skrek John. "Är du helt från vettet? Lägg ner pistolen innan någon kommer till skada."

"Det är för sent. Allt är för sent." Percy lade ner pistolen i knäet igen. "Men innan jag dödar er allihop vill jag att ni tar på er ansvaret för det ni gjort. På den punkten är jag och Leon eniga."

"Vad menar du? Förutom Sebastian är väl vi andra lika mycket offer som du?" John blängde ilsket på Percy, men rädslan hördes tydligt i rösten.

"Vi har alla del i det här. Det har förstört mitt liv. Även om du bär största ansvaret och ska dö först." Han riktade åter pistolen mot Sebastian.

Allt var stilla. Det enda de hörde var ljudet av sina egna andetag.

"Det måste vara de." Ebba tittade ner i kistan. Sedan vände hon sig om och kräktes. Även Anna fick kväljningar, men hon tvingade sig själv att fortsätta titta.

Kistan innehöll ett skelett. Ett kranium med alla tänderna kvar stirrade upp på henne med tomma ögonhålor. Korta hårtestar satt ovanpå kraniet, och hon gissade att det var skelettet av en man.

"Ja, du har nog rätt", sa hon och strök Ebba över ryggen.

Ebba hulkade några gånger till innan hon satte sig på huk och placerade huvudet mellan knäna, som om hon var på väg att svimma.

"Det är alltså här de har varit hela tiden."

"Ja, jag skulle gissa att de andra ligger där." Anna nickade mot de två kistor som fortfarande var stängda.

"Vi måste öppna dem", sa Ebba och ställde sig upp.

Anna såg skeptiskt på henne. "Ska vi inte låta det vara tills vi vet om vi kommer ut härifrån?"

"Jag måste få veta." Ebbas ögon glödde.

"Men Mårten ...", sa Anna.

Ebba skakade på huvudet. "Han kommer inte att släppa ut oss härifrån. Jag såg det på honom. Dessutom tror han nog att jag redan är död."

Orden fyllde Anna med skräck. Hon visste att Ebba hade rätt. Mårten skulle inte öppna dörren. De måste ta sig ut på egen hand, annars skulle de dö här. Även om Erica blev orolig och började ställa frågor skulle det inte tjäna något till om hon inte kunde hitta dem. Det här rummet kunde ligga varsomhelst på ön, och varför skulle man finna det nu om man inte hade hittat det när man sökte efter familjen Elvander?

"Okej. Då gör vi ett försök. Det kan ju finnas något där som kan hjälpa oss att få upp dörren också."

Ebba svarade inte utan började genast sparka på låset till kistan som stod till höger om den de precis hade öppnat. Men det här fästet verkade sitta hårdare.

"Vänta lite", sa Anna. "Kan jag få låna ditt änglasmycke? Jag kanske kan använda det till att pilla bort skruvarna med."

Ebba tog av sig kedjan och räckte henne med viss tvekan smycket. Anna började bearbeta de små skruvarna i fästet. När låsen på båda de återstående kistorna hade lossats tittade hon på Ebba, och efter en tyst nick lyfte de var sitt lock.

"De är här. Allihop", sa Ebba. Den här gången höll hon kvar blicken på kvarlevorna av sin familj som låg där nedslängda som skräp.

Under tiden räknade Anna kranierna i de tre kistorna. Sedan räknade hon en gång till för att vara säker.

"Det saknas någon", sa hon lugnt.

Ebba ryckte till. "Vad menar du?"

Filten höll på att glida ner över Annas axlar och hon drog den hårdare om sig.

"Det var väl fem personer som försvann?"

"Ja?"

"Men det finns bara fyra kranier här. Det vill säga fyra kroppar, om det inte är så att någon saknar ett huvud", sa Anna.

Ebba gjorde en grimas. Hon lutade sig fram för att räkna själv och drog därefter skarpt efter andan. "Det stämmer. Någon saknas."

"Frågan är vem?"

Anna tittade på skeletten. Det var så det skulle sluta för Ebba och henne om de inte kom ut härifrån. Hon blundade och såg Dan och barnen framför sig. Så öppnade hon ögonen igen. Det fick inte ske. På något sätt skulle de ta sig ut härifrån. Bredvid henne började Ebba snyfta hjärtskärande.

"Paula!" Patrik vinkade åt henne att följa med in till hans rum. Gösta och Erica hade åkt mot Fjällbacka och Mellberg hade stängt in sig för att, som han sa, sköta mediehanteringen.

"Vad har hänt?" Hon satte sig med en osmidig rörelse på Patriks obekväma besöksstol.

"Det kommer nog inte gå att prata med John i dag", sa han och drog handen genom håret. "Göteborgspolisen slår till mot honom just nu. Det var Kjell Ringholm som ringde. Han och Sven Niklasson från Expressen är visst på plats."

"Slår till? Varför då? Och varför är inte vi informerade?" Hon skakade på huvudet.

"Kjell berättade inga detaljer. Han pratade mest om nationell säkerhet och att det här skulle bli stort … ja, du vet hur Kjell är."

"Ska vi åka dit?" frågade Paula.

"Nej, och särskilt inte du i ditt tillstånd. Om Göteborgspolisen har gått in är det nog bäst att vi håller oss ur vägen tills vidare, men jag tänker slå en signal till dem och försöka få fram lite mer information om vad som händer. I vilket fall verkar det som om John inte kommer att vara tillgänglig för oss på ett bra tag."

"Undrar vad det kan röra sig om?" Paula vred sig på stolen.

"Det lär vi få veta tids nog. Om både Kjell och Sven Niklasson var där, kan du snart läsa det i tidningen."

"Vi får börja med de andra så länge."

"Som sagt får det tyvärr vänta lite", sa Patrik och reste sig. "Jag ska möta Gösta och åka ut till Valö och försöka ta reda på vad som händer där ute."

"Leons pappa", sa Paula eftertänksamt. "Tänk att pengarna kom från honom."

"Vi kommer att prata med Leon så fort jag och Gösta är tillbaka", sa

Patrik. Han kände hur tankarna snurrade vilt. "Leon och Annelie. Kanske har det här med dem att göra, trots allt."

Han sträckte ut en hand för att hjälpa Paula upp och hon fattade den tacksamt.

"Då ska jag ska kolla några saker om Aron", sa hon och vaggade iväg i korridoren.

Patrik tog sin sommarjacka i handen och gick ut ur rummet. Han hoppades att Gösta hade lyckats med uppdraget att skjutsa hem Erica. Han anade att hon tjatat hela vägen till Fjällbacka om att få följa med till Valö, men han tänkte inte ge med sig. Även om han inte var lika orolig som Erica kände han på sig att allt inte stod rätt till där ute. Han ville inte ha sin hustru med ifall något skulle hända.

Han hade hunnit ut till parkeringen när Paula ropade på honom från dörren. Han vände sig om.

"Vad är det?"

Hon viftade åt honom att komma och när han såg hennes allvarliga min gjorde han snabbt som hon sa.

"Skottlossning. Hos Leon Kreutz", fick hon fram mellan tunga andetag.

Patrik skakade på huvudet. Varför hände allt på en och samma gång?

"Jag ringer Gösta och ber honom möta mig där. Kan du gå och väcka Mellberg? Vi behöver hjälp från alla vi kan få tag på nu."

Sälvik bredde ut sig framför dem och husen skimrade i solskenet. Från badplatsen som låg bara några hundra meter bort hördes ljudet av stojande barn och glada skratt. Det var ett populärt ställe för barnfamiljer och Erica hade varit där nästan varje dag under sommarveckorna när Patrik jobbade.

"Jag undrar vad Victor har för sig", sa hon.

"Jo", sa Gösta. Han hade inte fått tag på Sjöräddningen, så Erica hade övertalat honom att vänta hemma hos dem och dricka en kopp kaffe med henne och Kristina så länge.

"Jag försöker ringa igen", sa han och slog numret för fjärde gången.

Erica synade honom. Hon måste förmå honom att låta henne följa med ut. Väntan skulle göra henne galen.

"Ingen som svarar. Jag passar på att gå på toaletten så länge." Gösta reste sig och gick.

Telefonen låg kvar på bordet. Gösta hade bara varit borta någon minut när det ringde i den, och Erica böjde sig fram och tittade på displayen. Hedström stod det med stora bokstäver. Hon överlade snabbt med sig själv. Kristina var inne i vardagsrummet och jagade runt efter barnen och Gösta var på toaletten. Hon tvekade en sekund, sedan svarade hon:

"Göstas telefon, det är Erica. … Han är på toaletten. Ska jag hälsa honom något? … Skottlossning? … Okej, jag hälsar honom det … Ja, ja, lägg på nu, så att jag kan få iväg Gösta. Du kan räkna med att han sitter i bilen inom fem minuter."

Hon knäppte av samtalet och en rad olika möjligheter uppenbarade sig i hennes huvud. Å ena sidan behövde Patrik uppbackning, å andra sidan borde de så fort som möjligt ta sig ut till Valö. Hon lyssnade efter Göstas steg. Snart skulle han vara tillbaka och innan dess var hon tvungen att fatta ett beslut. Hon ryckte till sig sin egen telefon och efter en kort tvekan ringde hon upp. Martin svarade efter andra signalen. Mumlande förklarade hon läget och vad som behövde göras och han var genast med på noterna. Då var den delen avklarad. Nu gällde det bara att göra en skådespelarinsats värdig en Oscar.

"Vem var det som ringde?" sa Gösta.

"Det var Patrik. Han har fått tag på Ebba och allt är lugnt ute på Valö. Hon berättade att Anna skulle åka runt på bondauktioner i dag, så det är säkert därför hon inte har haft tid att svara. Men Patrik tyckte ändå att vi skulle åka ut och prata lite med Ebba och Mårten."

"Vi?"

"Ja, Patrik bedömde att läget inte var akut längre."

"Är du riktigt säker …?" Gösta avbröts av signalen från sin telefon. "Hej, Victor … Ja, jag har sökt dig. Vi skulle behöva skjuts ut till Valö. Helst nu … Okej, vi är där om fem minuter."

Han avslutade samtalet och tittade misstänksamt på Erica.

"Du kan ju ringa Patrik och fråga om du inte tror mig", sa hon leende.

"Nej, det ska väl inte behövas. Då är det väl lika bra att vi ger oss iväg."

"Försvinner du igen?" Kristina tittade ut på verandan med Noel i ett hårt grepp. Han försökte slita sig loss och från vardagsrummet hördes Antons gälla skrik blandat med Majas rop: "Farmor! Faaarmoooor!"

"Jag är bara borta en liten stund till, sedan får du avlösning", sa Erica och lovade sig själv att hon skulle tänka mycket snällare tankar om sin svärmor bara hon fick möjlighet att åka ut till Valö.

"Ja, det är sista gången jag ställer upp på det här viset. Ni kan inte bara ta för givet att jag kan avsätta en hel dag så här, och du får tänka på att jag inte riktigt orkar med det här tempot och den här ljudnivån längre, och även om ungarna är rara måste jag säga att de kunde vara mer väluppfostrade. Det kan inte vara mitt ansvar, det är i vardagen som vanorna sätts …"

Erica låtsades inte höra utan tackade översvallande och smet ut i hallen.

Tio minuter senare satt de i *MinLouis*, på väg ut mot Valö. Hon försökte slappna av och intala sig själv att allt var som det skulle, precis som hon hade ljugit om för Gösta. Men hon trodde inte på det. Instinktivt kände hon att Anna var i fara.

"Ska jag vänta?" frågade Victor och lade vant och elegant till vid bryggan.

Gösta skakade på huvudet. "Nej, det behövs inte, men vi kanske behöver skjuts tillbaka sedan. Kan vi ringa och bli hämtade?"

"Visst, det är bara att slå en signal. Jag kör en vända och kollar läget."

Erica såg honom åka iväg och undrade om det var ett klokt beslut eller inte. Men nu var det för sent att ångra sig.

"Du, är inte det här er båt?" sa Gösta.

"Jo, det var konstigt." Erica anlade en förvånad min. "Anna kanske har åkt hit ut igen. Ska vi ta oss upp till huset?" sa hon och började gå.

Gösta travade efter och hon hörde hur han muttrade bakom henne.

Framför dem syntes den vackra, slitna byggnaden. Ett olycksbådande lugn vilade över platsen och Ericas sinnen var på helspänn.

"Hallå?" ropade hon när de kom fram till den breda stentrappan. Ytterdörren stod öppen. Ingen svarade.

Gösta stannade till. "Märkligt. Det verkar inte vara någon hemma. Sa Patrik alltså att Ebba var här?"

"Ja, så förstod jag det."

"De kanske har gått ner till stranden för att bada?" Gösta gick några steg och tittade bakom knuten.

"Kanske det", sa Erica och klev in genom ytterdörren.

"Vi kan väl inte bara gå in?"

"Jodå, kom nu. Hallå!" ropade hon inåt huset. "Mårten? Är det någon hemma?"

Tveksamt följde Gösta efter henne in i hallen. Även inomhus var det alldeles tyst, men plötsligt stod Mårten i dörröppningen till köket.

313

Avspärrningstejpen var avriven och hängde längs dörrposten ner mot golvet.

"Hej", sa han dovt.

Erica studsade till när hon såg honom. Håret hängde i stripor, som om han hade svettats ymnigt, och han hade mörka ringar under ögonen. Blicken var fullkomligt tom när han tittade på dem.

"Är Ebba här?" frågade Gösta. Han hade fått en djup rynka mellan ögonbrynen.

"Nej, hon åkte till sina föräldrar."

Gösta tittade överraskat på Erica. "Men Patrik hade ju pratat med henne. Hon skulle vara här ute."

Erica slog ut med händerna och efter några sekunder mörknade Göstas blick, men han sa ingenting.

"Hon kom aldrig hem. Hon ringde och sa att hon skulle ta bilen och åka direkt till Göteborg."

Erica nickade men visste att det måste vara en lögn. Maria som körde postbåten hade ju sagt att hon släppt av Ebba. Hon såg sig omkring så diskret hon kunde och blicken fastnade på något som stod mellan väggen och ytterdörren. Ebbas bag. Den hon hade haft som övernattningsväska när hon sov över hos dem. Hon kunde omöjligt ha åkt direkt till Göteborg.

"Var är Anna?"

Mårten fortsatte titta på dem med sin döda blick. Han ryckte på axlarna.

Det avgjorde saken. Utan vidare eftertanke kastade sig Erica fram, släppte handväskan på golvet och började springa uppför trappan medan hon ropade:

"Anna! Ebba!"

Inget svar. Bakom sig hörde hon snabba steg, och hon insåg att Mårten följde efter henne. Hon fortsatte upp till övervåningen, rusade in i sovrummet och tvärstannade mitt på golvet. Intill en bricka med matrester och tomma vinglas låg Annas handväska.

Först båten och nu väskan. Motvilligt drog hon den uppenbara slutsatsen. Anna var kvar på ön, liksom Ebba.

Med en häftig rörelse vände hon sig om för att konfrontera Mårten, men skriket fastnade i halsen. Bakom henne stod han och siktade på henne med en revolver. I ögonvrån såg hon Gösta tvärstanna.

"Stå still", väste Mårten och tog ett steg framåt. Revolvermynningen var nu en centimeter från Ericas panna, och hans hand var stadig. "Och du går dit!" Han nickade till höger om Erica.

Gösta lydde omedelbart. Med händerna uppsträckta och blicken fäst på Mårten gick han längre in i sovrummet och ställde sig bredvid Erica.

"Sitt!" sa Mårten.

Båda satte sig ner på det nyslipade trägolvet. Erica såg på revolvern. Hur hade Mårten fått tag på den?

"Lägg undan den där, så löser vi det här tillsammans", sa hon prövande.

Mårten stirrade hätskt på henne. "Hur då? Min son är död på grund av den där slynan. Hur ska du lösa det, hade du tänkt?"

För första gången fick den tomma blicken liv, och Erica kände hur hon ryggade tillbaka inför vansinnet som avspeglades i hans ögon. Hade det funnits där hela tiden bakom Mårtens behärskade yttre? Eller hade den här platsen framkallat den?

"Min syster ..." Oron var nu så stor att hon knappt kunde andas. Om hon bara kunde få veta att Anna levde.

"Ni kommer aldrig att hitta dem. Precis som man aldrig hittade de andra."

"De andra? Är det Ebbas familj du menar?" sa Gösta.

Mårten teg. Han hade satt sig på huk, med revolvern fortfarande riktad mot dem.

"Lever Anna?" sa Erica utan att förvänta sig att få något svar.

Mårten log och mötte hennes blick, och Erica insåg att hennes beslut att ljuga för Gösta var dumdristigare än hon någonsin anat.

"Vad tänker du göra?" sa Gösta som om han hade hört hennes tankar.

Mårten ryckte på axlarna igen. Han sa ingenting. I stället slog han sig ner på golvet, lade benen i kors och fortsatte betrakta dem. Det var som om han väntade på något men inte visste vad. Han såg märkligt fridfull ut. Endast revolvern och den kalla glöden i hans ögon störde bilden. Och någonstans på ön fanns Anna och Ebba. Levande eller döda.

Valö 1973

Laura vände och vred sig på den obekväma madrassen. Man kunde tycka att Inez och Rune borde ha ordnat en bättre säng till henne med tanke på hur ofta hon var ute hos dem. De fick faktiskt tänka på att hon inte var så ung längre. Nu var hon till råga på allt kissnödig också.

Hon satte ner fötterna på golvet och rös till. Novemberkylan hade fått ordentligt fäste och det var hopplöst att värma upp det här gamla huset. Hon misstänkte att Rune snålade med värmen för att hålla kostnaderna nere. Han hade aldrig varit särskilt frikostig, hennes måg. Lilla Ebba var söt i alla fall, det måste hon medge, men det var bara roligt att hålla henne en liten stund då och då. Hon hade aldrig varit förtjust i spädbarn och hon hade på tok för lite ork för att engagera sig i barnbarnet.

Försiktigt tassade Laura på träplankorna, som knarrade under hennes tyngd. Kilona hade börjat smyga sig på med oroväckande hastighet de senaste åren, och den smärta figur hon satt sådan ära i var nu ett minne blott. Men varför skulle hon anstränga sig? Hon satt oftast ensam i sin lägenhet, och bitterheten växte sig större för var dag som gick.

Rune hade inte levt upp till hennes förväntningar. Han hade visserligen köpt lägenheten åt henne, men hon ångrade bittert att hon inte hade inväntat ett bättre parti för Inez. Så vacker som hon var skulle hon ha kunnat få vemsomhelst. Rune Elvander höll alldeles för hårt i sina slantar och han tvingade Inez att slita alltför mycket. Mager som en skrika hade hon blivit, och hon var ständigt i rörelse. Om hon inte städade, lagade mat eller hjälpte Rune att hålla ordning på eleverna krävde han att hon skulle passa upp på hans ohängda ungar. Den minste var nog rar, men de två äldsta var riktigt otrevliga.

Trappan knarrade när hon smög ner. Det var ett otyg att blåsan inte klarade en hel natt längre. Särskilt i den här kylan var det ett elände att behöva ta sig till toaletten. Hon stannade till. Någon mer rörde sig på nedervåningen. Hon stannade till och lyssnade. Ytterdörren öppnades. Hennes nyfikenhet var definitivt väckt. Vem var uppe och smög så här om natten? Det fanns ingen anledning att vara ute och springa om man inte hade något otyg för sig. Säkert var det någon av de där bortskämda ungarna som höll på med något hyss, men det skulle hon minsann sätta stopp för.

När hon hörde att dörren slagit igen i hallen, skyndade hon sig snabbt ner de sista trappstegen och drog på sig stövlarna. Hon svepte en varm sjal om sig, öppnade ytterdörren och kikade ut. Det var svårt att urskilja något i mörkret, men när hon klev ut på förstutrappan såg hon hur en skugga försvann runt hörnet till vänster. Nu gällde det att vara slug. Hon klev försiktigt nedför yttertrappan, ifall frosten hade gjort stentrappan hal. Väl nere gick hon åt höger i stället för åt vänster. Hon skulle gensjuta personen från andra hållet, så att hon tog honom på bar gärning, vad det än var han hade för sig.

Sakta smög hon sig runt hörnet och gick tätt intill väggen längs kortsidan. Vid nästa hörn stannade hon och kikade försiktigt fram för att se vad som hände på baksidan av huset. Inte en människa syntes till. Laura rynkade pannan och såg sig besviket omkring. Vart hade personen hon såg tagit vägen? Prövande tog hon några steg medan hon spanade ut över tomten. Kanske hade personen gått ner till stranden? Dit skulle hon inte våga sig, risken var alldeles för stor att hon skulle halka och bli liggande. Doktorn hade varnat henne för att anstränga sig. Hjärtat var klent och hon fick inte fresta på det. Huttrande drog hon sjalen tätare omkring sig. Kylan började sippra in innanför kläderna och tänderna klapprade lätt mot varandra.

Plötsligt stod en mörk figur framför henne och hon hoppade till. Sedan såg hon vem det var.

"Åh, är det du. Vad är du ute och ränner för?"

De kalla ögonen fick henne att frysa ännu mer. De var lika mörka som natten runtomkring. Långsamt började hon backa. Utan att det behövde sägas insåg hon att hon begått ett misstag. Några steg till. Några steg bara, sedan skulle hon vara runt hörnet och snabbt kunna ta sig till framsidan och ytterdörren. Det var inte långt, men det hade lika gärna kunnat vara flera kilometer. Hon tittade skräckslaget in i de becksvarta ögonen och visste att hon aldrig mer skulle komma in i huset. Med ens påmindes hon om Dagmar. Känslan var densamma. Maktlös var hon fångad utan någonstans att ta vägen. Inuti bröstet kände hon hur något brast.

Patrik tittade på klockan. "Var sjutton är Gösta? Han borde ha hunnit hit före oss." Han och Mellberg satt kvar i bilen och väntade med blicken fäst på Leons hus.

I samma stund svängde en välbekant bil in bredvid dem och Patrik såg häpet på Martin bakom ratten.

"Vad gör du här?" sa han och klev ur bilen.

"Din fru ringde och sa att det var kris och att ni behövde hjälp."

"Hur ...?" började Patrik innan han avbröt sig och knep ihop läpparna. Jäkla Erica. Hon hade naturligtvis lyckats lura Gösta att åka med henne ut till Valö. Ilskan blandades med oro. Det här var det sista han behövde nu. De hade ingen aning om vad som försiggick inne i Leons hus, och han måste koncentrera sig på uppgiften. Däremot var han tacksam för att Martin hade dykt upp. Han såg trött och sliten ut, men i ett krisläge var även en trött Martin bättre än en Gösta Flygare.

"Vad är det som har hänt?" Martin skuggade ögonen med handen och tittade mot huset.

"Skottlossning. Vi vet inte mer än så."

"Vilka är det som befinner sig där inne?"

"Det vet vi inte heller." Patrik kände pulsen öka. Det här var den sortens situation han ogillade allra mest som polis. De hade för få upplysningar för att kunna bedöma läget, och det var oftast då det kunde bli riktigt farligt.

"Ska vi inte kalla på förstärkning?" sa Mellberg inifrån bilen.

"Nej, jag tror inte att vi har tid till det. Vi får gå och ringa på."

Mellberg tycktes vara på väg att protestera, men Patrik förekom honom.

"Du kan stanna här, Bertil, och hålla ställningarna, så sköter Martin och jag det här." Han såg på Martin som nickade tyst och tog upp sitt tjänstevapen ur höfthölstret.

"Jag åkte förbi stationen och hämtade ut det. Jag tänkte att jag kunde behöva det."

"Bra." Patrik följde hans exempel och försiktigt rörde de sig fram till ytterdörren. Han tryckte in ringklockan. Den ljöd högt inne i huset, och ganska snart hördes en röst ropa:

"Kom in, det är öppet."

Patrik och Martin utbytte en häpen blick. Sedan klev de in. När de såg vilka som var församlade i vardagsrummet ökade förvåningen ytterligare. Där satt Leon, Sebastian, Josef och John. Och en grånad man som Patrik antog var Percy von Bahrn. Han höll en pistol i handen och flackade med blicken.

"Vad är det som händer här?" sa Patrik. Han höll sitt tjänstevapen längs sidan av kroppen och i ögonvrån såg han att Martin gjorde likadant.

"Fråga Percy", sa Sebastian.

"Leon kallade hit oss för att avsluta allt. Jag tänkte ta honom på orden." Percys röst darrade. När Sebastian rörde sig lite i soffan ryckte han till och riktade vapnet mot honom.

"Lugn för fan." Sebastian höll avvärjande upp händerna.

"Avsluta vad då?" sa Patrik.

"Allt. Det som hände. Det som inte borde ha hänt. Det vi gjorde", sa Percy. Han sänkte pistolen.

"Vad gjorde ni?"

Ingen svarade och Patrik bestämde sig för att hjälpa dem på traven.

"Ni sa i förhören att ni var ute och fiskade den där dagen. Man kan inte fiska makrill vid påsk."

Det blev tyst. Till slut fnös Sebastian: "Typiskt stadsungar att göra en sådan miss."

"Du hade inga invändningar då", sa Leon. Hans tonfall var nästan roat.

Sebastian ryckte på axlarna.

"Varför satte din pappa in pengar till Ebba under hela hennes uppväxt?" sa Patrik och tittade på Leon. "Ringde ni honom den där dagen? En rik och mäktig man med stort kontaktnät. Hjälpte han er efter att ni mördade familjen? Vad var det som hände? Gick Rune för långt? Blev ni tvungna att döda de andra för att de blev vittnen?" Han hörde själv hur hetsig han lät, men han ville skaka om dem och få dem att tala.

"Nu är du väl nöjd, Leon?" sa Percy hånfullt. "Här har du chansen att lägga alla korten på bordet."

John for upp. "Det här är vansinne. Jag tänker inte bli inblandad i det här. Nu går jag." Han tog ett kliv framåt, men Percy siktade strax till höger om honom och tryckte av.

"Vad gör du?" John skrek till och satte sig igen. Patrik och Martin höjde sina vapen mot Percy, men sänkte dem när han fortsatte sikta på John. Det var för riskabelt.

"Nästa gång skjuter jag inte vid sidan av. Det är i alla fall ett arv som jag fortfarande har kvar efter far. Äntligen får jag lite nytta av alla timmar av prickskytte han tvingade mig till. Jag skulle kunna skjuta bort den där tjusiga luggen om jag bestämde mig för det." Percy lade huvudet på sned och såg på John som nu var alldeles likblek.

Först nu slog det Patrik att Göteborgspolisen måste ha sökt John hemma och med största trolighet inte ens visste att han var här.

"Ta det lugnt, Percy", sa Martin långsamt. "Så kommer ingen till skada. Ingen går någonstans förrän vi har löst det här."

"Var det Annelie det handlade om?" Patrik vände sig mot Leon igen. Varför tvekade han, om han nu ville avslöja vad som egentligen hände den där påskaftonen 1974? Hade han fått kalla fötter? "Vi tror att hon tog sitt pass och flydde utomlands efter morden. För det var väl mord det var?"

Sebastian började skratta.

"Vad är det som är så roligt?" sa Martin.

"Inget. Absolut ingenting."

"Var det din far som hjälpte henne att försvinna? Var det så att du och Annelie var ett par och att allt gick snett när Rune kom på er? Hur fick du de andra att hjälpa dig och att tiga i alla år?" Patrik gjorde en gest med handen mot den lilla gruppen av nu medelålders män. Han såg framför sig bilderna som hade tagits efter försvinnandet. Deras trotsiga uppsyn. Leons naturliga auktoritet. Trots grånande hår och åldrade ansikten, var de sig fortfarande lika. Och de höll ihop.

"Ja, berätta om Annelie." Sebastian flinade. "Du som vurmar så för sanningen. Berätta nu om Annelie."

Det blixtrade till i Patriks hjärna.

"Jag har redan träffat Annelie, inte sant? Det är Ia."

Ingen rörde en min. De tittade på Leon med en märklig blandning av rädsla och lättnad i blicken.

Leon sträckte sakta på ryggen i sin rullstol. Sedan vred han på huvudet mot Patrik så att den ärrade sidan lystes upp av solljuset och sa:

"Jag ska berätta om Annelie. Och om Rune, Inez, Claes och Johan."

"Tänk på vad du gör, Leon", sa John.

"Jag har redan tänkt klart. Det är dags nu."

Han drog in luft i lungorna, men hann inte säga något förrän ytterdörren öppnades. Där stod Ia. Hon lät blicken vandra mellan dem, och ögonen spärrades upp när hon upptäckte pistolen i Percys hand. För ett ögonblick tycktes hon tveka. Sedan gick hon fram till sin man, lade handen på hans axel och sa mjukt:

"Du hade rätt. Det går inte att fly längre."

Leon nickade. Så började han berätta.

Anna var mer orolig för Ebba än för sig själv. Hon var blek i ansiktet och på halsen syntes röda flammor och något som liknade avtryck efter händer. Mårtens händer. Hennes egen hals kändes inte öm. Kanske hade han drogat henne? Hon visste inte, vilket nästan var det mest skrämmande. Hon hade somnat i hans armar, rusig av bekräftelse och närhet, och sedan hade hon vaknat upp här på det kalla stengolvet.

"Här ligger min mamma", sa Ebba och tittade ner i en av kistorna.

"Det kan du inte vara säker på."

"Det är bara en av skallarna som har långt hår. Det måste vara min mamma."

"Det kan ju vara din syster också", sa Anna. Hon övervägde om hon skulle fälla ner locken. Men Ebba hade undrat över sin familj så länge, och det hon nu såg var ett slags svar.

"Vad är det här för ställe?" sa Ebba med blicken fortfarande fäst på skeletten.

"Ett slags skyddsrum, skulle jag tro. Och med tanke på flaggan och uniformerna byggdes det kanske runt andra världskriget."

"Tänk att de har legat här. Varför har ingen hittat dem?"

Ebba började låta mer och mer frånvarande, och Anna insåg att om de skulle komma ut härifrån var hon tvungen att själv ta kommandot.

"Vi måste se om vi kan hitta något att bearbeta dörrens fästen med", sa Anna och knuffade till Ebba lite. "Om du kollar runt ordentligt bland bråten som ligger i hörnet där, så kollar jag ..." Hon tvekade. "Jag kollar i kistorna."

Ebba tittade förfärat på henne. "Men tänk om ... tänk om de går sönder.

"Om vi inte får upp dörren kommer vi att dö här inne", sa Anna lugnt och tydligt. "Det kan finnas något redskap i kistorna. Antingen letar du igenom dem eller så gör jag det. Det är bara att välja."

En kort stund stod Ebba stilla och verkade tänka över det som Anna sa. Sedan vände hon ryggen till och började röra runt i skräphögen. Egentligen trodde Anna inte att det fanns något där, men det var bra att Ebba höll sig sysselsatt.

Hon tog ett djupt andetag och stack ner handen i en av kistorna. Illamåendet fyllde henne när hon nuddade vid benknotorna. Torrt, sprött hår kittlade hennes hud och hon kunde inte hejda ett skrik.

"Vad är det?" Ebba vände sig om.

"Inget", sa Anna, stålsatte sig och fortsatte att sakta föra handen nedåt. Nu kände hon kistans träbotten mot fingrarna och hon lutade sig fram för att samtidigt försöka se om det låg något där nere. Plötsligt kände hon något hårt och hon greppade det mellan tummen och pekfingret. Det var för litet för att det skulle vara användbart, men hon lyfte ändå upp föremålet för att se vad det var. En tand. Äcklad släppte hon ner den i kistan igen och torkade av sig på filten.

"Hittar du något?" sa Ebba.

"Nej, inte än."

Med en kraftansträngning letade Anna igenom den andra kistan och när hon var klar sjönk hon ner på knä. Där fanns ingenting. De skulle aldrig komma ut härifrån. De skulle dö här.

Sedan tvingade hon sig upp på fötter igen. Det var ju en kista kvar och hon fick inte ge upp än, trots att hon vämjdes vid tanken på att göra ett nytt försök. Beslutsamt gick hon fram till den sista kistan. Ebba hade gett upp sitt sökande och satt hopsjunken mot väggen och grät, och Anna kastade en blick på henne innan hon stack ner handen igen. Hon svalde och fortsatte sträcka sig mot kistbotten. När hon åter kände trä mot fingertopparna, förde hon försiktigt fingrarna fram och tillbaka. Där var något. Det verkade vara en bunt papper, fast lite glattare på ovansidan. Hon drog upp handen igen och höll upp bunten mot lampan.

"Ebba", sa hon.

Då hon inte fick något svar gick hon och satte sig på golvet intill Ebba. Hon räckte fram det som hon nu såg var fotografier.

"Titta." Hon hade sådan lust att själv bläddra igenom högen att det kliade i fingrarna, men hon anade att det här var en del av Ebbas historia. Det var hon som hade rätt att se dem först och försöka förstå.

Med darrande händer tittade Ebba på polaroidfotona.

"Vad är det här?" sa hon och skakade långsamt på huvudet.

Både hon och Anna stirrade på bilderna fastän de helst ville vända bort blicken. De insåg båda att de framför sig hade förklaringen till det som hände den där påskaftonen.

Mårten blev alltmer frånvarande. Hans ögonlock var tunga, huvudet hängde slött och Erica insåg att han höll på att somna. Hon vågade inte ens titta på Gösta. Mårten höll fortfarande revolvern i ett hårt grepp och det skulle vara livsfarligt att göra några plötsliga rörelser.

Till slut föll hans ögon ihop helt. Långsamt vred Erica huvudet mot Gösta och satte pekfingret mot läpparna. Han nickade. Hon vände frågande blicken mot dörröppningen bakom Mårten, men Gösta skakade på huvudet. Nej, hon trodde inte heller att det skulle gå. Om Mårten vaknade till när de smög sig ut var risken stor att han skulle börja skjuta vilt omkring sig.

Hon funderade. De måste skaffa hjälp. Återigen såg hon på Gösta och formade handen till en lur som hon förde mot örat. Gösta förstod direkt och började gräva i sina jackfickor, men snart gav han henne en uppgiven blick. Han hade inte sin mobil med sig. Erica såg sig omkring i rummet. Annas handväska stod en liten bit bort och sakta började hon hasa sig närmare den. Mårten ryckte till i sömnen och hon hejdade sig mitt i rörelsen, men han fortsatte sova med huvudet tungt hängande mot bröstkorgen. Snart kände hon väskan mot fingertopparna och hon hasade sig några centimeter till åt sidan och lyckades få tag i handtaget. Hon höll andan, lyfte väskan och drog den till sig utan att ett ljud hördes. Försiktigt började hon söka i den medan hon kände hur Gösta iakttog henne. Han kvävde en hostning och hon rynkade ögonbrynen mot honom. Mårten fick inte vakna nu.

Äntligen greppade handen om Annas mobiltelefon. Hon försäkrade sig om att den var inställd på ljudlöst, och insåg plötsligt att hon saknade den fyrsiffriga koden. Det enda alternativet var att chansa. Hon slog in Annas födelsedatum. "Fel kod" lyste det mot henne och hon svor inombords. Anna kanske inte ens hade ändrat telefonens ursprungliga kod och då skulle det bli omöjligt att komma på den, men så fick hon inte tänka. Hon hade två försök till på sig. Erica funderade en stund och försökte sedan med Adrians födelsedag. "Fel kod" lyste det igen. Sedan slogs hon av en tanke. Det fanns ett annat datum som var betydelsefullt i Annas liv: den ödesdigra dagen då Lucas dog. Erica slog in de fyra siffrorna, och ett grönt ljus välkomnade henne in i telefonens underbara värld.

Hon kastade en blick på Gösta, som andades ut av lättnad. Nu gällde det att agera snabbt. Närsomhelst kunde Mårten vakna. Tack och lov hade hon och Anna samma telefonmodell och hon hittade lätt i menyerna. Hon började skriva ett sms, kortfattat men ändå tillräckligt informativt för att Patrik skulle förstå allvaret. Mårten rörde oroligt på sig, och precis när hon skulle skicka iväg sms:et hejdade hon sig och lade raskt till några fler mottagare. Om Patrik inte såg det direkt skulle någon annan se och agera. Hon tryckte på "sänd" och sköt väskan ifrån sig igen. Telefonen gömde hon under högra låret, så att hon kunde komma åt den om hon behövde, men så att Mårten inte skulle se den om han vaknade. Nu kunde de bara vänta.

Kjell lutade sig mot bilen och tittade åt det håll som en av polisbilarna hade kört iväg. Tillslaget hade misslyckats, de hade bara haft med sig John Holms fru i baksätet.

"Var fan är John?"

Det surrade fortfarande av aktivitet i och omkring huset. Varenda millimeter av huset skulle gås igenom och Expressens fotograf hade ett hektiskt jobb med att fånga allt. Han fick inte komma alltför nära huset, men med de objektiv som fanns att tillgå var det inget som bekymrade honom nämnvärt.

"Kan han ha flytt utomlands?" sa Sven Niklasson. Sittande i Kjells bil hade han redan skrivit ett första utkast till sin artikel som han skickat iväg till redaktionen.

Kjell visste att han borde vara lika hungrig och redan vara på väg mot Bohusläningens redaktion, där han tveklöst skulle bli hyllad som dagens hjälte. När han ringde och rapporterade om händelsen hade chefredaktören jublat så att han nästan sprängde Kjells trumhinna. Men han ville inte åka tillbaka förrän han fått reda på vart John hade tagit vägen.

"Nej, jag tror inte att han skulle åka utan Liv. Hon verkade inte alls förberedd på att polisen skulle slå till, och om inte hon visste något gjorde inte John det heller. De sägs ju vara ett tajt team."

"Men i sådana här små samhällen sprider sig väl ryktet snabbare än vinden, så även om han inte redan har stuckit är väl risken överhängande att han gör det nu." Sven Niklasson spanade mot huset och knep ihop läpparna.

"Mmm", sa Kjell förstrött. I huvudet gick han igenom allt det han visste om John och funderade på var han kunde befinna sig. Sjöboden hade polisen redan kollat utan resultat.

"Har du hört något mer om hur det har gått i Stockholm?" sa Kjell.

"Säpo och polisen verkar för en gångs skull ha lyckats samarbeta och göra en perfekt insats. Alla ansvariga i partiet har tagits i förvar utan att det blev bråk. Sådana där killar är ju inte så jäkla kaxiga när det kommer till kritan."

"Nej, de är väl inte det." Kjell tänkte på krigsrubrikerna som skulle fylla tidningarna de närmaste dagarna. Det skulle inte bara bli en nationell angelägenhet, utan omvärlden skulle åter förvånas över att något sådant kunde hända i lilla Sverige, landet som många människor runtom i världen betraktade som nästan absurt välordnat.

Hans telefon ringde.

"Tjena, Rolf ... Jo, det är lite förvirrat här. De vet ju inte var John är ... Vad fan säger du? Skottlossning ... Okej, vi sticker dit med en gång." Han avslutade samtalet och nickade till Sven. "Hoppa in. Det har rapporterats om skottlossning hos Leon Kreutz. Vi åker dit."

"Leon Kreutz?"

"En av grabbarna som gick i skolan med John ute på Valö. Det är något fuffens med det där, det är vi flera som tror."

"Jag vet inte. John kan ju dyka upp här närsomhelst."

Kjell lade armen på biltaket och såg på Sven.

"Be mig inte förklara varför, men jag tror att John är där. Bestäm dig nu. Ska du med eller inte? Tanumspolisen är redan där."

Sven öppnade passagerardörren och klev in och Kjell satte sig bakom ratten, smällde igen dörren och körde iväg. Han visste att han hade haft rätt. Pojkarna från Valö hade dolt något och nu skulle det avslöjas. Han tänkte inte missa när nyheten briserade, det var en sak som var säker.

Valö 1974

Det var som om någon ständigt iakttog henne. Inez kunde inte beskriva det bättre än så. Känslan hade funnits där ända sedan morgonen då de hittade hennes mor död. Varför hon gått ut mitt i novembernatten visste ingen. Doktorn som kommit och undersökt henne hade konstaterat att hjärtat helt enkelt gett upp. Han hade varnat henne, sa han.

Inez tvivlade ändå. Något hade förändrats i huset när Laura dog. Hon kände det var hon än gick. Rune hade blivit ännu tystare och strängare, och Annelie och Claes utmanade henne mer och mer öppet. Det var som om Rune inte såg, och det gjorde dem bara djärvare.

På nätterna kunde hon höra gråt från pojkarnas sovsal. Inte högt, knappt hörbart. Gråt som någon försökte kväva så gott det gick.

Hon var rädd. Det hade tagit flera månader innan hon insåg att det var känslan hon försökt sätta ord på. Allt stod inte rätt till. De tassade runt det och hon visste att om hon tog upp sin oro med Rune skulle han bara fnysa åt henne och vifta bort den. Men hon såg på honom att även han var medveten om att något inte var som det skulle.

Tröttheten gjorde också sitt till. Arbetet med skolan och ansvaret för Ebba tärde på henne, liksom ansträngningen att tiga om det som måste förbli en hemlighet.

"Mammamamamam", gnällde Ebba i sin hage. Hon stod vid ena långsidan och klängde sig fast, med ögonen fästa på Inez.

Inez ignorerade henne. Hon orkade inte. Flickan krävde så mycket som hon inte kunde ge henne och dessutom var hon Runes. Näsan och munnen var som kopior av Runes, och det gjorde det ännu svårare att ta henne till sig. Inez tog hand om henne, bytte på henne, matade henne, tog upp henne i famnen och tröstade när hon slagit sig, men mer än så kunde hon inte ge. Rädslan tog för stor plats.

Som tur var fanns det andra. Det som gjorde att hon orkade ett litet tag till och inte helt enkelt flydde, tog båten till fastlandet och lämnade allt bakom sig. *I de mörka stunder då hon lekt med tanken, hade hon inte vågat ställa sig frågan om hon i så fall skulle ta med sig Ebba. Hon var inte säker på att hon ville veta svaret.*

"Kan jag ta upp henne?" Johans röst fick henne att rycka till. Hon hade inte hört att han kom in i tvättstugan där hon stod och vek lakan.

"Javisst, ta henne du", sa hon. Johan var nog också en anledning till att hon stannade. Han älskade henne och han älskade sin lillasyster. Kärleken var besvarad. När Ebba fick syn på honom sken hela hennes ansikte upp och nu sträckte hon armarna mot honom där hon stod i den lilla lekhagen.

"Kom då, Ebba", sa Johan. Lillasystern lade armarna om hans hals och lät honom lyfta upp henne ur hagen och genast tryckte hon sitt ansikte intill hans.

Inez upphörde med vikningen och betraktade dem. Ett styng av svartsjuka överraskade henne. Ebba tittade aldrig på henne med samma villkorslösa kärlek. I stället fanns det alltid en blandning av sorg och längtan i blicken.

"Ska vi gå och titta på fåglarna?" sa Johan medan han gnuggade sin näsa mot Ebbas så att hon tjöt av skratt. "Får jag ta med henne ut?"

Inez nickade. Hon litade på Johan och visste att han aldrig skulle låta något hända Ebba.

"Visst, det går bra." Hon böjde sig ner och fortsatte vika tvätten. Ebba hördes oupphörligt skratta och göra glada läten när de gick sin väg.

Efter en stund hörde hon dem inte längre. Tystnaden ekade mellan väggarna och hon satte sig på huk på golvet och lutade huvudet mellan knäna. Huset höll henne i ett så fast grepp att hon knappt kunde andas, och känslan av att vara fångad blev starkare och starkare för varje dag. De var på väg mot en avgrund, men det fanns inget, absolut inget, hon kunde göra för att förhindra det.

Först hade Patrik tänkt strunta i att det pep till i telefonen. Percy verkade kunna bryta ihop närsomhelst, och med tanke på vapnet i hans hand kunde det leda till en katastrof. Samtidigt var alla som hypnotiserade av Leons röst. Han berättade om Valö, om hur de hade blivit vänner, om familjen Elvander och Rune och om hur allt sakta men säkert började gå snett. Hela tiden stod Ia bredvid honom och strök hans hand. Efter att långsamt ha beskrivit bakgrunden tycktes han tveka, och Patrik förstod att han började närma sig det som avslutat deras vänskap.

Snart skulle de få reda på sanningen, men oron för Erica gjorde att han inte kunde låta bli att ta upp telefonen och kika på den. Ett meddelande från Anna. Snabbt klickade han fram det och läste och hans hand började darra okontrollerat.

"Vi måste åka ut till Valö nu!" sa han rakt ut i luften och avbröt Leon mitt i en mening.

"Vad är det som har hänt?" sa Ia.

Martin nickade. "Ja, ta det lugnt och berätta vad som händer."

"Jag tror att det var Mårten som satte eld på stället och sköt på Ebba häromdagen. Och nu är Gösta och Erica fast hos honom där ute. Anna och Ebba är försvunna, ingen har hört av dem sedan i går och …"

Patrik hörde att han svamlade och han tvingade sig själv att lugna ner sig. Om han skulle kunna hjälpa Erica måste han hålla huvudet kallt.

"Mårten har ett vapen som vi tror användes även den där påskaftonen. Säger det er något?"

Männen tittade på varandra. Sedan sträckte Leon fram en nyckel.

"Han måste ha hittat skyddsrummet. Revolvern låg där. Eller hur, Sebastian?"

"Ja, jag har inte rört något sedan vi stängde och låste. Jag fattar inte hur han har tagit sig in där. Det där är den enda nyckeln, vad jag vet."

"Att ni bara hittade en betyder inte att det inte finns fler." Patrik gick fram och ryckte åt sig nyckeln. "Var ligger det där skyddsrummet?"

"I källaren, innanför en lönndörr. Det är helt omöjligt att hitta om man inte känner till det", sa Leon.

"Kan det vara där som Ebba …?" Ia hade blivit alldeles blek.

"Det är väl en rimlig gissning", sa Patrik och gick mot ytterdörren. Martin pekade på Percy. "Vad gör vi med honom då?"

Patrik vände om, stegade rakt fram till Percy och tog ifrån honom pistolen innan han hann reagera. "Nu är det slut på det här tramset. Vi får reda ut allting senare. Martin, du får ringa efter förstärkning medan vi åker, så ringer jag Sjöräddningen om skjuts. Vem följer med ut och visar var skyddsrummet ligger?"

"Jag", sa Josef och ställde sig upp.

"Jag följer också med", sa Ia.

"Det räcker med Josef."

Ia skakade på huvudet. "Jag följer med, och du kommer inte att kunna övertala mig till något annat."

"Okej, kom då." Patrik vinkade åt dem.

På väg mot bilarna höll han på att krocka med Mellberg.

"Är John Holm där inne?"

Patrik nickade. "Ja, men vi måste åka ut till Valö. Erica och Gösta har fått problem där ute."

"Jaha?" Mellberg stod handfallen. "Men jag har snackat med Kjell och Sven här, och John är tydligen eftersökt. Göteborgskillarna har inte fått nys om att han är här än, så jag tänkte …"

"Ta hand om det du", sa Patrik.

"Vart är ni på väg?" Kjell Ringholm kom fram till dem tillsammans med en ljus man som var vagt bekant.

"Ett annat polisärende. Om ni söker John Holm finns han där inne. Mellberg står till er tjänst."

Han fortsatte småspringande till sin bil. Martin hängde med, men Josef och Ia hade kommit lite på efterkälken och otåligt höll Patrik upp bakdörren för dem. Det stred mot alla regler att ta med sig civilpersoner till en potentiellt farlig plats, men han behövde deras hjälp.

Under båtfärden ut till Valö stod han och trampade i fören, som för att mana båten att gå ännu fortare. Bakom honom pratade Martin lågt med Josef och Ia, och Patrik hörde hur han instruerade dem att hålla sig undan så gott det gick och lyda deras instruktioner. Han kunde inte låta bli att le. Martin hade med åren utvecklats från en nervig och rastlös polis till en stabil och pålitlig kollega.

När de närmade sig Valö greppade han hårt om relingen. Minst en gång i minuten hade han tittat på sin mobiltelefon, men inga fler meddelanden hade kommit. Han hade övervägt om han skulle svara och skriva att de var på väg, men han vågade inte ifall det på något sätt skulle avslöja att Erica hade en telefon.

Han upptäckte att Ia iakttog honom. Det fanns så mycket han ville fråga henne om. Varför hon flydde och inte hade återvänt förrän nu? Vilken roll hon hade spelat i sin fars och resten av familjens död? Men allt sådant fick vänta. Tids nog skulle de gå till botten med allt. Just nu kunde han bara koncentrera sig på att Erica var i fara. Inget annat hade någon betydelse. Han hade varit så nära att förlora henne i bilolyckan för ett och ett halvt år sedan och redan då hade han insett hur beroende han var av henne, vilken stor plats hon hade i hans liv och framtid.

När de hoppade i land greppade han och Martin som på en given signal sina tjänstevapen. De manade Josef och Ia att hålla sig bakom dem. Sedan började de försiktigt närma sig huset.

Percy stirrade på en obestämbar punkt i väggen. "Jaha", sa han.

"Vad fan är det med dig?" John drog handen genom den blonda luggen. "Hade du tänkt skjuta oss allihop?"

"Nja. Jag hade nog enbart tänkt skjuta mig själv faktiskt. Jag ville bara ha lite roligt först. Skrämma er en aning."

"Varför skulle du ta livet av dig?" Leon tittade på sin gamle vän med ömhet. Han var så skör i sin överlägsenhet, och Leon hade redan på Valö känt att han närsomhelst kunde gå sönder. Det var ett under att han inte hade gjort det. Att Percy skulle få svårt att leva med minnena hade varit lätt att förutse, men kanske hade han även ärvt förmågan att förneka.

"Sebastian har tagit ifrån mig allt. Och Pyttan har lämnat mig. Jag kommer bli en driftkucku!"

Sebastian slog ut med händerna. "Vem säger ens driftkucku nuförtiden?"

De var som barn. Leon såg det tydligt nu. Allihop hade de stannat i utvecklingen. De befann sig fortfarande där, i minnena. Jämfört med dem visste han att han var lyckligt lottad. Han betraktade männen framför sig och såg dem som de pojkar de en gång varit. Och hur märkligt det än kunde verka, kände han kärlek till dem. De hade delat en upplevelse som förändrat dem i grunden och format deras liv, och bandet mellan dem var så starkt att det aldrig skulle kunna klippas av. Han hade alltid vetat att han skulle återvända, att den här dagen skulle komma, men han hade inte trott att Ia skulle stå vid hans sida då. Hennes mod överraskade honom. Kanske hade han medvetet valt att underskatta henne för att inte känna skuld över hennes uppoffring, som var större än någon annans.

Och varför hade Josef varit den som rest sig upp och vågat följa med? Leon trodde att han visste svaret på den frågan. Redan när Josef klev in genom dörren hade han sett i hans ögon att han var redo att dö i dag. Det var en blick han väl kände igen. Han hade sett den på Mount Everest när stormen drog in över dem, och i livräddningsflotten efter att båten gått i kvav ute på Indiska oceanen. Blicken hos en människa som släppt taget om livet.

"Jag tänker inte medverka till det här." John reste sig upp och drog i byxorna för att jämna till pressvecken. "Den här farsen har fått pågå länge nog. Jag kommer att förneka allt, det finns inga bevis och allt du påstår får stå för dig."

"John Holm?" sa en röst från dörren.

John vred på huvudet.

"Bertil Mellberg. Det fattades bara det. Vad vill du? Om du tänker prata med mig i samma ton som sist, får du ta det med min advokat."

"Det har jag inga kommentarer till."

"Så bra. Då tar jag och åker hem nu. Trevligt att träffas." John började gå mot ytterdörren, men Mellberg spärrade vägen. Bakom honom stod nu tre män, varav en höll upp en stor kamera och tog bild efter bild.

"Du ska följa med mig", sa Mellberg.

John suckade. "Vad är det här för trams? Det här är trakasseri, inget annat, och jag kan lova att det kommer att få konsekvenser för er."

"Du är härmed gripen för stämpling till mord och ska följa med mig omedelbart", sa Mellberg och log brett.

Leon följde spektaklet från sin rullstol, och även Percy och Sebastian satt på helspänn och iakttog det som hände. John var nu blossande röd i ansiktet och gjorde en ansats att tränga sig förbi, men Mellberg knuffade in honom i väggen och med yviga rörelser tvingade han ihop Johns händer och satte på honom handfängsel. Fotografen fortsatte att fotografera och nu kom de två männen bakom närmare.

"Vad har du för kommentar till att polisen avslöjat det som ni i Sveriges Vänner har kallat Projekt Gimle", sa den ene.

Johns ben vek sig under honom och Leon betraktade det hela intresserat. Förr eller senare fick alla stå till svars för sina handlingar. Plötsligt blev han orolig för Ia, men han motade bort tanken. Vad som än hände var det förutbestämt. Hon måste göra det här för att bli kvitt den skuld och saknad som drivit henne att leva enbart för honom. Hennes kärlek till honom hade gränsat till besatthet, men han visste att hon hade brunnit av samma eld som drivit honom att anta varenda utmaning. Till slut hade de brunnit tillsammans, där i bilen på den branta sluttningen i Monaco. De hade inget annat val än att fullfölja det här tillsammans. Han var stolt över henne, han älskade henne och nu skulle hon äntligen hitta hem. I dag skulle allt få ett slut och han hoppades att det skulle bli lyckligt.

Mårten öppnade sakta ögonen och såg på dem.

"Jag blev så trött."

Varken Erica eller Gösta svarade. Plötsligt kände sig även Erica oändligt trött. Adrenalinet hade runnit ur kroppen och insikten att hennes lillasyster kanske var död fick hennes lemmar att kännas förlamade. Det enda hon ville var att lägga sig ner på trägolvet och kura ihop sig till en liten boll. Sluta ögonen, somna och vakna när allt var över. På ett eller annat sätt.

Hon hade sett displayen blinka till. Dan. Herregud, han måste vara utom sig av oro efter att ha läst meddelandet hon skickat. Men det hade inte kommit något svar från Patrik. Kanske var han upptagen med något så att han inte hade sett det?

Mårten fortsatte att studera dem. Hela hans kropp var avslappnad och minen likgiltig. Erica ångrade att hon inte hade frågat Ebba mer om vad som hände med deras son. Något måste ha satts i rörelse då, som slutligen hade lett Mårten in i vansinnet. Om hon bara hade vetat hur det gått till skulle hon kanske ha kunnat prata med honom. De kunde inte bara sitta här och vänta på att Mårten skulle döda dem. För hon tvivlade inte på att det var hans avsikt. Det hade hon förstått så fort hon såg den kalla glöden i hans blick. Mjukt sa hon:

"Berätta om Vincent."

Först svarade han inte. Det enda som hördes var Göstas andetag och ljudet av båtmotorer långt borta. Hon väntade och till slut sa han entonigt:

"Han är död."

"Vad hände?"

"Det var Ebbas fel."

"På vilket sätt var det Ebbas fel?"

"Jag har inte riktigt förstått det förrän nu."

Erica kände otåligheten komma krypande.

"Dödade hon honom?" frågade hon och höll andan. I ögonvrån såg hon hur Gösta uppmärksamt följde samtalet. "Var det därför du försökte döda Ebba?"

Mårten lekte med revolvern. Vägde den i händerna.

"Det var inte meningen att det skulle brinna så mycket", sa han och lade vapnet i knäet igen. "Jag ville bara att hon skulle förstå att hon behövde mig. Att jag var den som kunde skydda henne."

"Var det därför du sköt mot henne också?"

"Hon måste förstå att det var jag och hon som skulle hålla ihop nu. Men inget spelade någon roll. Jag förstår det nu. Hon manipulerade mig för att jag inte skulle se det uppenbara. Att hon dödade honom." Han nickade som för att ge eftertryck åt det han sagt, och hans blick skrämde Erica så att hon fick kämpa för att hålla sig lugn.

"Att hon dödade Vincent?"

"Ja, precis. Och jag förstod allthop sedan, efter att hon hade varit hos dig. Hon hade ärvt skulden. Så mycket ondska kan inte bara försvinna."

"Menar du hennes mormors mormor? Änglamakerskan?" sa Erica förvånat.

"Ja. Ebba sa att hon dränkte barnen i en balja och grävde ner dem i källaren för att hon trodde att ingen ville ha dem, att ingen skulle komma och leta efter dem. Men jag ville ha Vincent. Jag letade efter honom, men han var redan borta. Hon hade dränkt honom. Han låg nedgrävd bland de andra döda barnen och kunde inte komma upp." Mårten spottade fram orden och lite saliv rann i mungipan på honom.

Erica insåg att det inte skulle gå att prata med honom. Olika verkligheter hade glidit samman och bildat ett märkligt skuggland där han inte gick att nå. Paniken grep henne och hon slängde en blick på Gösta. Hans uppgivna min sa henne att han hade dragit samma slutsats. De kunde inte göra annat än att be och hoppas att de på något sätt skulle överleva det här.

"Hyssj", sa Mårten plötsligt och rätade på ryggen.

Både Erica och Gösta hoppade till av den oväntade rörelsen.

"Det kommer någon." Mårten greppade om revolvern och for upp på fötter. "Hyssj", sa han igen och satte pekfingret mot läpparna.

Han sprang fram till fönstret och tittade ut. För ett ögonblick blev han stående och verkade överväga alternativen. Sedan pekade han på Gösta och Erica.

"Ni två stannar här. Jag går nu. Jag måste vakta dem. De får inte hitta dem."

"Vad ska du göra?" Erica kunde inte hejda sig. Hoppet om att någon var på väg för att hjälpa dem blandades med skräcken att det innebar fara för Annas liv, om det inte redan var för sent. "Var är min syster? Du måste tala om för mig var Anna är." Rösten gick upp i falsett.

Gösta lade en lugnande hand på hennes arm.

"Vi väntar här, Mårten. Vi går ingenstans. Vi kommer att sitta kvar tills du kommer tillbaka." Han höll blicken fäst på Mårten.

Till slut nickade Mårten, vände på klacken och rusade nedför trappan. Erica ville genast resa sig och springa efter, men Gösta tog ett stadigt tag om hennes arm och väste:

"Lugn. Vi får kolla ut genom fönstret först om det går att se vart han tar vägen."

"Men Anna …", sa hon förtvivlat och försökte rycka sig loss.

Gösta gav sig inte. "Tänk efter i stället för att göra något överilat. Vi tittar ut, sedan går vi ner och möter dem som kommer. Det är säkert Patrik och de andra, och då får vi hjälp."

"Okej", sa Erica och ställde sig upp på ben som kändes svajiga och stumma.

Försiktigt började hon och Gösta spana efter Mårten.

"Ser du någon?"

"Nej", sa Gösta. "Inte du heller?"

"Nej, han kan väl knappast gå nedåt bryggan. Då riskerar han ju att springa rakt i armarna på dem som är på väg hit."

"Han måste ha gått mot baksidan av huset. Vart skulle han annars ta vägen?"

"Jag ser honom inte i alla fall. Nu går jag ner."

Med vaksamma steg gick Erica mot trappan och ner i hallen. Det var tyst och inga röster hördes, men hon visste att de skulle försöka närma sig så ljudlöst som möjligt. Hon tittade ut genom den öppna ytterdörren och kände gråten i halsen. Utanför var det tomt.

I samma stund såg hon hur det rörde sig borta bland träden. Hon kisade för att se bättre och lättnaden fyllde henne. Det var Patrik och strax efter honom kom Martin och två personer till. Det tog en stund innan hon kände igen Josef Meyer. Bredvid honom gick en kvinna i tjusiga kläder. Kunde det vara Ia Kreutz? Hon vinkade så att Patrik skulle se henne och gick sedan in i huset igen.

"Vi stannar här", sa hon till Gösta som kom ner från övervåningen.

De ställde sig mot väggen, så att de inte skulle synas genom dörröppningen. Mårten kunde ju vara precis varsomhelst där ute, och hon ville inte riskera att stå som en levande måltavla.

"Vart kan han ha tagit vägen?" Gösta vände sig mot henne. "Han kanske fortfarande är här inne?"

Erica insåg att han hade rätt och hon tittade sig omkring i panik, som om Mårten i nästa stund skulle dyka upp och skjuta dem. Men han syntes inte till någonstans.

När Patrik och Martin äntligen var framme hos dem mötte hon Patriks blick. I den såg hon både lättnad och oro.

"Mårten?" viskade han, och Erica redogjorde snabbt för vad som hänt sedan han hörde att någon var på väg.

Patrik nickade och han och Martin gick ett snabbt varv på undervåningen med vapnen höjda. När de kom tillbaka till hallen skakade de på huvudet. Ia och Josef stod alldeles stilla. Erica undrade vad de gjorde här.

"Jag vet inte var Anna och Ebba är. Mårten yrade något om att han var tvungen att vakta dem. Kan han ha stängt in dem någonstans?" Hon kunde inte hejda en snyftning.

"Där är dörren till källaren", sa Josef och pekade på en dörr en bit in i hallen.

"Vad finns där?" sa Gösta.

"Vi får förklara sedan, vi har inte tid med det nu", sa Patrik.

"Håll dig bakom oss. Och ni stannar här", sa han till Erica och Ia.

Erica började protestera tills hon såg Patriks min. Det var ingen idé att komma med invändningar.

"Vi går ner", sa Patrik med en sista blick på Erica. Hon såg att han var lika rädd som hon för vad han skulle finna där nere.

Valö påskafton 1974

Allt skulle vara som det brukade. Rune förväntade sig det. De flesta eleverna var hemma över lovet och hon hade försynt frågat om inte de kvarvarande pojkarna kunde få äta påsklunch med dem, men Rune hade inte ens bevärdigat henne med ett svar. Självklart skulle en påsklunch bara vara för familjen.

I två dagar hade hon hållit på och lagat mat: lammstek, ägghalvor, inkokt lax … Runes önskemål tog aldrig slut. Önskemål var förresten fel ord. Det handlade snarare om krav.

"Carla lagade alltid det här. Varje år", hade han meddelat när han inför deras första påsk tillsammans gav henne listan.

Inez visste att det inte var lönt att protestera. Om Carla hade gjort det, fick det bli så. Gud förbjude att hon skulle göra något annorlunda.

"Sätter du Ebba i barnstolen, Johan?" sa hon och ställde fram den stora lammsteken. Hon bad till Gud att den var rätt tillagad.

"Måste ungen vara med? Hon bara stör." Annelie släntrade in och satte sig.

"Var föreslår du att jag ska göra av henne?" sa Inez. Efter allt slavande i köket var hon inte på humör för styvdotterns spydigheter.

"Jag vet inte, men det är så äckligt att ha med henne vid matbordet. Jag blir spyfärdig."

Inez kände hur någonting brast. "Om det är så besvärligt kanske inte du behöver sitta med och äta", fräste hon.

"Inez!"

Hon hoppade till. Rune hade kommit in i matsalen och var högröd i ansiktet.

"Vad står du här och säger! Skulle min dotter inte vara välkommen vid bordet?" Hans röst var iskall och han höll blicken stadigt fäst på Inez. "I den här familjen är alla välkomna till bords."

Annelie sa inget, men Inez såg att hon var så nöjd över tillrättavisningen att hon höll på att spricka.

"Förlåt, jag tänkte mig inte för." Inez vände sig om och flyttade potatiskastrotten på bordet. Inom henne kokade det. Hon ville bara skrika rakt ut, följa sitt hjärta och fly härifrån. Hon ville inte vara fast i det här helvetet.

"Ebba har kräkts lite", sa Johan bekymrat och torkade lillasysterns haka med en servett. "Hon är väl inte sjuk?"

"Nej, hon har nog bara ätit lite för mycket välling", sa Inez.

"Vad bra", sa han men lät inte övertygad. Han blev bara mer och mer överbeskyddande för varje dag, tänkte Inez och undrade än en gång hur han hade kunnat bli så olik sina syskon.

"Lammstek. Den kommer säkert inte att vara lika god som mammas." Claes kom in och satte sig bredvid Annelie. Hon fnissade och blinkade åt honom men han låtsades inte om henne. Egentligen borde de två ha varit söta vänner, men Claes verkade inte bry sig om någon annan människa. Förutom sin mor som han ständigt och jämt pratade om.

"Jag har gjort så gott jag har kunnat", sa Inez. Claes fnös.

"Var har du varit?" frågade Rune och sträckte sig efter potatisen. "Jag letade efter dig. Olle har lastat av brädorna jag bad om nere vid bryggan. Jag behöver din hjälp att bära upp dem."

Claes ryckte på axlarna. "Jag var ute och gick på ön. Jag kan ta brädorna sedan."

"Direkt efter maten i så fall", sa Rune men lät sig nöja med svaret.

"Den ska vara mer rosa", sa Annelie och rynkade på näsan åt skivan med lammkött hon hade lagt upp på tallriken.

Inez bet ihop käkarna. "Vi har inte den bästa ugnen här. Temperaturen är ojämn. Jag gjorde som sagt så gott jag kunde."

"Äckligt", sa Annelie och föste köttet åt sidan. "Kan jag få såsen?" sa hon och nickade åt Claes som hade såssnipan på sin vänstra sida.

"Visst", sa han och sträckte handen mot den.

"Oj då ..." Han tittade oavvänt på Inez. Såssnipan hade åkt i golvet med en skräll och brun sås rann ut över trägolvet och sipprade ner i gliporna mellan plankorna. Inez mötte hans blick. Hon visste att han hade gjort det med flit. Och han visste att hon visste. "Det var klumpigt gjort", sa Rune och tittade ner på golvet. "Du får svabba upp det där, Inez."

"Visst", sa hon och log ansträngt. Naturligtvis föll det honom inte in att Claes själv kunde torka upp efter sig.

"Hämtar du mer sås också?" sa Rune när hon gick mot köket.

Hon vände sig om. "Det var all sås som fanns."

"Carla hade alltid lite extra i köket ifall det tog slut."

"Ja, men nu gjorde jag inte så. Jag hällde upp allt på en gång."

När hon till slut svabbat upp all sås, stående på alla fyra intill Claes stol, satte hon sig på sin plats igen. Hennes mat hade hunnit bli kall, men hon hade ändå ingen matlust längre.

"Det var jättegott, Inez", sa Johan och sträckte fram sin tallrik för att få mer. "Du lagar jättegod mat."

Hans ögon var så blå, så fulla av oskuld, att hon var nära att börja gråta. Medan hon lassade upp mer mat på hans renskrapade tallrik, matade han Ebba med hennes lilla silversked.

"Här kommer mer god potatis. Mmm, vad du tyckte det var gott", sa han och ansiktet lyste så fort hon gapade och svalde en tugga.

Claes skrattade rått. "Du är en sådan jävla mes."

"Tala inte så till din bror", fräste Rune. "Han har högsta betyg i alla ämnen och är smartare än ni andra två tillsammans. Du visade inte direkt framfötterna i skolan, så jag tycker att du ska tala hövligt till din bror tills du själv visat att du duger något till. Mor hade skämts om hon sett dina slutbetyg och hur oduglig du visat dig vara."

Claes ryckte till och Inez såg att små nerver i hans ansikte rörde sig okontrollerat. Ögonen var bottenlöst mörka.

En kort stund var det alldeles tyst kring matbordet. Inte ens Ebba gav ifrån sig minsta läte. Claes tittade rakt på Rune, och Inez knöt händerna under bordet. Det var en maktkamp hon bevittnade och hon var inte säker på att hon ville se hur den slutade.

I flera minuter stirrade de på varandra. Sedan vek Claes undan med blicken.

"Förlåt Johan", sa han.

Inez rös. Hans röst var fylld av hat och hon kände att hon borde följa sin instinkt. Hon hade fortfarande en möjlighet att resa sig och fly. Hon borde ta den, vilka konsekvenserna än blev.

"Ursäkta så mycket att jag stör mitt i maten. Men jag skulle behöva byta några ord med dig, Rune. Det är brådskande." Leon stod i dörren med huvudet artigt nedböjt.

"Kan det inte vänta? Vi sitter ju och äter", sa Rune med en djup rynka mellan ögonbrynen. Att bli störd under en måltid var inget han tolererade, ens i vanliga fall.

"Jag har full förståelse för det och jag skulle inte fråga om det inte var viktigt."

"Vad rör det sig om?" sa Rune och torkade sig om munnen med en servett.

Leon tvekade. Inez tittade på Annelie. Hon kunde inte ta blicken från honom.

"Det rör en akut situation hemma. Pappa bad mig prata med dig."

"Jaså, din far. Varför sa du inte det med en gång?"

Rune reste sig från bordet. Elevernas förmögna föräldrar hade han alltid tid för.

"Fortsätt äta, det här tar nog inte lång stund", sa han och stegade iväg mot dörröppningen där Leon väntade.

Inez följde Rune med blicken. Det knöt sig i magen på henne. Allt det hon känt de senaste månaderna samlade sig i en hård klump. Något var på väg att hända.

Landskapet passerade förbi utanför och i framsätet pratade den obehaglige Mellberg hetsigt i telefonen. Det verkade som om han vägrade lämna över John till poliserna på plats i Fjällbacka och insisterade på att åka hela vägen till Göteborg. Ja, honom kvittade det vilket.

John undrade hur Liv skulle klara det här. Även hon hade satsat allt på ett kort. Kanske borde de ha nöjt sig med det som de redan åstadkommit, men lockelsen hade blivit för stor att i ett enda slag förändra allt och lyckas med det som inget nationalistiskt parti tidigare uppnått i Sverige: att få en dominerande politisk ställning. I Danmark hade Dansk Folkeparti genomfört mycket av det som Sveriges Vänner drömde om. Hade det varit så fel att påskynda den utvecklingen här?

Projekt Gimle skulle ha samlat svenskarna så att de äntligen kunde återupprätta landet tillsammans. Det hade varit en enkel plan, och trots att han oroat sig emellanåt hade han varit övertygad om att de skulle lyckas. Nu var allt förstört. Allt det som de hade byggt upp skulle rivas ner och glömmas bort i efterdyningarna av Gimle. Ingen skulle förstå att de hade velat skapa en ny framtid för svenskarna.

Det hade börjat med ett förslag som slängts fram på skämt inom den närmaste kretsen. Liv hade genast sett potentialen. För honom och de andra hade hon förklarat hur en förändring som annars kunde ta mer än en generation att genomföra skulle kunna ske betydligt fortare. Över en natt skulle de göra revolution, mobilisera svenskarna i en kamp mot de fiender som nästlat sig in och var på väg att bryta ner samhället. Det hade varit ett logiskt resonemang och priset hade känts rimligt.

En enda bomb. Placerad mitt i Sturegallerian under rusningstid. Alla spår polisen sedan följde skulle tyda på muslimska terrorister. I över ett år hade de planerat, gått igenom alla detaljer och noggrant sett till att det inte skulle gå att dra någon annan slutsats än att islamister hade genomfört en attack i hjärtat av Stockholm, i hjärtat av Sverige. Folk skulle ha blivit rädda, och när de blev rädda blev de arga. Då skulle Sveriges Vänner kliva fram, varligt ta dem i handen, bekräfta deras rädslor och tala om för dem hur de skulle göra för att leva tryggt igen. Hur de skulle kunna leva som svenskar.

Ingenting av det skulle bli verklighet. Oron för vad Leon skulle avslöja kändes löjlig och absurd i jämförelse med den skandal som nu väntade. Han skulle stå i centrum, men inte på det sätt han hade tänkt sig. Projekt Gimle hade blivit hans fall, inte hans triumf.

Ebba såg på fotografierna som hon hade lagt ut på golvet. De nakna pojkarna blickade tomt in i kameran.

"De ser så hjälplösa ut." Hon vände bort huvudet.

"Det har inget med dig att göra", sa Anna och strök henne över armen.

"Det hade varit bättre om jag aldrig hade fått reda på något om min familj. Den enda bild jag kommer att ha av dem om vi …"

Hon avslutade inte meningen, och Anna visste att hon inte ville uttala tanken högt: om vi kommer härifrån.

Ebba tittade på bilderna igen. "Det här måste vara några av pappas elever. Om han utsatte dem för det här kan jag förstå om de dödade honom."

Anna nickade. Det syntes att pojkarna ville skyla sig med händerna men att fotografen inte tillät dem. Vånadan var tydlig i deras ansikten och hon kunde tänka sig det raseri som förnedringen måste föda.

"Det jag inte begriper är varför alla måste dö", sa Ebba.

Plötsligt hörde de steg utanför dörren. De ställde sig upp och betraktade den spänt. Någon höll på med låset.

"Det måste vara Mårten", sa Ebba förskräckt.

Instinktivt såg de sig om efter en flyktväg, men de var fångade som råttor. Sakta svängde dörren upp och Mårten klev in med en revolver i handen.

"Du lever?" sa han till Ebba, och Anna skrämdes av att han var så uppenbart likgiltig för om hans hustru var vid liv eller inte.

"Varför gör du så här?" Ebba började gråtande gå mot honom.

"Stå still." Han höjde revolvern och siktade mot henne så att hon stannade mitt i steget.

"Släpp ut oss härifrån." Anna försökte fånga hans uppmärksamhet. "Vi lovar att inte säga något."

"Och det skulle jag tro på? Hursomhelst spelar det ingen roll. Jag har ingen önskan att …" Han avbröt sig själv och tittade på kistorna, där benknotorna stack upp. "Vad är det där?"

"Det är Ebbas familj", sa Anna.

Mårten kunde inte slita blicken från skeletten. "Har de legat här hela tiden?"

"Ja, det måste de ha gjort."

Hoppet tändes att Mårten skulle skakas om tillräckligt för att hon skulle kunna nå fram till honom och hon böjde sig ner. Han studsade till och riktade revolvern mot henne.

"Jag ska bara visa dig en sak." Anna tog upp bilderna och räckte dem till Mårten som tog emot dem med skeptisk min.

"Vilka är det här?" sa han och för första gången lät hans röst nästan normal.

Anna kände hjärtat bulta i bröstet. Någonstans där inne fanns den förnuftige, stabile Mårten kvar. Han förde bilderna närmare ansiktet och synade dem.

"Det måste ha varit min pappa som utsatte dem för det där", sa Ebba. Håret hängde ner i hennes ansikte och det syntes på hela hennes kropps-hållning att hon hade gett upp.

"Rune?" sa Mårten men hajade till när det hördes ett ljud utifrån. Snabbt slängde han igen dörren.

"Vem var det?" sa Anna.

"De vill förstöra allt", sa Mårten. Närvaron i blicken var försvunnen och Anna insåg att allt hopp var ute. "Men de kommer inte in här. Jag har nyckeln. Den låg ovanför dörrlisten här i källaren, bortglömd och rostig. Jag provade den i vartenda lås men den passade ingenstans. Så för någon vecka sedan hittade jag ingången hit av en slump. Den var så genialt konstruerad, nästan omöjlig att se."

"Varför berättade du inte det här för mig?" sa Ebba.

"Jag hade redan då börjat förstå hur allt hängde ihop. Att du var skyl-dig till Vincents död men inte ville erkänna det. Att du försökte lägga över det på mig. Och i den öppna kistan hittade jag den här." Han viftade med revolvern. "Jag visste att jag skulle få användning för den."

"De kommer att ta sig in. Det vet du", sa Anna. "Det är lika bra att du öppnar dörren."

"Jag kan inte öppna nu. Det verkar ha suttit ett låsvred här på insidan, men det har någon tagit bort. Dörren går i lås av sig själv och de har ingen nyckel, så även om de mot förmodan skulle hitta lönndörren kan de inte ta sig in här. Dörren är byggd av en paranoid människa och står emot det mesta." Mårten log. "När de väl har fått hit utrustning för att bryta sig in kommer det att vara för sent."

"Snälla Mårten", sa Ebba, men Anna insåg att det inte tjänade något till att försöka prata med honom. Mårten skulle dö här med dem om hon inte gjorde något.

I samma stund sattes en nyckel i låset och Mårten vred häpet på huvudet. Det var tillfället som Anna hade väntat på. Med en svepande rörelse tog hon änglasmycket som låg på golvet och kastade sig fram mot honom. En lång reva skars upp i hans kind och hon famlade med andra handen efter vapnet. Just som hon kände det kalla stålet mot handen smällde ett skott av.

Egentligen hade han bestämt sig för att dö i dag. Det hade känts som en logisk följd av hans misslyckande och beslutet fyllde honom enbart med lättnad. När han gick hemifrån hade han däremot inte bestämt hur det skulle ske, men då Percy började vifta med sin pistol hade tanken föresvävat honom att han skulle kunna dö som hjälte.

Nu kändes beslutet egendomligt förhastat. På väg nedför den mörka trappan kände Josef viljan att leva starkare än någonsin tidigare. Han ville inte dö och minst av allt på den plats där hans mardrömmar utspelat sig under så många år. Framför sig såg han poliserna, och han kände sig obehagligt naken utan vapen. Det hade inte varit någon diskussion om ifall han skulle följa dem ner i källaren. Han var den enda som kunde visa vägen. Endast han visste var helvetet fanns.

Poliserna väntade på honom nedanför trappan. Patrik Hedström höjde ett frågande ögonbryn och Josef pekade på den bortre kortväggen. Den såg ut som en vanlig vägg, med skeva hyllplan fulla av kladdiga målarburkar. Han såg Patriks skeptiska min och gick före för att visa. Han mindes det så väl: alla lukter, känslan av betong under fötterna, den unkna luften som drogs ner i lungorna.

Efter en blick på Patrik tryckte Josef på högra sidan av den mittersta hyllan. Väggen gav med sig, svängde inåt och avslöjade en gång fram mot en bastant dörr. Han steg åt sidan. Poliserna tittade häpet på honom innan de fann sig och klev in i gången. Framme vid dörren stannade de och lyssnade. Det lät som ett dovt mummel från andra sidan. Josef visste precis hur det såg ut där inne. Han behövde bara blunda för att bilden skulle bli lika klar som om han sett rummet i går. De kala väggarna, den nakna glödlampan som hängde ner från taket. Och de fyra kistorna. De hade lagt ner revolvern i en av dem. Det var där Ebbas man måste ha hittat den. Josef undrade om han hade öppnat de låsta kistorna också, om han visste vad de innehöll. Hursomhelst skulle alla bli varse det nu. Det fanns ingen återvändo.

Patrik tog upp nyckeln ur fickan, satte den i låset och vred om. Han kastade en blick på Josef och sina kollegor, en blick som tydligt visade att han fruktade en katastrof.

Försiktigt öppnade Patrik dörren. Ett skott small av och Josef såg hur poliserna rusade in med dragna vapen. Själv stod han kvar i gången. Tumultet gjorde det svårt att avgöra exakt vad som hände men han kunde höra Patrik skrika: "Släpp vapnet!" Något flammade till och ett skott ekade så högt att det gjorde ont inombords. Sedan hördes ljudet av en människokropp som föll i golvet.

I tystnaden efteråt ringde det i öronen och Josef hörde sina egna andetag, korta och ytliga. Han levde, han kände hur han levde och han var tacksam för det. Rebecka skulle bli orolig när hon fann hans brev, men han fick försöka förklara. För han skulle inte dö i dag.

Någon kom springande nedför källartrappan och när han vände sig om såg han Ia komma emot honom. Hennes min var fylld av skräck.

"Ebba", sa hon. "Var är Ebba?"

Blodet hade sprutat över kistorna och en bit upp på väggen. Bakom sig hörde hon Ebbas skrik, men det ekade avlägset.

"Anna." Patrik tog tag i hennes axlar och skakade henne. Hon pekade mot sitt öra.

"Jag tror att jag kan ha spräckt trumhinnan. Jag hör så dåligt."

Rösten lät dov och märklig. Allt hade gått så fort. Hon tittade ner på sina händer. De var blodiga och hon synade sin kropp för att se om hon blödde någonstans, men det verkade inte så. Hon höll fortfarande Ebbas ängel i ett hårt grepp och hon insåg att blodet måste komma från såret hon skurit i Mårtens ansikte. Nu låg han på golvet med öppna ögon. En kula hade slitit upp ett stort hål i hans huvud.

Anna vände bort blicken. Ebba skrek fortfarande och plötsligt kom en kvinna inrusande och slog armarna om henne. Hon vaggade henne i famnen och sakta tystnade Ebbas skrik och övergick i ett kvidande. Stumt pekade Anna på kistorna och Patrik, Martin och Gösta stirrade på skeletten som här och var hade fläckats av Mårtens blod.

"Vi måste ta er härifrån." Patrik föste varligt Anna och Ebba mot dörren. Ia följde strax bakom.

De kom ut i källaren och plötsligt såg hon Erica komma flygande nedför en brant källartrappa lite längre bort. Hon tog två steg i taget och Anna ökade farten för att komma emot henne. Först när hon borrade in ansiktet mot storasysterns hals kände hon tårarna komma.

När de kom upp i hallen kisade de mot det starka ljuset. Anna skakade fortfarande som i frossa och Erica läste hennes tankar och gick och hämtade hennes kläder på övervåningen. Hon kommenterade inte att de låg i Mårtens och Ebbas sovrum, men Anna visste att hon skulle behöva förklara en hel del, även för Dan. Det högg till i hjärtat vid tanken på hur illa hon skulle göra honom, men hon orkade inte fundera på det nu. Det fick hon lösa senare.

"Jag har ringt efter hjälp och det är folk på väg ut", sa Patrik. Han hjälpte Anna och Ebba att sätta sig på yttertrappan.

Ia slog sig ner bredvid Ebba och höll armen hårt om henne. Gösta satte sig på andra sidan och studerade dem ingående. Patrik böjde sig fram mot honom och viskade:

"Det är Annelie. Jag berättar mer sedan."

Gösta mötte frågande hans blick. Sedan slog tanken ner som en blixt och han skakade på huvudet.

"Handstilen. Det var så klart så det hängde ihop."

Han visste att det var något han hade missat när de gick igenom alla kartongerna. Något som han sett och borde ha förstått. Han vände sig mot Ia.

"Hon kunde ha hamnat hos oss, men hon fick det bra dit hon kom också." Gösta såg att de andra lyssnade utan att förstå vad han pratade om.

"Jag orkade inte tänka på vem som tog hand om henne. Jag orkade inte tänka på henne alls. Det var lättast så", sa Ia.

"Hon var så fin. Vi blev förtjusta i henne den där sommaren och nog hade vi velat att hon stannade. Men vi hade förlorat ett barn och liksom vant oss av med tanken på en liten …" Han tittade bort.

"Ja, hon var fin. En riktig liten ängel", sa Ia och log sorgset. Ebba tittade förbryllat på dem.

"Hur förstod du det här?" sa Ia.

"Inköpslistan. Det fanns en handskriven lista bland sakerna som ni lämnade efter er. Och sedan fick jag ju lappen med adressen av dig. Det var samma handstil."

"Kan någon vara så vänlig att förklara vad det här handlar om?" sa Patrik. "Förslagsvis du, Gösta."

"Det var Leons idé att jag skulle använda Annelies pass i stället för mitt eget", sa Ia. "Det skilde visserligen några år mellan oss men vi var tillräckligt lika för att det skulle fungera."

"Jag förstår inte." Ebba skakade på huvudet.

Gösta tittade henne rakt i ögonen. Han såg den lilla tösen som sprungit runt i Maj-Britts och hans trädgård och lämnat ett sådant avtryck i deras hjärtan. Det var hög tid att hon fick de svar som hon hade väntat så länge på.

"Ebba. Det här är din mamma. Det är Inez."

Det blev knäpptyst. Bara vinden i björkarna runtomkring hördes.

"Men, men …", stammade Ebba. Hon pekade bakom sig, mot källaren. "Vem är det då med det långa håret?"

"Annelie", sa Ia. "Vi hade långt, brunt hår båda två", sa hon och strök ömt Ebbas kind.

"Varför har du aldrig …?" Ebbas röst var ostadig av alla känslor.

"Jag har inga enkla svar. Det finns mycket jag inte kan förklara, för jag förstår det inte ens själv. Jag var tvungen att inte tänka på dig. Annars hade jag aldrig klarat av att lämna dig."

"Leon hann aldrig berätta färdigt vad som egentligen hände", sa Patrik. "Jag tror att det är dags nu."

"Ja, det är nog det", sa Inez.

En bit ute på havet syntes båtar som var på väg mot Valö. Gösta välkomnade de personer som snart skulle ta över, men först skulle han äntligen få reda på vad som hände den där påskaftonen 1974. Han tog Ebbas ena hand i sin. Inez tog den andra.

Valö påskafton 1974

"Vad är det här?" Rune var vit i ansiktet där han stod i dörröppningen till matsalen. Bakom honom skymtade Leon och de andra pojkarna: John, Percy, Sebastian och Josef.

Inez tittade undrande på dem. Hon hade aldrig förut sett Rune förlora fattningen, men nu var han så upprörd att hela kroppen skakade. Han gick och ställde sig framför Claes. I händerna höll han en bunt fotografier och en revolver.

"Vad är det här?" upprepade han.

Claes teg med uttryckslös min. Pojkarna tog några försiktiga steg in i rummet och Inez sökte Leons blick, men han undvek att titta på henne. I stället såg han på Claes och Rune. En lång stund var det alldeles tyst. Luften kändes tjock och svår att andas och Inez greppade hårt om bordskanten. Något fruktansvärt var på väg att hända mitt framför henne, och vad det än var skulle det sluta illa.

Långsamt spred sig ett leende över Claes läppar. Innan hans far hann reagera reste han sig, ryckte åt sig revolvern och tryckte av den mot hans panna. Livlös föll Rune ihop på golvet. Blodet rann ymnigt från ett krutsvart hål mitt i pannan och Inez hörde sig själv skrika. Det lät som om det var någon annan, men hon visste att det var hennes egen röst som ekade mellan väggarna och blandades med Annelies i en makaber duett.

"Håll käften!" skrek Claes, med revolvern fortfarande riktad mot Rune. "Håll käften!"

Men hon kunde inte hejda skriket. Skräcken tvingade ut det ur hennes mun medan hon såg oavvänt på sin mans döda kropp. Ebba grät hjärtskärande.

"Håll käften, sa jag!" Claes sköt ett skott till i sin far, och kroppen ryckte till där den låg. Den vita skjortan färgades sakta röd.

Chocken fick Inez att tystna abrupt. Även Annelies skrik upphörde tvärt, men Ebba fortsatte gråta.

Claes strök med ena handen över ansiktet. Den andra höll revolvern höjd.

Han såg ut som en liten pojke som lekte cowboy, tänkte Inez, men hon slog genast bort den absurda tanken. Det fanns inget pojklikt i Claes uppsyn. Det fanns inte ens något mänskligt. Blicken var tom och han log fortfarande sitt otäcka leende som om ansiktet stelnat. Andetagen var snabba och ryckiga.

Med en häftig rörelse vände han sig mot Ebba och siktade på henne. Hon fortsatte skrika, högröd i ansiktet, och som fastfrusen såg Inez hur Claes finger kröktes om avtryckaren och hur Johan kastade sig fram men plötsligt stannade upp. Förvånat tittade han ner på sin skjorta där en röd fläck började breda ut sig. Sedan rasade han ihop på golvet.

Det blev stilla i rummet igen. Onaturligt stilla. Till och med Ebba tystnade och stack tummen i munnen. Nedanför hennes barnstol låg Johan på rygg. Den blonda luggen hade fallit fram i ögonen och hans blå ögon tittade oseende upp mot taket. Inez kvävde en snyftning.

Claes backade så att han stod med ryggen mot ena kortväggen. "Gör nu som jag säger. Och var tysta. Det är det viktigaste av allt." Rösten var kusligt lugn, som om han njöt av situationen.

I ögonvrån anade hon en rörelse borta vid dörren och Claes tycktes uppfatta samma sak. Blixtsnabbt riktade han revolvern mot pojkarna.

"Ingen går härifrån. Ingen får ge sig av."

"Vad ska du göra med oss?" sa Leon.

"Jag vet inte. Jag har inte bestämt mig än."

"Min pappa har mycket pengar", sa Percy. "Han kan betala dig om du släpper iväg oss."

Claes skrattade ihåligt. "Det är inte pengar jag vill ha. Det borde väl du veta."

"Vi lovar att inte säga något." John vädjade men han talade för döva öron.

Inez visste att det var lönlöst. Hon hade haft rätt om Claes. Hon hade känt att det var något som saknades hos honom. Vad han än hade gjort mot pojkarna ville han dölja det till varje pris. Han hade redan dödat två människor och han skulle inte låta någon av dem komma levande härifrån. De skulle alla dö här.

Leon sökte med ens hennes blick och hon förstod att han tänkte samma sak som hon. De skulle aldrig få mer än de stunder de stulit sig till. De hade gjort planer och haft så många tankar om hur de skulle leva tillsammans. Om de bara väntade och hade tålamod skulle de ha en framtid. Nu skulle det inte bli så.

"Jag visste väl att den där horan hade något för sig", sa Claes plötsligt.

348

"Den där blicken kan man inte missta sig på. Hur länge har du knullat min styvmor, Leon?"

Inez teg. Annelie såg från henne till Leon.

"Är det sant?" Annelie verkade för en stund glömma sin rädsla. "Din jävla subba! Fanns det ingen i din egen åld..."

Ordet bröts mitt itu. Claes hade lugnt lyft revolvern och skjutit ett skott i tinningen på henne.

"Jag sa ju att ni skulle hålla käften", sa han tonlöst.

Inez kände tårarna bränna bakom ögonlocken. Hur lång tid hade de kvar att leva? De var maktlösa och kunde inte göra annat än att vänta på att bli slaktade, en efter en.

Ebba började skrika igen och Claes hajade till. Hon skrek allt gällare och Inez kände hur hela kroppen spändes. Hon borde resa sig men kunde fortfarande inte förmå sig.

"Få tyst på ungen." Claes tittade på henne. "Få tyst på horungen, sa jag!"

Hon öppnade munnen men inga ord kom ut och Claes ryckte på axlarna.

"Jaha. I så fall får väl jag se till att hon blir tyst", sa han och siktade åter mot Ebba.

Just som han tryckte av slängde sig Inez fram för att skydda dottern med sin kropp.

Men ingenting hände. Claes kramade avtryckaren igen. Inget skott avfyrades och häpen tittade han på revolvern. I samma ögonblick rusade Leon fram och kastade sig över honom.

Inez lyfte upp Ebba och höll henne mot sitt bröst där hjärtat slog vilt. Claes låg fångad under Leons tyngd men vred på sig för att ta sig loss.

"Hjälp mig!" ropade Leon och skrek till när han fick en hård knytnäve i magen.

Det verkade som om han var på väg att tappa greppet om Claes som vildsint kastade sig av och an. Men en välriktad spark från John träffade Claes i huvudet och det hördes ett otäckt krasande ljud. Han blev slapp i kroppen och kampen upphörde.

Leon rullade snabbt undan och hamnade på alla fyra på trägolvet. Percy måttade en spark mot Claes mage samtidigt som John fortsatte sparka på hans huvud. Josef stod först och tittade på. Sedan gick han sammanbitet fram till det dukade bordet, klev över Runes kropp och sträckte sig efter kniven som använts för att skära upp lammsteken. Han föll på knä bredvid Claes och tittade upp mot John och Percy som andfådda slutade sparka. Ett gurglande ljud hördes ur Claes mun och han rullade med ögonen. Långsamt, nästan njutningsfyllt, lyfte Josef den stora kniven och lade den vassa eggen mot Claes hals. Så gjorde han ett snabbt snitt rakt över halsen och snart började blodet pumpa fram.

Ebba skrek fortfarande och Inez tryckte henne ännu närmare intill sig. Instinkten att beskydda henne var starkare än någonting hon tidigare känt. Hon darrade i hela kroppen, men Ebba kröp ihop som ett litet djur i hennes famn. Hon klängde sig fast så hårt om hennes hals att Inez knappt kunde andas. På golvet framför dem satt Percy, Josef och John på huk vid Claes sargade kropp, som en lejonflock kring ett byte.

Leon kom fram till henne och Ebba. Han tog några djupa andetag.

"Vi måste röja upp", sa han lågt. "Oroa dig inte. Jag ska ta hand om det här." Han kysste henne mjukt på kinden.

Som på avstånd hörde hon hur han började kommendera de andra pojkarna. Spridda ord nådde fram till henne, om det Claes gjort, om bevis som måste undanröjas, om skammen, men det lät som om de kom från någonstans långt borta. Med slutna ögon vaggade hon Ebba. Snart skulle det vara över. Leon skulle ordna allt.

De kände sig märkligt tomma. Det var måndag kväll och allt som skett hade långsamt börjat sjunka in. Om och om igen hade Erica ältat vad som hänt Anna – och vad som kunde ha hänt. Hela dagen i går hade Patrik pjåskat med henne som om hon vore ett litet barn. Först hade hon tyckt att det var gulligt, men nu var hon trött på det.

"Vill du ha en filt?" frågade Patrik och pussade henne på pannan.

"Det är ungefär trettio grader här inne just nu. Så nej tack, ingen filt. Och jag svär: om du pussar mig en gång till på pannan kommer jag att sexstrejka i en månad."

"Förlåt att man är lite mån om sin fru." Patrik gick ut i köket.

"Har du sett tidningen i dag?" ropade hon efter honom, men fick bara ett mummel till svar. Hon reste sig ur soffan och följde efter honom. Värmen verkade inte mattas av trots att klockan var över åtta på kvällen, och hon var sugen på glass.

"Ja, tyvärr. Jag gillade speciellt förstasidan, med Mellberg som poserar med John vid polisbilen under rubriken HJÄLTEN I FJÄLLBACKA."

Erica fnyste. Hon öppnade frysen och tog fram en låda chokladglass. "Vill du ha?"

"Tack, gärna." Patrik satte sig vid köksbordet. Barnen hade somnat och lugnet hade lagt sig över huset. Det var lika bra att njuta så länge det varade.

"Han är nöjd, antar jag?"

"Ja, hälften kunde vara nog. Och Göteborgspolisen är sur för att han snor åt sig äran. Men huvudsaken är ju att planerna avslöjades och att attentatet kunde stoppas. Det lär ta ett bra tag innan Sveriges Vänner hämtar sig."

Erica önskade att hon kunde tro på det. Hon tittade allvarligt på Patrik.

"Berätta nu, hur gick det hos Leon och Inez?"

Han suckade. "Jag vet inte. Jag fick nog svar på frågorna jag ställde, men jag är inte riktigt säker på om jag förstår."

"Hur menar du?"

"Leon berättade hur allt gick till, men det är inte självklart hur han resonerade hela tiden. Det började med att han misstänkte att något inte stod rätt till på skolan. Och till slut bröt Josef ihop och avslöjade vad Claes hade utsatt honom, John och Percy för."

"Var det Leons idé att de skulle berätta för Rune?"

Patrik nickade. "De var motvilliga, men han övertalade dem. Jag fick intrycket av att han funderat många gånger på vad som skulle ha hänt och hur livet skulle ha blivit om han inte hade förmått dem till det."

"Det var det enda rätta. Han kunde ju inte veta hur galen Claes verkligen var. Det var omöjligt för honom att förutse vad som skulle hända." Erica skrapade upp den sista glassen ur sin skål utan att ta blicken från Patrik. Helst hade hon velat vara med när han besökte Leon och Inez, men där hade han dragit gränsen. Hon fick nöja sig med att få det återberättat.

"Det var precis vad jag sa."

"Och efteråt? Hur kom det sig att de inte ringde polisen direkt?"

"De var rädda att de inte skulle bli trodda. Och jag tror att chocken kan ha spelat in. De tänkte inte klart. Sedan ska man inte underskatta skammen. Tanken på att det skulle avslöjas vad de hade varit med om räckte nog för att de skulle gå med på Leons plan."

"Men Leon hade väl ingenting att förlora på att låta polisen ta hand om allt? Han var ju inte ett av Claes offer, och han var heller inte med och dödade honom."

"Han riskerade att förlora Inez," sa Patrik. Han lade ner skeden utan att knappt ha smakat på glassen. "Om allting hade avslöjats skulle skandalen ha blivit så stor att de troligtvis inte hade kunnat få vara tillsammans."

"Ebba då? Hur kunde de lämna henne där?"

"Det verkar vara det som har plågat hans samvete mest under åren. Han sa det inte rakt ut, men jag tror att han aldrig har slutat förebrå sig för att han fick Inez att lämna Ebba kvar. Och jag avstod faktiskt från att ställa den frågan. Jag tror att de båda har fått lida tillräckligt för det beslutet."

"Jag begriper bara inte hur han kunde förmå henne till det."

"De var vansinnigt kära i varandra. De hade en passionerad kärleksaffär som de hade varit livrädda att Rune skulle upptäcka. Förbjuden kärlek är starka grejer. Och en del av skulden kan troligen läggas på Leons pappa Aron. Leon ringde honom för att be om hjälp, och Aron gjorde klart för honom att Inez skulle kunna ta sig ut ur landet, men inte tillsammans med ett litet barn."

"Jo, jag kan förstå att Leon gick med på det. Men Inez? Även om hon var himlastormande kär, hur kunde hon överge sitt eget barn?" Ericas röst var nära att brista vid tanken på att åka ifrån något av sina egna barn utan hopp om att få se det igen.

"Hon tänkte nog inte heller klart. Och Leon fick henne antagligen att tro att det var det bästa för Ebba. Jag kan tänka mig att han skrämde upp henne och sa att de skulle hamna i fängelse om de stannade, och då skulle hon ändå förlora Ebba."

Erica skakade på huvudet. Det spelade ingen roll. Hon skulle aldrig förstå hur en förälder frivilligt kunde lämna sitt barn.

"De gömde alltså kropparna och pratade ihop sig om den där fiskehistorien?"

"Enligt Leon föreslog hans pappa att de skulle dumpa kropparna till havs, men Leon var orolig över att de skulle flyta upp och kom på att de skulle gömma dem i skyddsrummet. Så de hjälptes åt att bära ner kropparna dit och lade dem i kistorna tillsammans med fotografierna. Revolvern fick de för sig att lägga där de trodde att Claes hade hittat den. Sedan låste de rummet och räknade med att det var tillräckligt väl dolt för att polisen inte skulle hitta det."

"Vilket de inte heller gjorde", sa Erica.

"Nej, den delen av planen fungerade utmärkt, förutom att Sebastian såg till att lägga beslag på nyckeln. Han har tydligen hållit den som en bila ovanför deras huvuden sedan dess."

"Men varför hittade polisen inte några spår av vad som hänt när de undersökte huset?"

"Pojkarna skrubbade matsalsgolvet noga och fick väl bort allt blod som var synligt för blotta ögat. Och du får tänka på att det var 1974 och att det var landsortspolis som gjorde den tekniska undersökningen. Det var inte direkt CSI-klass på den. Sedan bytte de kläder och gav sig ut i fiskebåten efter att ha ringt ett anonymt samtal till polisen."

"Och vart tog Inez vägen?"

"Hon gömde sig. Det var också Arons idé, sa Leon. De bröt sig in i ett tomt sommarhus på någon ö intill där hon kunde stanna tills allt lugnat ner sig tillräckligt för att hon och Leon skulle kunna lämna landet."

"Så medan polisen letade efter familjen satt hon hela tiden i en sommarstuga någonstans i närheten?" sa Erica klentroget.

"Ja, det kom säkert in en anmälan om inbrottet framåt sommaren när ägarna kom dit, men det kopplades ju inte ihop med försvinnandet på Valö."

Hon nickade och kände tillfredsställelsen i att pusselbitarna föll på plats. Efter alla timmar hon ägnat åt att fundera över vad som hänt med familjen Elvander visste hon nu äntligen det mesta.

"Jag undrar hur det går för Inez och Ebba nu", sa hon och sträckte sig efter Patriks skål för att äta upp hans glass som raskt höll på att smälta. "Jag har inte velat störa henne, men jag antar att Ebba har åkt till sina föräldrar i Göteborg."

"Du har alltså inte hört?" sa han och sken upp för första gången sedan de började prata om fallet.

"Nej, vad då?" Erica tittade nyfiket på honom.

"Hon har flyttat in i Göstas gästrum några dagar för att vila upp sig. Inez skulle komma dit och äta middag med dem i kväll, sa han. Så jag antar att de i alla fall vill försöka närma sig varandra."

"Det låter bra. Hon kan behöva det. Måste vara en chock, det som hände med Mårten. Bara tanken på att ha levt med någon som man älskar och trots allt litar på, och så visar han sig kapabel till något sådant här." Hon skakade på huvudet. "Men Gösta är nöjd över att ha henne där, gissar jag. Tänk om bara …"

"Ja, jag vet. Och Gösta har nog tänkt den tanken fler gånger än vi kan föreställa oss. Men Ebba fick det ju bra ändå, och på något sätt tror jag att det är huvudsaken för honom." Han bytte abrupt samtalsämne, som om det var för smärtsamt att fundera över det som Gösta gått miste om. "Hur är det med Anna?"

Erica rynkade bekymrat pannan.

"Jag har inte hört något från henne än. Dan åkte ju raka vägen hem efter att han fick sms:et jag skickade, och jag vet att hon skulle berätta allt för honom."

"Allt?"

Hon nickade.

"Hur tror du att Dan reagerar?"

"Jag vet inte." Erica tog ett par skedar glass till och rörde runt så att det blev en rinnig sörja. Det var en vana hon haft sedan hon var liten. Anna gjorde likadant. "Jag hoppas att de reder ut det."

"Mmm", sa Patrik, men hon såg hans skeptiska min och nu var det hennes tur att byta samtalsämne.

Hon ville inte riktigt erkänna det, vare sig för sig själv eller för Patrik, men de senaste dagarna hade hon oroat sig så mycket för Anna att hon knappt kunnat tänka på något annat. Men hon hade tvingat sig själv att inte ringa henne. Dan och hon behövde lugn och ro nu för att ha en chans att reda ut allt. Tids nog skulle hon höra av sig.

"Blir det inga rättsliga följder för Leon och de andra?"

"Nej, brottet är preskriberat. Den ende som hade kunnat ställas inför rätta för något är Mårten. Och vi får se vad som händer med Percy."

"Jag hoppas att inte Martin mår alltför dåligt över att han sköt Mårten. Det är det sista han behöver", sa Erica. "Och det känns ju som om det var mitt fel att han drogs in i alltihop."

"Tänk inte så. Han mår så bra som han nu kan, och han verkar vilja gå tillbaka till jobbet så snart som möjligt. Pias behandling kommer att ta tid och både hans och hennes föräldrar hjälper till, så han har pratat med henne om att han ska arbeta halvtid i alla fall."

"Låter vettigt", sa Erica men kunde ändå inte göra sig av med sitt dåliga samvete.

Patrik såg forskande på henne. Han sträckte sig fram, smekte henne över kinden och hon mötte hans blick. Som enligt en tyst överenskommelse hade de inte berört att han hade varit nära att förlora henne igen. Hon var här nu. Och de älskade varandra. Det var det enda som betydde något.

TVÅ CARIN GÖRING?

Kvarlevorna som för en tid sedan upphittades i en zinkkista i närheten av det som en gång var Hermann Görings egendom Karinhall har analyserats vid Rättsmedicinalverket i Linköping. De uppgavs vara kvarlevorna efter Carin Göring, född Fock, som avled 1931. Det märkliga är att en skogvaktare redan 1951 hittade utspridda skelettdelar som antogs härröra från Carin Göring. Dessa kremerades under stort hemlighetsmakeri och askan fördes till Sverige av en svensk kyrkoherde för urnnedsättning.

Det var tredje gången Carin Göring begravdes. Första gången var i den Fockska familjegraven på Lovö kyrkogård, därefter på Karinhall och slutligen i Sverige igen.

Nu skrivs ytterligare ett kapitel i denna besynnerliga historia. Dna-analysen ger nämligen vid handen att det senaste fyndet är Carin Göring. Frågan som återstår är: vems stoft finns på Lovö kyrkogård utanför Stockholm?

Efterord

När jag skriver det här har det gått en vecka sedan bomben i Oslo och dödsskjutningarna på Utøya. Jag har suttit och stirrat på nyhetssändningarna med samma klump i magen som alla andra och förgäves försökt förstå hur någon kan vara kapabel till sådan ondska. Bilderna från förödelsen i Oslo fick mig att inse att händelser i denna bok tangerar den ondskan. Men tyvärr stämmer det att verkligheten överträffar dikten. Det är en ren slump att min berättelse om människor som ursäktar sina onda handlingar med politik kom till före händelserna i Norge, men kanske är det en indikation på vilket slags samhälle vi lever i.

Det finns dock andra saker i *Änglamakerskan* som medvetet har sin grund i verkliga händelser. Jag vill tacka Lasse Lundberg, som under sin guidade tur i Fjällbacka satte min fantasi i rörelse med berättelserna om den bohuslänska graniten som Albert Speer ska ha valt ut till Germania och om det besök Hermann Göring sägs ha gjort på en av öarna i Fjällbacka skärgård. Jag har tagit mig friheten att själv väva en historia utifrån dem.

För att skriva den här berättelsen behövde jag göra mycket research om Hermann Göring. Björn Fontanders bok *Carin Göring skriver hem* har varit en fantastisk källa, framför allt till kunskap om Hermann Görings tid i Sverige. I den boken hittade jag också ett tvättäkta mysterium, som jag kunde väva in i handlingen på ett sådant där magiskt sätt som ibland händer när man är författare. Och det är alltid lika underbart. Tack Björn för all inspiration jag fick av din bok.

Det finns inte någon ökänd änglamakerska från Fjällbacka, men naturligtvis finns det likheter mellan romanens Helga Svensson och Hilda Nilsson från Helsingborg, som hängde sig i sin cell 1917 innan hennes dödsdom hann verkställas.

Barnkolonin på Valö finns i verkligheten och har sin givna plats i Fjällbackas historia. Jag har tillbringat många sommarveckor där på läger, och det finns nog knappt en Fjällbackabo som inte har något slags relation till det stora vita huset. I dag är det vandrarhem och restaurang och väl värt ett besök. Jag har tagit mig friheten att ändra årtal och ägare så att de passar in i min egen berättelse. Alla övriga detaljer om Fjällbacka har jag som vanligt fått oumbärlig hjälp med av Anders Torevi.

Journalisten Niklas Svensson har på ett ytterst insatt och generöst sätt hjälpt mig med de politiska delarna i boken. Stort tack för detta.

Sammanfattningsvis har jag precis som jag brukar blandat detaljer ur den verkliga historien med min egen fria fantasi. Och alla eventuella fel är helt mina egna. Jag har även förlagt berättelsen till en tid då preskriptionstiden för mord var tjugofem år. Den lagen är numera ändrad.

Det finns också många andra jag vill tacka. Min förläggare Karin Linge Nordh och min redaktör Matilda Lund som har gjort ett herkulesarbete med manuset.

Min man Martin Melin som alltid är ett stort stöd i mitt arbete. Eftersom han nu för första gången jobbat med ett eget manus har vi kunnat peppa varandra när vi suttit många långa timmar och skrivit. Naturligtvis är det också en otrolig förmån att ha en egen polis att fråga om allt mellan himmel och jord som rör polisarbete.

Mina barn Wille, Meja och Charlie som ger mig energi att ösa in i böckerna. Och hela nätverket kring dem: mormor Gunnel Läckberg och Rolf "Sassar" Svensson, Sandra Wirström, mina stora barns pappa Mikael Eriksson samt Christina Melin som ryckt in på ett exceptionellt sätt när det har kört ihop sig. Tack till er alla.

Nordin Agency – Joakim Hansson och hela gänget där – ni vet att jag är otroligt tacksam för det jobb ni gör för mig i Sverige och världen. Christina Saliba och Anna Österholm på Weber Shandwick har lagt ner ett stort arbete på allt det som rör ett framgångsrikt författarskap. Ni gör ett otroligt jobb.

Författarkollegorna. Ingen nämnd, ingen glömd. Jag hinner inte träffa er så ofta som jag skulle önska, men när vi väl ses blir jag fulltankad med positiv energi och författarglädje. Och jag vet att ni finns där. En särskild plats i mitt hjärta har Denise Rudberg, min vän, kollega och vapendragare sedan många år. Vad skulle jag göra utan dig?

Jag skulle heller inte kunna skriva de här böckerna om inte Fjällbackaborna välvilligt och glatt låtit mig hitta på alla möjliga hemskheter i det lilla samhället. Ibland är jag lite orolig för vad jag egentligen ställer till med, men ni verkar till och med finna er i att bli invaderade av film-team. I höst kommer det att hända igen och jag hoppas att ni kommer att känna er stolta över resultatet när Fjällbacka åter får chansen att visa upp sin unika miljö, nu även utanför Sveriges gränser.

Slutligen vill jag tacka mina läsare. Ni väntar alltid tålmodigt på nästa bok. Ni stöttar mig när det blåser snålt. Ni ger mig en klapp på axeln när jag behöver det och ni har funnits med mig i många år nu. Jag uppskattar er. Enormt. Tack.

Camilla Läckberg
Måsholmen 29 juli 2011